Wimpffen, Alexanc

Briefe eines Reisenden

3. Band

Wimpffen, Alexandre -Stanislas

Briefe eines Reisenden

3. Band

Inktank publishing, 2018

www.inktank-publishing.com

ISBN/EAN: 9783747767788

Briefe eines Reisenden,

geschrieben
aus England und Frankreich, einem Theil von Afrika, und aus Nord-Amerika,

von dem

Freyherrn von Wimpffen,

wirklichem Geheimen Rath und erstem Kammerherrn von Ihro Majestät, der Königin von Würtemberg;

aus der französischen Handschrift übersetzt und herausgegeben

von

P. J. Rehfues,

Kreisdirector in Bonn und korrespondirendem Mitglied der italienischen Akademie zu Florenz.

Dritter Band.

Darmstadt 1815,
bey Heyer und Leske.

Reichthum verkündigte, als das Thal von Montmorency in einer Menge von Schlössern, Gärten, Parks und Dörfern ausspricht, welche auf dem Gipfel, oder an dem Abhang der Hügel, oder in dem Thale selbst zerstreut sind.

Zwar fehlt diesem Gemählde, aus Mangel eines Flusses, eine seiner schönsten Zierden. Auch sagt' ich gestern, daß eine Landschaft ohne Wasser einem Salon ohne Spiegel gleiche, und mein Gedanke ward für richtig anerkannt.

Indeß wird dieser Mangel zum Theil wenigstens durch einen Teich ersetzt, den man durch schönes Grün hindurch sieht, und der dem Blick die Täuschung eines Flusses gewährt, welcher sich durch Wiesen, Felder, Gärten und Gehölze durchschlängelt.

Verläßt man den Weg, der längs dem Park vom Schloß nach der Stadt führt, so findet man einen Fußpfad, der das Thal durchschneidet, in welchem sich unter Pappeln, Ulmen und Obstbäumen mehrere Bäche hinziehen, woran Wiesen, Gärten und Gebüsche stoßen. Dieser Fußpfad ist durch eine, mit Gehölz bedeckte, Anhöhe begränzt, an deren Fuß ein einzelnes, einsames Haus liegt, das die Einsiedeley heißt, und in welchem der berühmte Verfasser des Emils und der Heloise einige Zeit gewohnt hat.

So wie der Anblick des Thals von Montmorency die Einbildungskraft mit allen Gedanken erfüllt, welche das Schauspiel der Pracht und des Luxus erweckt, so ladet die süße Einsamkeit der Einsiedeley zu Träumereyen und Betrachtungen ein.

Das Haus selbst ist von ganz gewöhnlichem Schlage, und gerade das, was die Zurückgezogenheit eines Weisen seyn muß; klein und einfach, wie Aristipps Wohnung. Seine ganze Schönheit liegt in seiner Lage, die trotz ihrer Isolirung dennoch eine schöne Aussicht auf St. Denis hat.

Der Eigenthümer desselben hatte es Rousseaux eingeräumt, dessen ziemlich ähnliche Büste in einer Nische am äussersten Ende des Gartens steht. Sie ist durch einen Spiegel geschlossen, unter welchem man die Worte lies't:

> O toi, dont les brilants écrits
> Furent créés dans cet humble hermitage;
> Rousseau, plus éloquent, que sage,
> Pourquoi quittas tu mon pays?

Toi même avais choisi ma retraite paisible.
Je t'offris le bonheur, et tu l'as dédaigné.
Tu fus ingrat... Mon coeur en a saigné!
Mais pourquoi retracer à mon ame sensible?....
Je te lis, je te vois, et tout est pardonné.

Der geringste Fehler dieser Verse ist, daß sie schlecht sind; aber ich finde einen weit wesentlichern in ihnen und der ist, daß sie von dem Egoismus und der Eitelkeit zeugen, welche den Geist unsers Jahrhunderts ganz besonders bezeichnen. Denn was soll ich von der Absicht denken, in der ein solches Denkmal errichtet worden ist, wenn ich sehe, daß es nur die Thorheit eines Mannes verewigen soll, der mehr Beredsamkeit, als Weisheit hatte, und durch dessen Undankbarkeit das Herz des Freundes bluten mußte, welcher ihm einen Wohnort der Zurückgezogenheit und des Glücks angeboten hatte? — .... des Glücks!.... Nur die Vorsehung scheint sich eines solchen Ausdrucks erlauben zu dürfen!

So ist diese Büste hier ein blosses Denkmal der Eitelkeit; denn die verrathene Freundschaft errichtet der Undankbarkeit kein Denkmal, und wenn sie ihr auch verziehen hat.

Nichts geht indeß über die Schönheit der hintern Seiten der Einsiedeley. Es ist ein unebener Hügel, der mit einer Mannichfaltigkeit von Bäumen bedeckt ist, welche durch ihre Abwechslung die angenehmste Wirkung machen. Überall tritt man auf einen dichten Rasen, dessen frisches Grün zur Ruhe einladet; während die gewundenen Pfade, welche sich durch diese Art von Wald ziehen, von allen Seiten zu herrlichen Spaziergängen auffodern. Die Menschen-Hand hat hier nichts gethan, und hatte hier auch nichts zu thun.

Das Schloß von Montmorency, dessen Architectur in edlem Styl ist, war die Frucht der Industrie eines gewissen Herrn Croisat, dem man, um seiner ungeheuern Reichthümer willen, den Nebennahmen des Armen gegeben hat.

Die Stadt ist dermassen verödet, daß man sie, ohne die Spuren einiger alten Thore, für ein Dorf halten müßte.

Die Parochial-Kirche bildet mehr durch ihre Lage, als durch ihre Architectur, eine ziemlich imposante Masse. Das Innere derselben hat nichts Merkwürdiges, als zwey Grabmähler, von denen das eine die Asche des Connetabels Anne von Montmorency und seiner Gattin enthält.

Das Gut von Montmorency, das heutzutag dem Haus Condé gehört, ist nicht nur die erste Baronie von Frankreich, sondern auch das erste Lehen, das diesen Nahmen bekommen hat, und von welchem ehedem über 600 adeliche Lehen abhingen. Diese Besitzung des ersten christlichen Barons von Frankreich ist durch Heirathen an einen Prinzen vom Geblüt übergegangen. Dieß ist nun viel Ehre für dieselbe; aber was hat sie dabey gewonnen?

Die Engländer, welche den französischen Thron auf kurze Zeit in Besitz nahmen, bis ein Bauermädchen aus der Champagne sie von demselben vertrieb, verbrannten die Stadt im Jahr 1258, und seit der Zeit hat sie sich nicht mehr erhohlt.

Ich bewohne hier dieselben Zimmer, welche Montesquieu und Rousseau vordem inne gehabt haben. In Bezug auf den erstern erzählte uns die Marschallin von Luxemburg gestern eine Anekdote, welche, glaub' ich, noch nirgends gedruckt ist.

Er ging gewöhnlich morgens sehr frühe spazieren, ohne sich vorher die Haare festmachen zu lassen. Auch lief er dabei sehr schnell, und hatte, weil er äusserst zerstreut war, gewöhnlich den ersten besten Überrock angezogen, der ihm in die Hände fiel, und war's auch der Überrock seines Reitknechts.

Nun befand sich die Marechaussée in Verfolgung einiger Diebe; da erklärten die Landleute der Nachbarschaft, daß ein Mann, dessen Gesicht nichts Gutes verspreche, häufig äusserst schnell durch die Gehölze der Gegend laufe, ohne einen bestimmten Weg zu halten, und die einsamsten Stellen den besuchtern Orten vorzuziehen scheine.

Sogleich macht sich die ganze Brigade auf den Weg, und hat den Landstreicher auch wirklich bald aufgetrieben. Woher kommt ihr? fragt man ihn. — Vom Schloß von Montmorency; war die Antwort. — Wohin geht ihr? — In das Schloß von Montmorency. — Kennt man euch da? — Ja. — So wollen wir euch hinführen.

Die Gesellschaft im Schlosse machte eben ihren Morgen-Spaziergang, als sie die beiden Reiter, mit ihrem Fang in der Mitte, die Allee herauskommen steht. Aber denken Sie sich das Erstaunen derselben, als sie den Präsidenten erkennt, und das Erstaunen der Diener der Connetablie, da sie die ganze Gesellschaft rufen hören: „er ist's!.. er ist es wirklich! Es ist der Präsident von Montesquieu!“

Wenn der Verfasser vom Geist der Gesetze von der heiligen Hermandad in Spanien aufgefangen worden wäre, so liesse sich das begreifen. Aber den Präsidenten von Montesquieu in den Händen der französischen Maréchaussée zu sehen, muß allerdings ein ganz pikantes Schauspiel gewesen seyn. Die Frauen besonders lachten über den Vorfall, und riethen dem Verfasser der persischen Briefe, für seine Gänge nach Abenteuern, in Zukunft erst vorher eine Toilette zu machen, die des Verfassers des Tempels von Gnidus würdig wäre.

Indeß hab' ich nicht gefunden, daß er hier die Meinung zurückgelassen hätte, als ob ein zerstreuter Kopf nothwendig für die Gesellschaft lächerlich, oder unbedeutend seyn müßte. Vielmehr sah man in seinen Zerstreuungen nur die Folge von der Überlegenheit eines zu tiefen Geistes, als daß der Gesellschafts-Mensch nicht zuweisen in den gewöhnlichen Gedanken des Verfassers vom Geist der Gesetze untergehen mußte, von einem Werk, das so viele nie Zerstreute lesen und nicht verstehen.

Über Rousseau'n und sein hiesiges Leben hört' ich von Frau von Luxemburg folgendes.

Die Absicht des Marschalls, der denselben liebte und achtete, ging dahin, daß er unter seinem Dach glücklich und somit völlig frey seyn sollte.

Er hatte daher seine eigene Haushaltung, und kam nur in das Schloß zum Essen, wenn es ihm anstand; was nur der Fall war, wenn sich wenige Gesellschaft da befand. Dann war er aber auch oft so liebenswürdig, daß die Marschallin, welche die beste Richterin in diesem Punkte ist, mir versicherte, es sey schwer, sich eine Vorstellung davon zu machen. Kam indeß Jemand dazu, und besonders ein Unbekannter, so war es aus. Den Einfallen des liebenswürdigsten Kopfes, dem ganzen Reitz eines höchst gebildeten Geistes, den willigsten Ergiessungen des beredtesten Zutrauens, und den raschen und erhabenen Blitzen eines durch Witz, Anmuth und Schönheit electrisirten Geistes, folgte das finsterste, das hartnäckigste Stillschweigen, und gewöhnlich entfernte er sich bald.

Dieses Betragen gegen Gäste, die ihr Rang und Credit sehr viel fodernd in gesellschaftlicher Rücksicht machten, und welche, indem sie sich am meisten das Ansehn gaben, Kenntnisse und Genie zu verachten, durch deren Huldigungen sich am meisten geschmeichelt finden; dieses sonderbare Betragen hat Rousseau'n viele Feinde unter den Großen gemacht. Auch beraubte er sie wirklich ihres grösten Triumphes, einem Mann, der mit Einem Blick ihr ganzes Nichts, wie tief sie es auch gelegt hatten, zu ermessen vermochte, hochweg, oder mit einer noch demüthigernden Herablassung zu behandeln.

Rousseau fehlte aber unter diesen Umständen. Als einsichtsvoller, als rechtschaffener und berühmter Mann, mußte er sich in seinen Grundsätzen, besonders über die Gesellschaft, in der er damals lebte, erhaben genug achten, um ohne Ostentation die Huldigungen, welche einige gerechte Männer seinem Genie zollten, zu empfangen, oder die Ansprüche einer hochmüthigen Überlegenheit blos äusserer Verhältnisse mit Würde zurückzuweisen. Aber er sah in seiner Schwachheit so verkehrt, daß er diese, für die Gesellschaft, in der er dazumal lebte, so nöthige, Würde die Tochter des Hochmuths und die Mutter der Langenweile nannte; und so mußte er sich nirgends an seinen Platz finden, wo dieser, in den Versammlungen von Leuten eines gewissen Ranges so nöthige, Zügel durch Sitte, sonst Nothwendigkeit genannt, regierte. Aber indem Rousseau das schrieb, bedachte er nicht, daß die Würde eines von den Attributen der Tugend ist, und daß der hohe Rang sie folglich nicht aufgeben kann, ohne sich selbst in der öffentlichen Meinung herabzusetzen.

Sonderbar ist aber doch, daß er in der Gesellschaft, so wie in seinen Schriften, den sichern Geschmack, den vollkommenen Tact für alle Convenienzen hatte, welchen man nicht von dem Sohn eines Genfer Uhrmachers erwarten sollte, und der Voltair'n so oft gebrach, unerachtet er in der ersten Gesellschaft von Paris erzogen worden war, und nur mit den Leuten lebte, die Rousseau floh, nemlich mit den Reichen, den Großen, und sogar mit den Königen.

Sie können aus seinen Briefen an den Marschall von Luxemburg sehen, daß er der Gemahlin desselben einige Gerechtigkeit widerfahren zu lassen, richtigen Sinn genug hatte. Wenn er in denselben nicht von ihrer Wohlthätigkeit spricht, so ist es nicht darum, daß er sie nicht gekonnt hat; sondern ein, beyden würdiges, Zartgefühl, daß ein Ehemann, der seiner Gattin seinen Briefwechsel mittheilt, nicht von ihren Tugenden reden soll.

Aber nie hat eine Frau eine so hohe, öffentliche Achtung genossen, als die Marschallin von Luxemburg; nie hat aber auch eine Frau so viele Tugenden mit solcher Schönheit, nie soviel Verstand mit so viel Tugenden, und so viel Anmuth mit so hoher Einfachheit vereiniget. Was ihrem Umgang besonders etwas unwiderstehlich Anziehendes giebt, besteht darin, daß sie zugleich ein Herz, voll der edelsten, großgesinntesten und zartfühlendsten Güte, und einen Geist besitzt, dessen liebenswürdiger Atticismus die Thoren und Bösewichte nicht immer vor den Sarcasmen ihrer beissenden Freyheit bewahrt hat. Sie gesteht selbst, daß sie sich dadurch Feinde gemacht hat; aber sie läßt sich auch die Gerechtigkeit widerfahren, die sie verdient, daß ihre Pfeile blos lächerliche Anmaßungen, oder eine boshafte und neidische Eigenliebe getroffen haben.

So mußte sie denn natürlich oft der Gegenstand von den Satyren der Letztern seyn. Auch erzählte sie mir kürzlich, daß einst ein Lied auf sie gemacht wurde, in welchem es hieß:

Quand Boufflers *) parut à la cour,
On crut voir la mére d'amour,
Et chacun l'eut à son tour.

Was halten Sie davon? sagte sie rasch zu mir. — Die Frage war offenbar, um einen in Verlegenheit zu setzen. Allein die Frau Marschallin hat den Schlag von Muthwillen, welcher gern die Geistes-Gegenwart derer, welchen sie solche zutraut, auf die Probe stellt. Inzwischen zog ich mich damit aus der Sache, daß ich antwortete: diese Dummheit könne blos die Rache eines Menschen seyn, an den die Tour nie gekommen wäre.

In einem Alter von mehr, als sechzig Jahren, besitzt sie noch einige der Reitze, viele von

*) Sie war in erster Ehe mit dem Marschall von Boufflers verheirathet gewesen, und die Verse hatte der Graf von Tressan gemacht.

den Annehmlichkeiten, und all den Geist, welche sie zur berühmtesten Schönheit und zur liebenswürdigsten Frau ihrer Zeit gemacht haben. Wirklich kann man sagen, daß sie vom Alter noch nichts hat, als wodurch dasselbe ehrwürdig wird.

Ihre Enkelin, die Herzogin von Lausun, die mit ihr lebt, vereinigt beynah allein alle ihre Neigungen. Sie ist ein Muster von Sanftmuth, von Einfachheit, von weiblicher Tugend und von gesundem Verstande. *) Ihre Erziehung durch die Marschallin und ihr Benehmen beweiset, daß diese bey Zeit eingesehen hat, wie die Tugenden ihres Geschlechts für eine Frau wenigstens eben so nothwendig sind, als die Annehmlichkeiten des Körpers und des Geistes, und daß, wenn erstere nicht immer das Mittel sind, um zu gefallen, sie wenigstens das untrüglichste Mittel bleiben, eine Theilnahme einzuflößen, welche kein Wechsel des Lebens schwächen kann.

Von den beyden Gräfinnen von Boufflers, der Stiefmutter und der Stieftochter, besitzt die eine, neben einem finstern, trockenen und abspre-

*) Auch wurde sie in der Schreckenszeit zu Paris guillotinirt.

chenden Wesen in ihrem Äussern und in ihrer Unterhaltung, vielen Verstand, und kann sie, wenn sie will," sagt man, sehr liebenswürdig seyn *); die andre, der ich Ungleichheiten in ihrem Betragen, Launen und Sonderbarkeit vorwerfen hörte, hat mir bis jetzt sehr interessant in der Gesellschaft geschienen, und ersetzt die Fehler, von denen sie nicht mehr, als eine andere, eine Ausnahme zu machen verlangen kann, durch sehr ausgezeichnete Anlagen. ....

Von den Männern will ich nur des schwedischen Gesandten, Grafen von Creutz, und des Chevaliers von Boufflers erwähnen. Ersterer ist allgemein geliebt, und wegen seines Karakters, seiner Kenntnisse, seiner Urbanität, seines sanften Benehmens und selbst seiner Zerstreuungen wegen sehr liebenswürdig. Letztere geben seinem

*) „Die Frau Gräfin von Boufflers," sagte Frau von Genlis später, „hat nur Verstand und Annehmlichkeiten, wenn es ihr gefällig ist." Indeß verzichtet man, so zu sagen, damit nicht auf die liebenswürdigste und unabhängigste Eigenschaft, indem man sie so von andern Eigenschaften abhängig macht.

Umgang wirklich etwas so Anziehendes, daß man nicht glauben kann, er würde weniger liebenswürdig seyn, wenn er minder zerstreut wäre*).

Da der Contrast zwischen dem Äussern und dem Geist in dem Zweyten vollkommen ist, so gibt ihm dieß nur desto mehr Relief. Wäre der Chevalier von Boufflers aber schön, käme seine Gestalt seinem Verstande gleich, entspräche sein Gefieder seinem Gesang, so wär' er ein Wunder von Schönheit. Vereinigt man aber mit einem Geist, wie der seinige, den Verstand, ihn nicht zu mißbrauchen, viele Einfachheit, gründliche Kenntnisse und alle achtungswerthen Eigenschaften des zuverlässigsten Freundes und des rechtschaffensten Mannes, so kann man der Natur wohl zu gut halten, daß sie keinen Adonis aus ihm gemacht hat.

Die Leute ohne Witz werfen ihm vor, daß er zu viel Witz in seinen Briefen und Gedichten habe; die Leute ohne Fantasie, daß zu viel Fantasie in seiner Königin von Golconda sey; und die Herz-Armen finden viel an seinen

*) Er ist als Premier-Minister in Schweden gestorben.

Coeurs zu tadeln. Aber es wäre viel Glück für diese Herren, wenn sie seinen Witz, seine Fantasie, und wenigstens eines seiner Herzen hätten.

Ich würde Ihnen eine Art von magischer Laterne vorhalten, wenn ich alle Menschen nennen wollte, die hier, so zu sagen, wie Schatten vorübergehen, und unter denen wohl die ausgezeichnetsten sind: Herr Necker, seine Frau und seine Tochter; der Marschall von Richelieu, welcher sich durch eine schlechte Heirath wieder in der Meinung hergestellt hat, ein wahres Wunder von Thatigkeit, Lebhaftigkeit und Anmuth für sein Alter; ein Marquis von Estrehan, der so alt ist, daß die Gesellschaft, welche ihn seit lange her Vater genannt hat, nun den ewigen Vater nennt; eine Prinzessin von Nassau, eine Pohlin im ganzen Umfang des Worts, ein Prinz Emanuel von Salm-Salm, der Geachtetste unter den deutschen Prinzen, welche in Frankreich dienen, u. a. mehr.

Zweyter Brief.

Montmorency.

Sie erweisen mir grössere Ehre, mein Herr, als ich verdiene, wenn Sie mein Urtheil zum Maßstab des Ihrigen über die Menschen machen wollen, mit denen ich lebe, über die vorzüglichsten Personen des Hofes und von Paris, von welchen man bereits Portraite hat, die in verschiedenen Zeiten, von mehr oder minder geschickten Künstlern, und mit mehr oder minder wahrem Pinsel entworfen worden sind. Aber Sie wissen selbst zu gut, daß die Originale derselben unaufhörlich, wie die ganze übrige Menschheit, durch Zeit und Ereignisse modificirt werden, welche die moralische Ansicht der Gesellschaft verändern, wie sie ihre Interessen, ihre Meinungen, ihren Geist und ihr ganzes Wesen überhaupt wechselt.

Es ist keine neue Bemerkung, indem ich Ihnen sage, daß, wenn die, in diesem Fach von

Montesquieu entworfenen, Gemählde nicht mehr die nemlichen sind, welche Molière mit so vieler Einsicht gezeichnet hat; auch die Skizzen, welche wir spater von Crebillon und einigen andern erhalten, von denen des Verfassers der Persischen Briefe gleich stark abweichen, und daß die Leute der großen Welt, die uns Crebillon und Consorten im Umrisse gezeigt haben, den heutigen wenig mehr gleichen.

Aber was die Basis von allen diesen Mahlereyen ist, das menschliche Herz bleibt immer dasselbe. Trotz der angeblichen Unabhängigkeit des Geistes find' ich doch, daß eben kein zu tiefer Blick dazu gehört, um sehr klar den Grad des Einflusses unterscheiden zu können, den der Geist auf das Herz hat; eines Einflusses, durch welchen, wie man sagt, die herrschenden Meinungen, ohne daß wir es bemerken, die Neigungen unsers Gemüths ändern. Indeß muß ich Sie besonders auf eine Bemerkung aufmerksam machen, durch welche Ihnen das Weitere, was ich zu sagen habe, klarer werden wird, und diese ist: je mehr ein Mann oder eine Frau Verstand hat, desto stärker wirkt er auch auf die Empfindungs-Weise des Individuums; so daß im Durchschnitt

Verstand und Gefühl immer in umgekehrtem Verhältniß zu einander stehen.

Ehe wir indeß weiter gehen, lassen Sie uns den Gesichtspunkt unverrückt festsetzen, daß die Personen, von denen hier die Rede ist, einer Classe angehören, welche gewissermaßen aus der gewöhnlichen Natur des gesellschaftlichen Menschen heraustritt, und daß Sie sich daher nicht wundern dürfen, wenn ich Ihnen sage, wie gerade dieses Übergewicht des Einflusses vom Verstand auf das Herz diesen Abschnitt der Gesellschaft für den Umgang so bequem und so leicht macht, und zwar von dem Augenblick an, da man sie weniger zu interessiren, als ihr zu gefallen bemüht ist.

Aber so leicht, als der Verstand, läßt sich das Herz nicht leiten, und so entsteht die Superiorität der Geistvollen-Menschen über die Gemüthreichen im gewöhnlichen Lebensverkehr.

Die Fremden, welche heutzutag nach Frankreich kommen, und die Gabe des Nachdenkens mitbringen, loben den französischen Adel mit allem Recht darum, daß er sich von den Vorrechten seiner Geburt nicht so tief blenden läßt, um, wie in andern Ländern, jeden von seinem Kreise auszuschliessen, der in denselben nicht, ausser Verstand, Verdienst und Talenten, auch einen Stammbaum mitbringen kann, in welchem sich der Ursprung seines Adels in die Nacht der Zeiten verliert. Und darin handelt er um so klüger, da uns eine lange Erfahrung noch nicht gezeigt hat, wie nur eine hohe Geburt allein zu den Annehmlichkeiten der Gesellschaft mitwirken soll.

Diese, in Frankreich allgemein angenommene, Regel leidet sehr wenige Ausnahmen, und da wir alle nur zu geneigt sind, unser gutes Maß von Ansprüchen mit in die Gesellschaft zu bringen, so begreifen Sie wohl, mein Herr, wie Letztere schon viel gewonnen hat, wenn man in ihr nur selten die, immer mehr, oder weniger unbiegsamen, Ansprüche des hohen Adels findet.

Ein philosophischer Geist, der seine Gefahren haben kann, wie er auch sein Verdienst hat, und welcher den eigenthümlichen Geist der letzten Hälfte des achtzehnten Jahrhunderts bildet, ist indeß so mächtig geworden, daß selbst diejenigen Frauen, welche am wenigsten von den Subtilitäten einer gewissen Metaphysik verstehen, doch entschieden auf die frivole, aber liebenswürdige Unwissenheit ihrer Mütter verzichten zu wollen scheinen, um mit uns Männern die Ehre zu theilen, sich über diejenigen Vorurtheile sogar zu erheben, denen sie, ohne daran zu denken, einen Theil der Herrschaft verdanken, welche sie bis dahin über ihre Herrn ausgeübt haben.

Übrigens lass' ich mir gar nicht beygehn, zu entscheiden, wie weit diese Ansprüche auf Gründlichkeit zur Vermehrung ihres Glücks beytragen; woran ich überhaupt zweifle. Noch weniger will ich untersuchen, ob dieselben sehr geeignet sind, sie tugendhafter zu machen; woran sie gar nicht zu denken scheinen. Auf jeden Fall aber müssen sie dadurch nothwendig an Liebenswürdigkeit verlieren; denn, mit Erlaubniß aller derjenigen, welche der entgegengesetzten Meinung sind, sey es gesagt: von dem Augenblick an, da die Frauen aufhören, die Macht, welche sie in der Gesellschaft ausüben können oder müssen, entweder auf ihre Tugenden, oder auf ihre Liebenswürdigkeit zu gründen; von dem Augenblick an, da sie mit uns das Studium der abstracten Wissenschaften theilen, und das schöne Recht, zu gefallen, dem traurigen Amt, andre, als blos Kinder, zu belehren, aufopfern, von diesem Augenblick an ist auch ihr Reich zerstört.

Ich möchte die Frauen darauf aufmerksam machen, daß es einen Grad von Ansprüchen auf Verstand gibt, der bey ihnen viel weiter, als bis zur Thorheit führt.

Zwischen diesen beiden Karakteren, von denen der eine noch in das schöne Zeitalter Ludwigs XIV. hineinreicht, und der andre täglich mehr von dem Geist unsers räsonnirenden Zeitalters annimmt, fluthet gegenwärtig der Geist der sogenannten großen Welt. Man findet die Männer und die Frauen noch manchmal gleichsam in Reminiscenzen liebenswürdig; aber sie nähern sich raschen Schrittes der Epoche, wo die Karaktere beyder Geschlechter gewissermassen in eine unzusammenhängende Masse zusammenschmelzen, wo sie den, ihnen von der Natur angewiesenen, Karakter verloren haben; eine Revolution, welche den Verfall jenes einzigen Musters von Gesellschaftlichkeit vielleicht für immer vollendet; einer Gesellschaftlichkeit, die drey Jahrhunderte und Umstände, deren Rückkehr nicht mehr abzusehen ist, in Frankreich begründet hatten, und nach welcher die übrigen Völker sich gerne bildeten; so wie ihre Hypochondristen noch immer in Frankreichs südlichen Provinzen die warme, reine, balsamische

Luft mit diesem sorglosen, offenen Frohsinn einathmen, welcher die traurigen und kranken Automaten, so lang sie wenigstens in diesen Gegenden leben, in Wesen umschafft, die für Freude und Gesundheit empfänglich sind.

Das Bisherige, mein Herr, muß Sie zu der Bemerkung vorbereitet haben, daß die Gesellschaft, von der ich rede, aus zwey Gattungen von Menschen zusammengesetzt ist, welche ich die alten und die modernen nennen möchte.

Ungefähr zwischen Beyden in der Mitte stehend, und keiner von Beyden durch die Bande angehörend, welche die Partheylichkeit entschuldigen, wo nicht rechtfertigen, bin ich weniger in Gefahr, als ein anderer, mich in meinen Urtheilen irre leiten zu lassen.

Wer die Zeit, welche vor der unsrigen gewesen ist, gesehen hat, theilt gewiß mit mir die Meinung, daß das Wort Urbanität ausdrücklich dafür geschaffen zu seyn scheint, um den Geist der Generation zu bezeichnen, welche unmerklich verschwindet, um einer folgenden Platz zu machen, der, meiner Ansicht nach, aber nicht sehr viel daran gelegen scheint, den Untergang dieser Urbanität zu verhindern.

Ich kenne die Bemerkung wohl, die die Leichtigkeit des Karakters, wodurch die Gesellschaft in Frankreich so liebenswürdig wird, blos für die Frucht entweder von Mangel an Energie, oder von einer Gleichgültigkeit ausgiebt, welche von Herzens-Neigungen oder Geistes-Meinungen gleich weit entfernt, aus unsern gesellschaftlichen Kreisen den achtungswerthen Ernst verbannt, der die doppelte Energie des Gefühls und des Verstandes auszeichnete.

Aber ich müßte Sie auf den dunkeln und langen Umwegen der höhern Metaphysik herumführen, wenn wir untersuchen wollten, worin denn eigentlich diese Energie der Neuern besteht: wie weit sie den Alten fehlt; ob sie wirklich eine Tugend ist, wodurch sie zu unserm Glück und dem Gluck der Gesellschaft im Allgemeinen mitwirkt. Bewiese uns aber das Resultat unsrer Untersuchungen, daß, was in ausserordentlichen Lagen die Tugend eines kraftvollen Mannes seyn kann und seyn muß, nur eine Art von Geissel, eine Anmaßung von Despotismus ist, der aus dem kleinen Kreise jene Hingebung verkennt, welche ihren Reitz bildet, und die nur von dem Thoren, der in ihnen nicht zu gefallen vermag, oder von dem Bengel, der in denselben nur seine eigenen Ansprüche anerkennen und mitbringen will, für Schwache oder Feigheit ausgegeben wird; so würden wir wohl den Schluß ziehen, daß diese Leichtigkeit des Benehmens, dieses gegenseitige Verzichten, diese Weichheit des Geistes, welche die Urbanität verlangt, die einzige Grundlage ist, auf welcher sich die gesellige Behaglichkeit aufführen läßt.

Ich will weder voraussehen, noch voraussagen, was aus Frankreich werden würde, wenn je die Energie unsrer modernen Denker über die liebenswürdige Leichtigkeit, die unverstellte und frivole Unbekümmertheit, welche nicht nur allein, sondern auch im ganzen Umfang die französische Liebenswürdigkeit besitzt, mächtig genug würde, um die spartanischen Sitten in das neue Athen einzuführen.

Ob aber eine solche Revolution nicht die Barbarey der ersten Jahrhunderte der Monarchie über Frankreich zurückführen dürfte, ist eine Frage, deren Untersuchung man den Enthusiasten überlassen kann, welche die ersten Opfer derselben werden würden. Lassen Sie uns daher sehen, ob ich in meinem nächsten Brief Ihren Erwartungen von mir entsprechen, und Ihnen in der Eile die äussersten Umrisse des Gemähldes, welches Sie von mir verlangen, entwerfen kann.

Dritter Brief.

Montmorency.

Zuverlässig herrscht in dem Geist der Gesellschaft, in welcher ich hier lebe, ein Grad von Freyheit, den man selten unter den übrigen Classen findet. Aber ich kann wenigstens mit Gewißheit sagen, daß sie weder so allgemein ist, wie man gern annimmt, noch eine solche Höhe von Zügellosigkeit erreicht hat, wie man sie deren beschuldigt. Von zwanzig Beweisen, die mir zu Gebot ständen, will ich nur einen anführen, und der ist: daß die gewöhnliche Übung im Laster, wie viel ihm auch darauf ankommen mag, es zu verbergen, nothwendig in dem Ton, in der ganzen Art zu seyn, in den Gegenständen der Unterhaltung, welche in jeder Gesellschaft vorherrschen, herausbrechen muß; oder daß das Bewußtseyn der Verdorbenheit aller ihrer Glieder aus Anstand und Bescheidenheit nur noch eine lächerliche Affectation von Ehrfurcht vor Convenienzen und Pflichten gemacht haben müßten, die sich Jedermann erlassen hat.

Nun kann ich Sie aber versichern, daß nichts der, von verdorbenen Sitten unzertrennlichen, Zügellosigkeit weniger gleicht, als der Ton und das ganze Wesen der Gesellschaft, von der ich rede. Und wirklich mag am Ende blos diese Freyheit, diese Hingebung, diese Unbekümmertheit um die Gesetze einer gewissen Zurückhaltung, welche offen zeigt, was sie nicht zu verbergen denkt, am meisten zu Begründung ihres schlimmen Rufs beygetragen haben, und mich zu der wiederhohlten Behauptung berechtigen, daß sie nicht so schlimm ist, als man ihr nachsagt.

Wie gewandt auch das Laster seyn mag, so hat es immer eine Farbe von Schaamlosigkeit, welche die Larve durchdringt, mit der es seine Häßlichkeit bedecken muß; und wie ungünstig wir auch den Leichtsinn und die Inconsequenz der Menschen, denen es hier gilt, beurtheilen mögen, so kann man ihnen wenigstens nie jenen Schlag von Heucheley vorwerfen, der für das

Laster eine Achtung anspricht, welche nur der Tugend gebührt. Ja ich glaube sogar manchmal zu bemerken, daß die Immoralität, aus einer, schwer zu rechtfertigenden, Inconsequenz, hier ihre Prahler hat, wie die Tugend an andern Orten die ihrigen.

Was indeß dem Karakter der Einzelnen dieser Klasse am meisten Ehre macht, besteht darin, daß sie wirklich besser sind, als sie scheinen. Dieß ist nun freylich keine Tugend weiter, aber doch ein Laster weniger.

Ich habe in England ein Talent sehr rühmen hören und es selbst gelobt, das unglückliche, aber nützliche Talent, in Karrikaturen die Thorheiten und Fehler ... von wem? ... von der schwachen, der thörichten, der unglücklichen Menschheit aufzufassen und wieder zu geben.

Auch gesteh' ich dem Menschengenie das Recht zu, sich über seinen Nächsten lustig zu machen, sobald die Satyre den gemeinen Ton einer angeblichen Superiorität vermeidet, und die Schranken des Frohsinns nicht überschreitet. Denn zuverlässig ist der gänzliche Mangel an Tact und Kenntniß des menschlichen Herzens und der einmal bestehenden Convenienzen, ein Übel, gegen welches die Lächerlichkeit das einzige Mittel ist.

Aber man muß wohl unterscheiden zwischen der Kunst, öffentlich einen Fehler, eine Verirrung oder eine Schwachheit dem Gelächter, der Beschimpfung, oder der Verachtung der Menge Preis zu geben, und der noch viel schwerern, weit nützlichern und darum auch um so achtungswerthern, Kunst, welche, sich innerhalb der Gränzen der Gesellschaft haltend, mit einem, sanft von Ironie und Theilnahme belebtem, Frohsinn die Schlacken einer zu höckerigten Oberfläche abschleift.

Die eine ist das strenge Werkzeug, dessen Anwendung nur Schmerz und Haß erweckt; die andre die biegsame Ruthe, welche bessert, ohne zu schlagen. Jener begegnet man in England an allen Strassen-Ecken; diese ist nur in der guten Gesellschaft von Frankreich zu Hause.

Der einzige Fehler, der seinem Wesen nach nicht in die Masse derer gehört, welche keine Nachsicht duldet, und gegen den man hier doch unerbittlich bleibt, ist der Mangel an Geschmack.

Diese Strenge ist nicht ganz ohne Ungerechtigkeit; aber er muß ihr die Übertreibung nicht verzeihen, wenn er Zeuge der Anmuth ist, die sie über den Umgang verbreitet; besonders, wenn er sie, wie hier, mit einem Grundzug von Adel und Zartgefühl, im ganzen Benehmen vereinigt findet, welche es immer unentschieden lassen, ob der Verbindende dem Verbundenen, oder der Verbundene dem Verbindenden Dank schuldig ist.

Les protegés si bas, les protecteurs si bêtes, in Gressets Mechant, gehören nicht zur Classe, von der hier die Rede ist, oder sie sind nur eine Ausnahme derselbigen.

Eh' ich durch eigene Erfahrung die Welt, die ich nun bewohne, kennen lernte, theilt' ich mit den Fremden und den Provinzialen die Meinung, daß man, um in derselben fortzukommen, diese leichte Fadheit, diese, oft sehr studirte, Unbesonnenheit haben müßte; und mit ihr diesen oberflächlichen und leichtzüngigen Jargon, diese unverschämte Anmassung, welche vor dreissig Jahren den Liebenswürdigen, den Mann von gutem Ton auszeichneten, und wie man ihn noch in einigen Marquis auf dem Theater erkennt. „Der Welt-Ton, der wahre gute Ton aber besteht," wie Herr Suard kürzlich sagte, „darin, daß man von gewöhnlichen Dingen auf eine edle, von großen auf eine einfache Weise redet; daß man die feinsten Abweichungen in den Convenienzen auffaßt, und in seinen Gesprächen, wie in seinem Benehmen überhaupt eine zarte Gradation von Rücksicht auf Geschlecht, Rang, Alter, Würden und persönliches Ansehen derer beobachtet, mit welchen man redet."

Natürlichkeit, edles Benehmen und Einfachheit sind es also, die man heutzutag von dem jungen Manne fodert, welcher in die Welt tritt. Flüchtigkeit und Manieren, welche ehmals dem Marquis von Polainville oder dem Marquis im Lustspiel: le Cercle, ihre Erfolge in der Gesellschaft versicherten, würden heutzutag das Gegentheil bewirken. Grazie und Eleganz, die vordem das ganze Verdienst des Weltmanns ausmachten, sind nun nur ein Zusatz desselben, dessen er zur Noth entbehren kann, wenn er in seinem Benehmen nur nichts Linkisches oder Unedles hat.

Mit der Fadheit verschwand auch die Affectation vom Unglauben, welche durch den Erfolg einer unglücklichen Leichtigkeit kühn gemacht, Lächerlichkeit über die heiligsten Gegenstände der Gesellschaft ausschüttete, und die Religion so wenig, als alles andre, verschonte. Von letzterer spricht man wenig, oder gar nicht; aber es würde für den schlechtesten Ton gehalten werden, wenn man so von ihr redete, wie vordem die sogenannten starken Geister gethan haben.

Diese Bemerkungen, mein Herr, hab' ich schon seit mehreren Jahren gemacht, und durch meinen hiesigen Aufenthalt bestätiget gefunden. Sie werden mit mir daraus schliessen, daß der Franzose mit wenigeren Ansprüchen an Liebenswürdigkeit nur um so liebenswürdiger geworden ist. Aber es verhält sich mit dem Bessern in diesem Puncte, wie in allem Übrigen: so bald es eine gewisse Schranke überschritten hat, kömmt es in Gefahr, der Feind des Guten zu werden. Gründlichkeit ist, besonders in dem fertigen Mann, eine achtungswerthe Eigenschaft; aber an der Jugend eine Anmassung, welche den Reiz, der einen, selbst ihre Unbesonnenheit zu lieben, verführt, aufhebt.

Ein Rosenstrauch kann unmöglich die Früchte des Birnbaums tragen.

Ein, im zwanzigsten Jahre schon reifer, Mann ist eine halbgeöffnete, bereits verwelkte Blume.

Die jungen Leute wollen heutzutag Philosophen, Politiker, Administratoren, ja selbst Gesetzgeber seyn. Sie räsonniren in den Tag hinein über jeden Zweig dieser vier Fächer, und dieß mit einer Ernsthaftigkeit, einer Gravität, die mich an jenes frische, hübsche fünfzehnjährige Mädchen erinnert, das in der Allonge-Perücke seines Großvaters steckte.

Es wäre zum Todtlachen, wenn man über eine Anmassung lachen könnte, die noch weit gefährlicher, als lächerlich ist.

Ein junger Fad ist ein unangenehmer, aber ein junger Pedant ein gehässiger Mensch.

Wenden wir uns indeß von beyden weg, mein Herr, und schliessen wir mit einem Zug, der der Gesellschaft, in welcher ich hier lebe, Ehre macht. Das Gemählde derselben, das ich mit mir hinwegnehme, wird bald nur ein reitzendes Andenken seyn, das mich, wie ich hoffe, stärken soll, eine, von meiner hiesigen so verschiedene, Existenz zu ertragen. Auch wird es wohl den Gedanken der Frau von Sevigné bestätigen: „daß es sehr gefährlich ist, sich an gute, und blos an gute Gesellschaft zu gewöhnen.“

Dieser Zug besteht in der Art, wie die Fremden in Frankreich aufgenommen werden, und von der ich Ihnen schon etwas in dem Brief aus London, in welchem ich von meinem Besuch bey Lord Melville gesprochen, gesagt habe.

Jederzeit und mit allem Recht wurde die Gastfreundschaft unter die ehrenvollsten Tugenden des Menschen gerechnet. Sie hat aber auch wie all' ihre Schwestern, ihre Nüancen, und ohne sie hier als eine der ersten Pflichten zu betrachten, weil sie eines der ersten Bedürfnisse der Menschheit ist, wollen wir in ihr nur eine von den gesellschaftlichen Eigenschaften sehen, die, auf den ersten Blick blos in das Verzeichniß der feinen Lebensart zu gehören scheint, bey näherer Untersuchung aber durch ihren Einfluß auf unser Glück den Rang einer Tugend ansprechen darf.

Hätt' ich noch nicht so viel selbst gereiset, so wüßt' ich wohl nicht, wie viel dazu gehört, um in jedem andern Land, als in Frankreich, den Grad von Zutrauen zu erwerben, welcher den

Reisenden gleichsam in eine Gesellschaft incorporirt, die ihm beynah immer durch ihren Ton, ihre Gewohnheiten und ihre Meinungen eben so fremd ist, als er ihr durch seinen Nahmen, durch seine Unkenntniß ihrer Sitten, durch seine Vorurtheile und durch seine Sprache.

Ist die Regung von Neugierde, die uns bestimmt, alles, was uns neu scheint, im Anfang gut aufzunehmen, einmal befriedigt, so findet der Reisende in andern Ländern selten die Fortdauer von Aufmerksamkeiten und von Zuvorkommen, diese Aufmunterung sich mitzutheilen, diese Art von Vorzug, welchen mau ihm über die eigenen Landsleute einzuräumen scheint. Oft war ich mehr, als erstaunt, ja gerührt durch die Kunst und Ausdauer, womit Alle, ohne Verabredung, sich bestrebten, einen Fremden in Zug von Allem zu bringen, was seinen Geist im Glanze zeigen, was zur Entwickelung seiner Kenntnisse beytragen, seine Talente geltend machen, ihm Achtung erwerben konnte; und wie man ihm überhaupt die Art von Sicherheit gab, die er brauchte, um nicht fürchten zu müssen, daß man ihn der Anmassung beschuldigte, indem er sich in ein zu günstiges Licht setzte, um, ohne Affectation, alle

Vortheile anzusprechen, welche nur dem Ansehn und dem Zutrauen aufbewahrt werden.

Ich sah daher auch viele Fremde, die nur nach Frankreich gekommen waren, um es zu bereisen, welche aber bald die Hoffnung aufgaben, in einem andern Land dieselbe anmuthige Leichtigkeit der Sitten, diese anspruchslose Liebenswürdigkeit, und diese immer freundliche und natürliche Aufnahme zu finden, welche den Franzosen auszeichnen, von Jahr zu Jahr die Rückkehr in ihr Vaterland verschoben, und sich endlich völlig in dem Lande niederliessen, das sie nur anzusehen gekommen waren.

Ich sah den Marquis von Caracciolo, den neapolitanischen Gesandten in Paris, über den Gedanken weinen, daß ihn seine Ernennung zum Vice-König von Sicilien nöthigte, Frankreich zu verlassen. Auch verlangte er von der Regierung, was ihm gerne gestattet wurde, auf einer französischen Fregatte in sein Vaterland zurückgebracht zu werden, um so lang, als möglich, in Gesellschaft von Franzosen zu seyn.

Es ist gewissermassen mit der Behandlung, die dem Fremden in Frankreich widerfahrt, wie mit der Aufnahme, die man auf Reisen von Wirchen findet, an welche man Empfehlungen hat. Sie richten dieselbe nach dem Aufwand ein, den man bey ihnen macht.

So werden Sie in Frankreich nicht nach Ihren Titeln, oder Ihrem Reichthum, sondern nach dem Aufwand behandelt, den Sie in Verdiensten und gesellschaftlicher Annehmlichkeit machen können.

Vierter Brief.

Saint-Germain en Laye.

Durch die Pflichten der Dankbarkeit und Freundschaft bestimmt, Frankreich nicht zu verlassen, ohne mich von der verwittweten Gräfin von der Mark zu verabschieden, und vielleicht einem Ort, wo ich einst so glücklich gewesen bin, ein ewiges Lebewohl zu sagen, bin ich hieher gekommen.

Im Schloß von Saint-Germain komponirte Ludwig XIII., ein Mann von grosser Geistes-Kraft, und grosser Karakter-Schwäche, selbst die

Musik des de Profundis, welche nach seinem Tode gesungen werden sollte. In seinen letzten Augenblicken deutete er aus einem Fenster des Schlosses auf eine Stelle der Strasse von Saint-Denis, wo der Weg sehr schlimm war, damit man dieselbe ausweichen sollte, wenn sein Leichnam dahin gebracht werden würde.

Welcher Contrast zwischen dieser kalten Resignation des starken Mannes bey einem Fürsten von beweglichem und schwachem Karakter, und der Art von Kleinmüthigkeit, mit welcher der stolze und zuweilen wahrhaft grosse Ludwig XIV. die herrliche Lage von Saint-Germain verließ, weil man aus einigen seiner Fenster die Thürme von Saint-Denis erblickt!

Die Grundlage der Gesellschaft von Frau von der Mark besteht aus dem Marquis von Castries, ihrem Freunde seit dreissig Jahren, gegenwärtigen Marine-Minister, Marschall von Frankreich u. s. w., einem edlen loyalen Mann, mit militärischen Talenten von einer Auszeichnung, welche ihm durch den Sieg bey Klostercamp einen glänzenden Ruf erworben hat. Sein Verstand, sein Karakter, seine angenehme Person, und jene Mischung von Würde, von Geschliffenheit und

Anmuth, welche man nur bey den französischen Großen des, nun endenden, Jahrhunderts findet, haben dem Herrn von Castries mehr Freunde erworben, als ihm sein edler unverhohlener Ehrgeitz Feinde gemacht hat.

Ferner aus dem Herzog von Nivernois, der sich vordem in der diplomatischen Laufbahn ausgezeichnet hat. Er ist in der Gesellschaft eben so geachtet wegen seiner Tugenden, als gesucht wegen der Annehmlichkeiten seines Verstandes, und, — was wohl zu bemerken ist — trotz seiner ausgezeichneten literarischen Talente in den Staatsrath des Königs zugelassen, wo seine Einsichten und sein Urtheil immer diejenigen in Erstaunen setzten, welche nicht begreifen können, daß ein Mann, der allerliebste Gedichte macht, gesunden Menschen-Verstand in Geschaften haben könne. Aber es ist unmöglich, edler als Beschützer, uneigennütziger als Hofmann, zuverlässiger und beständiger als Freund zu seyn, als der Herzog von Nivernois.

Aus dem Marschall von Noailles, dem Bruder von Frau von der Mark. Es ist derselbe Herzog von Ayen, der ehmals unter diesem Nahmen wegen der eben so feinen, als tiefen Worte an Ludwig XV., dessen Freund er gewesen ist, berühmt war.

Aus lauter Anmuth gebildet, mit einem kurzen und untersetzten Körper, gaben sein Äusseres, seine völlige Verzichtung auf jede Art von Anmassung, seine Einfachheit und seine anscheinende Apathie dem Reitz, welchen sein glänzender und anmuthvoller Geist, und seine, immer mit dem feinsten attischen Salz gewürzte, Unterhaltung über die Gesellschaft verbreitete, nur ein neues Relief.

Ich kenne viele Männer, die bei allem Studium, immer eben so nachsichtsvoll, als angenehm zu seyn, doch nicht an die Liebenswürdigkeit des Marschalls von Noailles hinreichen, selbst wenn er zankt oder schmollt.

Aber so wie er niemand schaden kann, so kann er auch niemand nützen, wenn anders seine Sorglosigkeit dabey ins Spiel kommt. Selbst in den Zeiten seiner höchsten Gunst verzichtete er lieber auf den, immer schmeichelhaften, Ruf eines grossen Einflusses, als daß er sich der Mühe aussetzte, ihn für andere anzuwenden. Er denkt in diesem Punct, wie so viele andere, daß man für die Gefahr, Undankbare zu machen, nicht durchdas Vergnügen, Glückliche zu machen, entschädiget wird.

Er hat Geschmack an den schönen Künsten; aber er liebt sie, ohne die Künstler zu lieben. Unter den beyden Partheyungen, welche gegenwärtig die Musik-Freunde trennen, ist er, wie ich, Enthusiast für Piccini; aber er würde keinen Schritt thun, um sich diesem zu verbinden. Noch sehnt er sich zuweilen nach Ludwig XV; aber man fühlt wohl, daß er dabey mehr an den König, als an den Freund denkt.

Der Herzog von Gontaut, Bruder des Marschalls von Biron, und Schwiegervater der Herzogin von Lausun, ist in jeder Rücksicht das Muster eines vollkommenen Hofmanns, und muß in seiner Jugend viel Gluck mit seiner Gestalt gemacht haben, der das Alter nichts, als die Frischheit genommen. Er hat gerade so viel Verstand, als man braucht, und den Schlag von Verstand, um mit allen gleich zu laufen, welche mehr Verstand besitzen, als er. Immer gesteht er Andern so viel zu, daß es niemand einfällt, ihm etwas streitig zu machen.

Von Jugend auf mit diesen Männern verbunden, bringt der Chevalier von Botteville, welcher lange französischer Gesandter in der Schweiz war, und wegen seines gründlichen Geistes und seiner redlichen Grundsätze sehr geschätzt ist, alle Annehmlichkeiten in die Gesellschaft, welche die Früchte einer grossen Weltkenntniß und einer langen Erfahrung sind. Er genießt auch in derselben als General-Lieutenant und Groß-Kreuz von St. Louis alles Ansehen, das dieser Grad und diese Decoration allen denjenigen verschafft, von welchen man weiß, daß sie beyde ihrem persönlichen Verdienst, oder langen Diensten verdanken.

Wenn es bewiesen ist, mein Herr, daß man in wahrhaft angenehmer Gesellschaft die Art von Gleichheit finden muß, welche ein gewisses Alters-Verhältniß unter denen, die sie bilden, hervorbringt; so trifft diese Regel hier wenigstens nicht ein: denn nie, selbst nicht in der Blüthe meiner Jugend, genoß ich im Umgang mit den Liebenswürdigsten von meinem Alter, und — was eine nothwendige Bedingung des Vergnügens zu seyn scheint, mit Meinesgleichen; — nie, sag' ich, genoß ich die Annehmlichkeiten der Gesellschaft in dem Grade, in welchem sie mir hier unter fünf bis sechs Greisen zu Theil werden, die das Übergewicht ihres Alters, ihres Ranges, ihres Vermögens und ihrer Würden über mich nur einstimmig zu beleben scheint, um kein anderes Recht zu kennen, als welches ihnen die ungezwungenste Liebenswürdigkeit einräumt. Freylich sind es keine Gelehrten in us, die die meiste Zeit lehren, was niemand wissen will; sondern Leute, welche alles wissen, was nöthig ist, um zu den Annehmlichkeiten der Gesellschaft beyzutragen. Einige sind wahre Bronnen von Wissen, in die man nur schwindelnd hinunterschaut; andere klare Bäche, deren schneller Lauf und sanftes Gemurmel Leben um sich verbreitet.

Jeder ruft irgend eine Anekdote aus der guten Zeit, irgend eine Erinnerung, eine Epoche ihrer ausgelassenen Jugend zurück. Mit welchem Feuer reden sie von jener Unbesonnenheit, in der sie so manche artige Thorheiten sagten und ausübten! Von jenem unerschöpflichen Frohsinn, jenen lustigen Streichen, jenen Mystificationen, jenen nächtlichen Lärmen, deren Folgen manchmal ein halb Dutzend Erben der größten Häuser von Frankreich in einer Wachstube von Paris vereinigten, wo sie ihr Frohsinn so wenig verließ, als bey den Soupers, von welchen sie eben herkamen!

Großthaten, die eben so gut beschrieben zu werden verdienten, als die des Chevaliers von Grammont, und welche sie am nächsten Morgen Ludwig XV. erzählten, der, indem er sie darüber ausspottete, bedauerte, daß er ihren Unfall nicht getheilt hatte, wie er ihr Vergnügen gern getheilt hätte.

Ihre Art, zu erzählen, ist so fröhlich, so lustig, so originell, daß ich mir oft den Bauch halten muß vor Lachen, während sie, durch dieß unverdächtige Zeugniß gegen ihre Liebenswürdigkeit nur um so liebenswürdiger werden. Warum lassen uns die Nachfolger dieser Muster von Geschmack, von Anmuth und wahrem Atticismus so wenig Hoffnung, daß diese einst durch ihre Schlafmützen von Kindern, wie sie sie selbst ganz treffend nennen, ersetzt werden?

Worauf ruhen heutzutag auch unsre Hoffnungen in diesem Puncte, mein Herr? — Auf einer Jugend, die ihre Affectation von Pedanterie und unnatürlicher Vernunft ohne alle Entschuldigung für die traurigen Dummheiten läßt, welche an die Stelle der närrischen Eulenspiegelstreiche ihrer Väter getreten sind; oder die unter dem, ihrer würdigen, Nahmen der Roués, sich schaamlos einem System von Immoralität überläßt, die keinen andern Zweck haben kann, als den Ruin aller gesellschaftlichen Tugenden.

Unter den Damen, welche wechselsweise die Gesellschaft der Frau von der Mark bilden, will ich nur die Marquise von Lafayette, ihre Enkel-Nichte, die Tochter des Herzogs von Ayen, nennen. Sie ist weder hubsch, noch häßlich, aber interessant, einfach, gutmüthig, und unterscheidet sich von den Frauen ihres Alters sehr vortheilhaft durch ihren regelmässigen Lebenswandel, und ihre unaffectirte, obwohl unbegränzte, Zärtlichkeit für den Helden, dessen Nahmen sie trägt.

Ferner die Vicomtesse von Noailles, eine lebhaftere, anziehendere Brunette, ohne hübsch zu seyn. Wenn eine grössere Lebhaftigkeit, als die der Frau von Lafayette, sie keiner so tiefen, keiner so ausschliessenden Zuneigung fähig zeigt, als ihre Schwester; so tragen gerade ihre Lebhaftigkeit, ihre Anmuth, ihre lachende Einbildungskraft mehr zu den Annehmlichkeiten der Gesellschaft bey *).

*) Sie wurde, so wie ihre Mutter, die Herzogin von Ayen, und ihre Großmutter, die Marschallin von Noailles, guillotinirt.

Die Gräfin von Tessé, Tochter des Marschalls von Noailles, die ausserordentlich häßlich ist, wird beynah hübsch, wenn sie spricht, trotz der Zusammenziehung ihrer Gesichtsmuskeln bey'm Reden. Voll Feuer und Gemüth, gleicht ihre Freundschaft der Liebe, und ihre Achtung dem Enthusiasmus. Sie besitzt Geist und Kenntnisse, welche, verbunden mit den Vorzügen ihrer Geburt und ihres Vermögens, ihr ein grosses Ansehn verschaffen. Sie ist eine von den Frauen, deren Meinung ein Gesetz macht.

Ihre Freundin und unzertrennliche Begleiterin ist ein armes Fräulein, Französin von Vater, und Türkin von der Mutter her; die Tochter des Barons von Tott, der durch seine Denkwürdigkeiten bekannt ist, schön wie der Tag, voll Anmuth und Talente, und dabey doch ungeziert und bescheiden.

Frau von Tessé lacht oft selbst über die Unklugheit, mit der sie den Contrast gegen die hübschen Weiber bildet, die gewöhnlich so schlau sind, ein recht häßliches Frauenzimmer zu ihrer Inséparable zu machen, um noch schöner zu scheinen.

Indeß müßt' ich Ihnen drey bis vier Briefe weiter schreiben, um Sie in Kenntniß aller Glieder von der Gesellschaft der Frau von der Mark zu setzen. Wirklich sind unter denselben Personen, die sehr würdig sind, gekannt zu werden, wie die junge Gräfin von Lamark und die Prinzessin Leopoldine von Ahremberg, ihre Stiefschwester; der Doctor Dubreirt, und Herr von Pecmega, zween Männer, welche die zärtliche Freundschaft, die sie von Jugend auf verbindet, noch seltener macht, als die Superiorität ihres Geistes und der Umfang ihrer Kenntnisse *).

Herr von Rochefort, der Übersetzer des Homers, achtungswerth als Mensch und als Literator, guter Gesellschafter und mein besonderer

*) Beyde haben immer mit einander gelebt, und sind auch mit einander gestorben. Pecmega war der Verfasser des Telephus, Hercules Co..., eines Gedichts im Geschmack des Telemach; ferner einer Lobrede auf Colbert, eines Versuchs über die Provinzial-Administrationen, und des Artikels in der philosophisch-politischen Geschichte, der auf den Neger-Handel Bezug hat.

Freund, der aber in der Gelehrten-Republik sich noch mehr ausgezeichnet haben würde, wenn er nie griechisch gelernt hätte; Robbé, berühmt, wegen seines bekehrten Wüstlings, eines Produkts, das eben so frey, als über alles erhaben ist, was je in dieser Gattung geschrieben wurde; sonst ein Mann, der durch seine Person, sein Benehmen und seinen Anzug eine Karrikatur bildet, gegen welche alles, was ich in diesem Punct in London gesehen, nichts heissen will.

Des Contrasts wegen will ich ihm den Abbé Blanche zur Seite stellen, einen eben so bescheidenen, als liebenswürdigen Mann, dessen noch ungedruckte Arbeiten Muster von Geschmack und Anmuth sind, und der in den orientalischen Sprachen außerordentlich gelehrt seyn soll *).

*) Madame Necker nennt ihn in einem ihrer Briefe einen alten Wilden. Es ist wahr, er theilte sich wenig mit, nicht weil er die Menschen haßte, sondern weil seine Gesundheit sehr schwach war. Er hat Apologen und orientalische Erzählungen, moralische und unterhaltende Mannichfaltigkeiten, Maximen und orientalische Sprichwörter

Da mich aber der Befehl, mich unverzüglich auf meinen Posten zu begeben, zwingt, heut Abend abzureisen; so verlass' ich Sie schnell in der Hoffnung, daß ich bald Gelegenheit finden werde, als thätiger Reisender meine Beobachtungen fortzusetzen.

ter geschrieben. Fern von allen Ansprüchen, floh er in der Gesellschaft diejenigen, welche er wenig kannte, nur aus Furcht, daß man ihn deren fähig halte. Denn so bescheiden er auch war, so machten ihn doch die Ansprüche anderer oft besorgt, daß sie ihn nöthigen könnten, sich der Superiorität seines eigenen Verstandes über den von Solchen, die sich ihn anmaßten, zu erinnern.

Fünfter Brief.

Guincamp.

Da ich mich auf meiner Reise hieher nur in Orleans aufgehalten habe, mein Herr, so benutzt' ich einige Ruhestunden, um eine, in den Jahrbüchern von Frankreich so berühmte, Stadt, und das Denkmal der Johanna d'Arc zu sehen, welche auf dasselbe eben nicht sehr stolz seyn darf.

Vielleicht irr' ich mich; aber ich meine, daß wir täglich lauer im Andenken von denjenigen werden, welche dem Vaterlande große Dienste geleistet haben. Man hat dem Stifter des Capuziner Ordens zum wenigsten zweyhundert Statuen errichtet. Gleiche Ehre ist dem der Jesuiten und der Dominikaner widerfahren; aber die Montmorency's, die Crillon's, die Du Guesclin's haben kein solches Denkmal erhalten! So viele unbedeutende und mächtige Großen ruhen unter Mausoleen, an welchen die Meisterwerke der

Bildhauerkunst ihre Nullität verewigen, während die Asche des Ritters ohne Furcht und ohne Tadel noch unter einem Steine ruht, der kaum eine Inschrift hat. Solche Behandlung der Todten ist freylich für die Lebenden eben nicht sehr ermunternd!

Bis auf Weiteres haben Sie Nachrichten über die Bretagne von mir verlangt, die Sie noch nicht kennen. Ich will Ihre Neugierde in diesem Punct daher nach besten Kräften zu befriedigen suchen.

Was ich von dieser Provinz bis jetzt gesehen, hat die Ansicht eines ungeheuern Waldes, der durch offne Plätze durchschnitten ist, in welchen Dörfer, Meyerhöfe und einzelne Hüttenstehen. Was ihr aber besonders das Ansehn von Wildheit und Mangel an Anbau gibt, ist, daß jedes, auch das kleinste Feld, durch ein lebendiges Gehege eingeschlossen wird, welches auf einer Art mit Bäumen bepflanzten Brustwehr steht, deren Gipfel, in einiger Entfernung den Zwischenraum, der sie trennt, verstecken.

Diese Art, sich einzuzäunen, welche der Cultur einen Theil ihres besten Bodens raubt, und die man dem Holzbedürfniß beymißt, hat ihren

Ursprung offenbar in einem Mangel an Polizey, der bey den ersten Völkern Statt fand, welche sich in diesem Theil von Frankreich, dem ehemaligen Armorica, niedergelassen haben. Denn nachdem sie sich mit Gewalt festgesetzt hatten, mußten sie wohl auch daran denken, Besitzungen sich zu erhalten, zu denen sie blos das Recht des Stärkern berechtigte, und deren Gränzen es auch allein bestimmte.

Diesem Verfahren ist also der Ursprung vom Recht der ersten Besitznahme beyzumessen, welches bey den Armorikern ein Staatsgesetz wurde.

Es ist schwer zu entscheiden, mein Herr, wer die ersten Bewohner der Bretagne gewesen sind, und ob es wirklich, mit dem größten Theil von Europa bis Finisterre, wie einige wollen, blos von wilden Thieren bewohnt war.

Wie dem sey, so waren die Celten wenigstens die ersten, die sich unter der Ur-Regierung, der väterlichen, oder patriarchalischen, hier niedergelassen haben. Später thaten sie sich zu Städten, oder Verbindungen einer gewissen Anzahl von Familien zusammen, die durch einen Staat regiert, und endlich durch Julius Cäsars

Waffen zu Unterthanen des römischen Reichs gemacht wurden.

Unter dieser Städte-Regierung, offenbar der günstigsten für die Fortschritte eines entstehenden Volkes, sandten die Armoriker Colonieen nach England, raubten den Carthagern den Handel mit den brittischen Inseln, und erhoben sich zu solchem Reichthum, daß Cäsar mit den Schätzen, welche er in Dariorigum fand, einer Stadt, deren Stelle, in der Nähe von Vannes, heutzutag vom Meere bedeckt ist, sein Vaterland bestochen und unterjocht hat.

Die Unruhen, welche England vom dritten bis in das fünfte Jahrhundert verwirrten, zwangen eine Menge der Einwohner zum Auswandern. Welche sich nicht nach Wallis und Cornwallis flüchteten, gingen auf Einladung von Constantius Chlorus, unter Anführung des schottischen Fürsten Conan, nach Armorika, liessen sich daselbst nieder, und gaben ihm den Nahmen ihres alten Vaterlandes.

Maximus, dem Conan einige der Dienste geleistet hatte, welche die Ehrgeizigen nie abschlagen, erkannte diesen, zum Lohn, als König von Armorika an, jedoch als tributären König. Diesen Titel ließ ihm Theodosius, und ihn übermachte er seinen Nachkommen mit grösserem Ruhme, als er ihn erlangt hatte.

Aber muthig und stärker gemacht durch neue Colonieen, welche allmählig England verliessen, schüttelten die Armoriker, immer noch unter Conan, das Joch der Römer ab, nahmen ihre alten Gesetze wieder an, und schlossen im Jahr 419 mit ihren vorigen Herren einen Allianz-Vertrag, der ihnen auf lange Zeit ihre Freyheit und für immer ihre Unabhängigkeit vom römischen Reich sicherte.

Unter ihrem siebenten König, Budic, im Jahr 497, verband sich Clodowig mit ihnen durch einen Vertrag, der den Anfang der Vertreibung der Römer aus dem übrigen transalpinischen Gallien machte, und für den Augenblick die Gränzen zwischen Frankreich und Armorika bestimmte.

Nach einer Stelle im Gregor von Tours behauptet der Präsident von Henault, daß sich die Armoriker, welche anfingen, den Nahmen der Bretagner zu führen, an Chlodewig ergeben hatten, und daß sie sich von da an immer als Unterthanen der französischen Könige, jedoch unter einem Grafen, keinem Könige, anerkannt haben.

So achtungswerth indeß Gregors Zeugniß seyn mag, so widersprechen ihm alle übrigen Geschichtschreiber. Auch kommt der Geist, welcher heutzutag noch in den Bretagnern lebt, nichts weniger, als der Knechtschaft entgegen *), und ist es überhaupt unwahrscheinlich, daß sie das römische Joch nur abgeschüttelt haben sollten, um sich das eines Barbaren, wie Chlodewig, aufladen zu lassen. Und so darf man denn ohne Bedenken annehmen, daß die Bretagne ihre Unabhängigkeit und ihre Könige bis ins Jahr 783 behauptet hat **); eine Epoche, in welcher sie von Carln dem Großen unterjocht, und ihre Fürsten gezwungen wurden, sich mit dem Grafen-Titel zu begnügen. Dies scheint um so wahrscheinlicher, da Nomenoë, welchen Ludwig der Gute zum Herzog von Bretagne

*) Man weiß, daß die Deputirten vom dritten Stand und vom niedrigen Clerus der Bretagne den berühmten Jacobiner-Clubb in Paris gestiftet haben.

**) Siehe zur Bestätigung dieser Meinung die Histoire des Gaulois, B. II. Kap. 12.

gemacht hatte, die Unruhen, die Frankreich unter der Regierung dieses schwachen Monarchen verwirrten, benützte, um den Königstitel wieder anzunehmen, den seine Nachfolger wahrscheinlich bis zur Zeit behalten haben, da Carl, der Einfältige, Don Rollo, oder Rollon, oder Ganga Hrolf *), welcher die Normandie 912 erobert hatte, alle seine Rechte auf die Bretagne abtrat, dieses ein Afterlehn der Krone, und im Jahr 1297, zu Gunsten Johanns II. durch Philipp den Schönen zum Herzogthum und zur Pairie erhoben wurde.

Seit dieser Zeit scheint die Konstitution dieses Landes keine bedeutende Veränderung mehr erfahren zu haben, und Bretagne, das durch seine bald unterwürfigen, bald aufrührerischen Herzoge regiert ward, wurde endlich mit Frankreich vereinigt, und zwar durch die Heirath seiner letzten Herzogin Anna, erst mit Carln VIII. und dann mit Ludwig XII., welcher, wie Mezerai bey dieser Gelegenheit sagt, aus den Freuden dieser Welt in die des Paradieses überging. Diese Vereinigung geschah indeß gegen den Willen der

*) Histoire de françois I. B. 1.

neuen Königin, welche mit den Vorzügen einer starken, erhabenen und wohlthätigen Seele, ein so imposantes Äusseres verband, daß man von ihr sagte: „wer sie sehe, glaube die Königin der Welt zu erblicken."

Aber Anna besaß auch alle Tugenden, welche sie zum Opfer der Politik und ihres eigenen Herzens machen mußten.

Wenn Ihnen dieser flüchtige Überblick der Revolutionen in der Regierung der Bretagne Langeweile verursacht hat, mein Herr, so liegt die Schuld wenigstens nicht daran, daß ich mich kurz gefaßt habe.

Die Bretagne ist von allen französischen Provinzen noch, so zu sagen, die einzige, welche einen Karacter übrig behalten hat, den man, wenn auch nicht antik, doch wenigstens originell nennen darf. Die Existenz ihrer Stände hat etwas Eigenthümliches, das man im übrigen Frankreich nicht wieder findet, wo die Geistlichkeit, der Adel und der dritte Stand auch eine Deliberativ-Stimme haben.

Sechster Brief.

Guincamp.

Das Merkwürdigste und Sonderbarste in der Bretagne, und hauptsächlich in der Nieder-Bretagne, ist die Sprache, welche einige gelehrte Grammatiker auch für das alte Celtische halten. Und wirklich hat sie auch gar nichts Ähnliches mit den Volks-Dialecten in den verschiedenen Provinzen von Frankreich.

Ein gewisser Herr Brigand, ein in diesem Fach sehr gelehrter Mann, und gebohrner Nieder-Bretagner, hat ungeheure und sehr merkwürdige Nachforschungen angestellt, um diese Behauptung zu erweisen. Sie sind in dem Werk enthalten: Observations fondamentales sur les langues anciennes et modernes, ou Prospectus de l'ouvrage intitulé: la langue primitive conservée.

Wie es aber jedem geht, der sich in irgend ein System verliebt hat, übertreibt er es in diesem Punct bis zu der Behauptung, daß Adam und Eva in der Nieder-Bretagnischen Sprache sich im irdischen Paradies mit einander unterhalten haben. Wenn man also annimmt, daß der Teufel die Gattin unsers allgemeinen Stammvaters in dieser Sprache verführt hat, so erhält dieselbe viele Ähnlichkeit mit dem Jargon, in welchem unsere modernen Verführer unsren schwachen Frauen die verbotene Frucht eingeben. Wie indeß Herr Brigand, dessen Werk ich nicht gelesen habe und nicht lesen werde, in dieser Rücksicht mit den Personen, die, nach Chardin, jene Unterhaltung des Teufels mit Even nach Arabien versetzen, fertig geworden ist, das weiß ich nicht.

Mag dieses Idiom nun wirklich das alte Celtische seyn oder nicht, so darf man wenigstens glauben, daß es um so gewisser das der ansehnlichsten Barbaren-Horden war, die, unter dem Nahmen der Franken, der Hunnen, Gothen, Vandalen, Alanen und Sueven, im fünften Jahrhundert Europa überschwemmten, und sich besonders, ohne Mischung mit den Ureinwohnern, in einigen seiner Gegenden niedergelassen haben *); indem diese Sprache 1.) neben einer völlig fremden Aussprache, viele deutsche, dänische, englische, belgische und andere Worte, alle aus dem Celtischen, verbindet; daß man 2.) ihre Spuren bis in die Schweiz und in Portugall antrifft **); daß sich 3.) die Schotten, die Walliser und die Nieder-Bretagner blos durch Hülfe ihrer Muttersprache sehr gut verstehen — eine Bemerkung, die schon Strabo in Bezug auf die Ähnlichkeit des Dialects der alten Gallier mit dem der Bewohner von Groß-Brittannien gemacht hat, und welche durch die Übereinstimmung in den

*) Der selige Schöpflin hat in seinen Vindiciae celticae grosses Licht über die Geschichte der Niederlassung der Celten in Gallien verbreitet.

**) Herr Ribero dos Santos bewies in einer philosophischen Geschichte der portugiesischen Sprache, daß sie ursprünglich celtisch war. Diese Sprache soll sogar die einiger amerikanischen Völkerschaften am Missuri seyn. Diese letztere ausserordentlich weissen Völkerschaften haben Pergamentschriften mit blauen Buchstaben erhalten, welche weder sie, noch ein Europäer lesen konnte. S. die Geschichte von Kentuke.

Sitten, Gebräuchen und Gesetzen der Nieder-Bretagner und der Walliser bestatigt wird. Aus allem diesem läßt sich nun wohl schliessen, daß beyde Völker ihren gemeinschaftlichen Ursprung den Schwärmen verdanken, welche, nach des Gothen Jornandes Bericht, aus dem tiefsten Norden, „der Fabrik des Menschen-Geschlechts," wie er sich ausdrückt, hervorgekommen sind, und sich in der Bretagne niedergelassen haben.

Wenn dieß nun seinen Grund hat, so möchte man fragen: warum man keine der ungeheuern Auswanderungen mehr erlebt, denen Asien und Europa ihre Bevölkerung verdanken sollen, und warum diese Pflanzschule ihre Schößlinge nicht mehr versendet, um die Erde zu bedecken?

Darauf antwort' ich; gerade weil der Norden so viele Menschen hergegeben hat, kann er jetzt keine mehr liefern. Auch mußten regelmässige Regierungen und eine Religion, deren Agenten und Diener blos von den Früchten der Arbeit und der sedentären Industrie der Völker leben, alles anwenden, um diese zu fixiren, und ihnen Liebe zu ihrem Mutterboden beyzubringen; was ihnen auch gelungen ist. Indem ihnen sodann der Handel große Bahnen für ihre Thätigkeit und für den Verkehr mit andern Völkern eröffnete, beschäftigt er ausser und in ihrem Lande, Menschen, welche vordem blos Hirten oder Krieger, Nomaden ohne Wohnort, oder Räuber ohne Eigenthum waren; wie es die Tataren und die Araber noch sind. Sollten indeß diese Gründe alle der Erklärung nicht genügen, so verweis' ich die Ungläubigen auf die Antwort, welche der englische Zuschauer dem Chevalier Temple auf seine Frage gegeben hat: warum der Norden uns keine Schwärme von Anglen, Juten, Gothen, Vandalen u. s. w. mehr sende? Sie lautete: „wenn dem berühmten Schriftsteller eingefallen wäre, daß es unter den Unterthanen von Thor und Wodan keine Studenten der Arzneywissenschaft gegeben hat, daß diese nun aber im Norden blühet, so würd' er dieses Problem noch besser gelöset haben."

Aber, ernstlich gesprochen, mein Herr, halte ich es für besser, wenn man bey Untersuchung von dergleichen Gegenständen über die Möglichkeit einer alten und zweifelhaften Thatsache nach der Existenz einer neuen, völlig erwiesenen, und nahezu ähnlichen Thatsache urtheilte.

Ich nehme daher an, daß ein africanischer Schriftsteller, dem es ganz an authentischen Quellen der Zeitgeschichte fehlt, seinen Landsleuten heutzutag sagte: zu verschiedenen Zeiten seyen aus dem Norden und Westen von Europa über fünf Millionen Menschen, unter dem Nahmen der Kreuzfahrer, zu ihnen gekommen.

Was würden die Wilhelm Temple's von Syrien und Egypten thun? — Sie würden die gegenwärtige Bevölkerung des christlichen Europa's als einen, noch lebendigen, Beweis für die Unmöglichkeit der Kreuzzüge anführen; die Philosophen von Tunis, Tripoli, Damiette und Alexandrien würden mit ihnen einstimmen, und mit der Vernunft, dem gesunden Menschen-Verstand und sogar der gründlichen Frömmigkeit, welche wir unsern Vätern beymessen, Schlüsse an Schlüsse reihen, um die Nicht-Existenz dieser Art von Zügen aus dem Unsinn derselben zu beweisen. (1.)

Ich kehre indeß zu meinen Bretagnern zurück.

Sie begreifen wohl, daß ein Volk, das durch so viele Revolutionen hindurch dieselbe Sprache behalten hat, auch noch viele alte Gebräuche haben muß.

Ich werde nicht zur Schöpfung der Welt emporsteigen, um durch das Wort Gottes selbst die Meinung zu unterstützen, daß die ersten Menschen die Dauer der Tage von dem Anfang der ersten Nacht bis zum Anfang der zweyten gezählt haben, wie man in den ersten Versen vom ersten Kapitel der Genesis sieht. Die Griechen hatten denselben Brauch, und die Franken und Germanier zählten, nach Tacitus, gleichfalls nach Nächten. Indem ich diese Thatsachen aber anführe, darf ich die sonderbare Bemerkung nicht unterdrücken, daß solcher Gebrauch nicht durch Juden oder Griechen, nicht durch christliche Missionäre, welche die Bücher Mosis unter diesen Völkern einführten, sondern vor der christlichen Zeitrechnung durch Menschen zu ihnen gebracht wurden, welche weder von der Genesis, noch von den griechischen Gebräuchen Kenntniß hatten, und bey denen er nicht nur seit undenklichen Zeiten, sondern auch noch heutzutag mit der Gewohnheit herrscht, die Jahre nach den Wintern zu zählen — eine ganz natürliche Art zu rechnen für Völker *), welche grössere Winter, als Sommer, und längere Nächte als Tage haben.

Die Bewohner der Bretagne haben daher durch die Macht der Gewohnheit, welche immer das stärkste Hinderniß der Civilisation ist, den Brauch beybehalten, anuit, statt aujourdhui, zu sagen.

Als die Druiden noch die einfachen Bewohner der Gallischen Wälder regierten, hieb einer derselben mit einer goldenen Hippe am Neujahrs-Tag eine Eichenmispel ab, und wickelte dieselbe unter allerhand Ceremonieen in ein, dazu eigen geweihtes, weisses Leintuch ein. Daher kommt es, daß die Kinder dieses Landes noch heutzutag ihre Neujahrsgeschenke mit den Worten fodern: a qui l'an neuf **).

*) Siehe die Geschichte der Fischerey, der Entdeckungen und der Niederlassungen der Holländer in den Nord-Meeren. B. 2. K. 27.

**) Im Jahr 1500 warf der Canzler von Bern den Maykäfern, welche diesen Canton verwüsteten, einen förmlichen Prozeß an den Hals und foderte sie vor den Stuhl des Bischofs, der sie ex contumacia exkommunicirte.

Wie sonderbar uns auch dergleichen Sitten vorkommen mögen, so finden wir sie in ihrer Entstehung doch immer durch irgend einen Umstand gerechtfertiget. Ich will noch zwey andere Züge der Art anführen, nach denen Sie den Geist eines uns nähern Zeitalters, das sie entstehen sehn, beurtheilen können.

Der Bischof von Saint-Brieux ist weltlicher Herr von zwey Drittheilen der Stadt. An der Ecke einer der Hauptstrassen stehet ein Haus, von dem er eine Abgabe von zwölf Deniers beziehet.

Dieß ist nun nichts ausserordentliches; aber das Sonderbare kömmt jetzt.

Am Feyertage Johannis des Täufers geht der Eigenthümer dieses Hauses alle Jahre, in seinem besten Anzug und mit einem weissen Stock in der Hand, um die Vesperstunde aus demselben, schlägt mit diesem Stock dreimal in den schäumenden Bach, der vor seinem Hause vorbeyfließt, und spricht die beyden erstenmale dazu: „still, ihr Frösche; Se. Gnaden schläft!" und das drittemal: „so schweiget denn, Frösche; und lasset Se. Gnaden schlafen!" *)

*) Siehe hierüber Duclos Memoires sur les Druides, im isten B. seiner Werke.

Der würdevolle Ernst, welcher der Geschichte verbietet, von gewissen Einzelnheiten zu reden, hat seinen Vortheil. Treibt man ihn aber zu weit, so verlieret er das Verdienst, uns den Geist der Zeiten durch ihre Gebräuche kennen zu lehren — eine Kenntniß, in welcher wir die Erklärung vieler Thatsachen finden würden, die uns nun völlig unverständlich geworden sind.

Wir wissen z. B., daß die meisten unsrer Bischöfe nicht mehr dem Theil des Gottesdienstes beywohnen, welche man die Opera des servantes nennt, und werfen ihnen diese Nachlässigkeit als eine Folge des philosophischen Geistes vor, von dem sie sich anstecken liessen.

Diese Thatsache hingegen bezeugt, daß in den glücklichen Zeiten, da die Philosophie die Menschen noch nicht gelehrt hatte, die Strassen zu pflastern, um die Frösche aus den Ortschaften zu verbannen, ein Bischof nicht nur die Vesperzeit zum Schlaf anwendete, sondern auch seinem Vasallen die Verpflichtung auflegte, darüber zu wachen, daß seine quackenden Nachbarn seinen Schlaf nicht störten, während seine Clerisey und seine geistlichen Schafe der religiösen Pflicht oblagen, die sich Se. Gnaden erliessen. Wahrlich, die Hirten einer gewissen Versammlung der Gläubigen nannten diese vordem nicht umsonst ihre Heerde.

Ein zweytes Beyspiel von gleichem Schlag, aus dem wir indeß keine so strengen Folgerungen ziehen können, ist dieses:

Die Frau von Vantelu gebrauchte, und, was noch schlimmer ist, übt noch heutzutag das Recht aus, die Frösche in den Gräben ihres Schlosses durch die Weiber der Stadt Magni, während jedes ihrer Wochenbette, peitschen zu lassen. Natürlicher Weise wünschen diese gar sehr, daß die Frau von Vantelu unfruchtbar bleiben möchte.

Ich glaube gern, mein Herr, daß unsre Väter herzgute Leute waren, und ich habe alle mögliche Ehrfurcht vor ihnen. Aber Sie müssen denn doch gestehen, daß sie oft närrische Einfälle hatten, und daß wir, wenn uns Herodot dergleichen Albernheiten berichtete, nicht anstehen würden, ihn ein altes Weib zu nennen. Qui fagotterait suffisament un amas des asneries de l'humaine sapience, dirait merveilles, sagt Freund Montaigne.

Warum machen wir es mit gewissen Gebräuchen nicht, wie die Frauen mit ihrem Flitterkrame? — Ist er nicht mehr Mode, so verwechseln sie ihn gegen andern.

Indeß mögen die Damen ja nicht glauben, daß ich damit satyrisiren wolle. Ich bin weit entfernt, ihre Liebe zum Putze zu tadeln, oder gegen ihre venetianischen Mäntel loszuziehen. Der Eifer, womit wir uns alle gern in das vortheilhafteste Licht stellen, ist blosse Wirkung eines Natur-Instinctes. Wir sehen ja selbst das ernste und bescheidene Alterthum, die Hörner der Opferthiere, welche es den Göttern schlachtet, vergolden, sie mit Blumen bekranzen, mit bunten Bändern zieren, und selbst in die Feyer eines frommen, aber barbarischen, Opfers eine öffentliche, geheiligte Huldigung gegen die Gewalt legen, welche die Schönheit jeder Zeit behauptet hat.

Siebenter Brief.

Brest.

Die Verhältnisse verschiedener Ihrer Bekannten, mein Herr, welche an diesen Ort gekommen sind, müssen Ihnen eine zu richtige Vorstellung von dem Hafen von Brest gegeben haben, daß ich es unterlassen zu dürfen glaube, Ihnen von demselben zu reden.

Es hat selbst unter den jungen Frauen des Hofes und von Paris keine gegeben, welche nicht ihren Patriotismus dadurch an den Tag zu legen dachte, daß sie an Ort und Stelle selbst die imponirende Kriegsrüstung angesehen, und uns damit ein Schauspiel gegeben hat, von dem die Fabelzeit uns kaum eine Idee aufstellen kann: Venus an Mars Toilette helfend. Ich kenne sogar einige, die an ihrem Patriotismus eines schnellen Todes zu sterben glaubten, wenn sie erführen, daß ein Kanonenschuß das schöne Schicksal des Helden geendigt habe, den sie absandten, um an den Ufern von Flüssen zu sterben, deren Namen sie nicht einmal aussprechen können, wie den des Passeyk, des Skulkill, der Susguehannah. Oft und lebhaft theilt' ich mit Frau von Lafayette den Enthusiasmus für ihren Gatten; aber ich versicherte sie jedesmal aus allen Kräften, daß sie mir dadurch einen neuen Beweis ihres vorzüglichen Verstandes gegeben habe, indem sie die modernen Hero's nicht nachgeahmt, welche, bey der Unmöglichkeit, das atlantische Meer zu durchschwimmen, das sie von ihren Leandern trennt, wenigstens die Ufer desselben sehen wollen *).

Unerachtet die Sitte den Frauen alle Art von militärischen Kenntnissen zu verbieten scheint, so mag ich doch gern, daß die unsrigen von der allgemeinen Regel eine Ausnahme machen, so-

*) Ich fühle wohl, daß ich hier eine Anmerkung über diese gute, tugendhafte und interessante Frau machen sollte, welche ihrem Gatten später so große Beweise von ihrer ehrwürdigen Zärtlichkeit gegeben hat; aber ich habe den Muth nicht dazu.

bald sie sich in die Gränzen beschränken, welche ihnen ein Geschlecht vorschreibt, das durch seine Furchtsamkeit selbst nur um so furchtbarer wird. Allein, werden mir die Damen sagen, wie berühmt wurden die Bürgerinnen von Sparta und Rom nicht durch ihren Patriotismus? Die schöne und tugendhafte Minerva trug Helm und Schild, und wenn sich die schöne, aber nicht ganz so tugendhafte, Venus auf die Taktik des Kriegs so gut verstanden hätte, als auf die Liebe, so hätte sich der wilde Diomed gewiß nie rühmen können, ihr eine Wunde beygebracht zu haben.

Indeß fand ich die Stadt Brest nicht so häßlich, wie man sie mir zuvor geschildert hatte. Den Hafen betreffend, so hat er die Art von Schönheit, welche öffentlichen Anstalten gebührt, die die höchste Vorstellung von der Macht eines Staats und von der Kraft der menschlichen Industrie erregen. Dabey ist aber der Hafen von Brest weder so reinlich, noch so prächtig, wie der von Toulon. Ob er gleich den Windstößen nicht so ausgesetzt ist, wie letzterer, in welchem ich die Schiffe selbst längs des Quais durch dieselben aneinander anprellen sah, so hat der Hafen von Brest dafür den Fehler, daß er zu eng ist, somit weniger Luft-Cirkulation gestattet, und die Schiffe in demselben schneller zu Grunde gehn.

Die Gebäude betreffend, welche die Taufabriken, die Arsenale, die Magazine, die Schmieden u. s. w. enthalten, so giebt ihre fehlerhafte Lage, in amphitheatralischer Form, dem Ganzen einen eben so mahlerischen, als imposanten Anblick; sie hindert jedoch die Arbeiten, und vervielfältiget sie wenigstens.

Der Stadt gegenüber längs dem rechten Ufer des Hafens, wenn ich mich so ausdrücken darf, auf der Spitze eines Felsen, der denselben beherrscht, liegt das demüthige, stille Hospiz der Kapuziner.

Da es mit Gehölz umgeben ist, so bildet es den auffallendsten Contrast mit dem Hafen, wo das Geschrey der Arbeiter und der Matrosen, der Lärm der Schmieden, das Geklirre von den Ketten der Galeeren-Sclaven, der lange Nachhall der Beile und Ambose, die rasche Bewegung der Schaluppen, welche tactmässig unter dem einförmigen Geräusch ihrer Ruder dahin fliehen — alles dieß bildet ein Schauspiel und ein Getöse, welches des Kriegsgotts würdig ist; während nahe dabey die ruhigen Franciskaner bald ihre Gebete zu dem Gott der Barmherzigkeit und des Friedens mit leiser Stimme psalmodieren, oder theilnehmungslos im Schatten der Gebüsche sitzend, ihre gleichgültigen Blicke über diese Rüstungen zu Mord und Kampf hin und her laufen lassen.

Da dieser Brief der letzte ist, welchen Sie von mir aus der Bretagne erhalten werden, so will ich in demselben noch alles zusammenfassen, was ich sowohl über diese Provinz, als über den Karakter und die Sitten ihrer Bewohner weiß.

Wenige Tage nach meiner Ankunft in Quincamp war ich Zeuge eines Volkstanzes, der mir eben so alt und eigenthümlich schien, als die Sprache des Landes.

Ein Paar Sackpfeifen und ein Tamburin bildeten das ganze ländliche Orchester.

Ich unterschied zwey sehr einfache, etwas traurige Arien, aber ihre Melodie hatte einen angenehmen und sanften Ausdruck.

Der erste Tanz — denn es waren zwey verschiedene — war ein Kreis, den die Tänzer, um Paarweise zu erscheinen, zerbrachen, und nach einer Anzahl von Tacten wieder zusammenschlossen.

Dieser Tanz ist unstreitig so national, als ein anderer, den man noch in Griechenland sieht, und welchen man für eine Nachahmung des Labyrinth-Tanzes hält, der seinen Ursprung dem Theseus verdankt. Auch in diesem halten sich die Tänzer bey der Hand, und drehen sich ohne Abwechslung im Kreise *).

Der zweyte Tanz unterscheidet sich von dem ersten nur dadurch, daß man sich, nachdem man mit einander figurirt hat, statt, wieder bey der Hand zu fassen, beym Arme nimmt und eine Promenade im Kreise macht.

Diese Art von ländlichem Feste erinnert mich, wie Brantome'n, an den Tanz der Jungfrauen, welcher zur Zeit des Punischen Kriegs in Rom vorkam. Die Vergleichung desselben karakterisirt die verschiedenen Völkerschaften der französischen Provinzen, von der Garonne im Süden, bis zu der Schelde im Norden, sehr treffend.

„Er erinnert mich," sagt Brantome, „an einen Tanz, welchen ich in meiner Jugend die Mädchen meiner Gegend tanzen sah, und den

*) Bartholdy's Reise nach Griechenland, im 2ten Bande.

man La jarretière nannte. Sie reichten sich ihre Kniebander, und faßten sie gegenseitig mit der Hand, schwangen sie sich hin und her über die Köpfe weg; verschlangen sie dann zwischen den Beinen, und hüpften gar geschickt wieder darüber weg. Sodann entwickelten sie sich auf die niedlichste Weise durch kleine Sprünge, folgten immer hinter einander her, und verloren den Tact des Lieds, oder des Instruments, das sie leitete, niemals. Es war allerliebst anzuschauen; denn die Sprünge, die Verwicklungen, die Auflösung, die Haltung, die Kniebänder und die Anmuth der Mädchen hatten etwas wunderbar Zierliches und Wollüstiges." *)

So geschickt hupften nun meine Nieder-Bretagnerinnen freylich nicht, wie die gewandten Landsmänninnen von Brantome. Auch würden sie, glaub' ich, in dem Pyrrhichischen Tanz der Alten, oder in dem spanischen Fandango eine schlechte Figur machen. Allein obgleich ihre niedrigen Schritte eben so kunstlos sind, als ihre Arien, so ist in ihren Bewegungen doch ein Zusammenhang und ein Ganzes, dem es nicht an

*) Memoires de Brantome. B. 2. Disc. 6.

Anmuth fehlt, und das, durch den rauhen Ton ihrer Sackpfeife geleitet, ein Schauspiel bildet, welches man nicht ansehen kann, ohne sich die Unschuld der Urzeiten, und Erinnerungen zurückzurufen, in denen, auch der, welcher seine Jugend am besten genossen zu haben glaubt, in einem minder glücklichen Alter mit Virgil sagt:

Ach! Unsre schönsten Tage sind zuerst dahin!

„Die Gottheiten unsrer Feste," sagt Plato, „haben uns, neben dem Vergnügen, noch das Gefühl und den Tact der Harmonie gegeben. Dieses Gefühl regulirt unsre Bewegungen unter der Leitung jener Götter, und lehrt uns, mit einander durch Verbindung von Gesang und Tanz eine Kette zu bilden." *)

Die Kleidung der Bretagner ist im Durchschnitt die des Volks vom ganzen übrigen Frankreich. Ich sage, im Durchschnitt; denn in manchen Cantonen hab' ich die Männer mit einem Wolfspelz, einem Ziegen- oder Schaafspelz bedeckt gesehen. In andern waren die Strohhüte

*) Von den Gesetzen, im 2ten Buch.

artig verziert, oder trugen die Männer weite Hosen, wie die Bauern in einem Theil der Schweiz, von Schwaben und vom Tyrol.

Die schwarzen, fetten Haare hängen ihnen frey am Gesicht herab, was ihnen mit dem Bart, den sie selten rasiren, ein wildes, verdächtiges Ansehn, das horribile aspectu gibt, welches ein Reisender den Bewohnern des Aetna vorgeworfen hat. *)

Die Bretagner sind unreinlich, trunksüchtig, und so hartnäckig, daß die bretagnischen Köpfe dadurch einen Ruf erlangt haben. Im Übrigen aber sind sie brav, offen und fleissig. Ihre Laster und Tugenden sind die von Völkern, welche lange unter dem Joch der Regierung, oder vielmehr des Feudal-Raubsystems gestanden haben — ein Nahme, der allein dem beynah gränzenlosen, launischen Gebrauch der Gewalt eines Einzigen gebührt, welcher, der Form nach, einem Oberlehnsherrn unterworfen, aber im ganzen Umfang

*) Nemlich Faselli. Der Freyherr von Riedesel hat ihm aber in seiner bekannten Reise nach Sicilien und Malta widersprochen.

des Worts Zügellosigkeit in dem Augenblick frey ist, da er sich durch Umstände, die Krieg und Politik täglich herbeyführten, der thätigen Aufsicht entzog, die seine dichte Unwissenheit, sein lächerlicher Hochmuth und seine völlige Nullität nur nach den Resultaten beurtheilten, welche ihm dieselbe entweder ehrwürdig, oder gleichgültig, verhaßt oder furchtbar machte.

Die Bretagner an der Seeküste, welche ärmer und minder gebildet sind, als ihre übrigen Landsleute, beobachten die Gewohnheit, wenn sie den Tag über ein, mit den Wellen kämpfendes Schiff manövriren sehen, um an der Küste Schutz zu finden, Abends eine Laterne an die Hörner einer Kuh oder eines andern Thiers aufzuhängen, die sie zu diesem Zweck an eine Klippe festbinden. Durch dieses Licht läßt sich das Schiff, in der Meinung, daß es aus einer Wohnung, oder von einem Leuchtthurm komme, hintergehen, steuert darauf los, scheitert und wird von den Einwohnern geplündert. Den Völkern des Nordens zur Schmach, die man uns so gern als Muster von Rechtlichkeit schildert, war diese schändliche List immer, und ist es noch jetzt, an den Küsten, welche sie bewohnen, eigen, und daher haben sie die Bretagner auch zu uns gebracht.

Zu den besondern Gebräuchen, die eine sorglose Gesetzgebung in einem Staat fortbestehen läßt, in welchem die Einförmigkeit der Gesetze eine so große Wohlthat wäre, gehört auch der, daß, im Fall ein Canton, ein Feld oder eine Wohnung eines Vasallen den Vergrösserungs- oder Bequemlichkeits-Planen des Lehens-Herrn zusagt, er das Recht hat, seine Geschwornen kommen, sie das, was er haben will, schätzen zu lassen, zu bezahlen, und den Eigenthümer ohne Barmherzigkeit von seinem Gut und seinem Heerde zu verjagen.

Überall hat das Gesetz, welches über die Erbschaften verfügt, durch Gründe, welche mehr Schein als Gründlichkeit hatten, bestimmt, der Gerechtigkeit einer gleichen Vertheilung derselben unter die Kinder desselben Vaters, nur zu Gunsten des älteren Sohns eine Ausnahme gestattet. Allein vermöge einer seltenen Ausnahme, die ich indeß, nach reifem Nachdenken, der Billigkeit und der Überlegung einer weisen Vorsicht angemessener halte, gibt es in diesem Land einen Bezirk, wo der jüngste Sohn allein den Theil des liegenden Vermögens erbt, der überall sonst nur dem ältesten zukömmt.

Dieses sonderbare Gesetz, das ich unter dem Nahmen des Borough english auch in einigen Dörfern Englands gefunden habe, und welches, wie ich höre, auch im Norden und bey den Tataren herrschen soll, scheint mir ein neuer Beweis von der gemeinschäftlichen Abstammung der Bretagner und der Bewohner eines Theils von Groß-Brittannien zu seyn.

Da mich nichts mehr hier zurück hält, mein Herr, so reis' ich Morgen nach La Rochelle ab, von wo ich sogleich nach der Insel Oleron übergehen werde.

Achter Brief.

Larochelle.

Meine Reise von Brest hieher, mein Herr, wurde durch verschiedene Zufälle durchkreuzt, welche mich sehr aufgehalten haben, und denen ich wohl ausgewichen wäre, wenn ich minder schnell hätte ankommen wollen. Dieß gab mir Anlaß zu guten Betrachtungen über die Alten, welche nie Extra-Post reiseten, und, wenn sie eine Reise zu machen hatten, die dazu nöthige Zeit nach der Entfernung berechneten. Dieß war weit vernünftiger, als unsre Art, Tag und Nacht fortzueilen, um entweder zu früh oder zu spät anzukommen.

Rien ne sert de courrir. il faut partir à point.

Und diese Wahrheit läßt sich auf mehr, als Einen Zweig der Thätigkeit anwenden — eines Worts, dessen Mißbrauch der Unruhe so vieler Stänker heutzutag zum Deckmantel dient.

Ich kam am 30sten vorigen Monats hier an, und schiffte mich, nach zwey Tagen Rast, nach Oleron ein.

Ich verließ den Hafen mit der Fluth und einem schwachen Nord-Ost, nicht ohne Erinnerung an meine letzte und gefährliche Ausfahrt aus diesem Hafen.

Mein Plan war, im Vorbeygehen unser Transportschiff zu sehen. Allein, da der Wind nachließ, so verschob ich diesen Besuch auf einen andern Tag, und landete in dem kleinen Hafen de la Perotine, wo ich nur ein einziges Pferd für mich, meinen Bedienten und meinen Mantelsack fand.

Dieß würde einen Egoisten gerade nicht in Verlegenheit gesetzt haben. Er hätte dem Diener den Mantelsack aufgeladen, und das Pferd für sich behalten. Ich machte es besser, lud Beyde auf das Roß, und zog zu Fuß ab.

Dieser Aufzug war etwas leicht für einen Staabs-Offizier, der eben ein Commando übernommen hat. Aber die Erinnerung an eine historische Thatsache schlug meinen Scrupel in Bezug auf die Gefahr, in die ich meine Würde setzte, nieder. Als Cincinnatus seinen Pflug verließ, und nach Rom gieng, um die Dictatur zu übernehmen, zog er allein und zu Fuß nach der Stadt. Weiter brauchte es für mich gar nichts, um stolzen Schrittes auf die Mauern von Saint-Pierre, dem Haupt-Ort, oder, wenn Sie wollen, dem Rom von Oleron, zuzuwandeln.

Nachdem ich daselbst die Geschäfte, welche mich hingerufen, verrichtet hatte, kehrt' ich mit meinem Gefolge nach der Perotine zurück, wo ich mich bey Anbruch der Nacht wieder einschiffte.

Kaum hatten wir die Spitze der Insel Aly umfahren, so erlosch das bischen Wind, womit wir abgegangen waren, noch vollends.

In meinen Mantel eingehüllt, setzt' ich mich ans Steuer, und lenkte, bey der völligen Stille, als gewandter Minister, das Schiff des Staats mit aller Indolenz und Sicherheit der Unwissenheit. Aber, Gott ist mein Zeuge! von dem dummen Hochmuth war ich frey, der viele meiner Collegen im Regiment durch die Affectation ihrer Wichtigkeit so lacherlich macht.

Meine drey Matrosen, ein Vater und zwey Söhne, ruderten. Die Luft war ruhig und der Himmel rein. Glatt, wie Eis, strahlte das Meer das zitternde Licht des Mondes zurück. Luft, Erde, Wasser, Alles war ruhig, alles schlief.

Meine Führer, gute und treue Acadier, welche der letzte Krieg ihrem Vaterland entführt hatte, sangen beym Geräusche der Ruder, die den Tact zu ihrem Gesange schlugen.

So vergingen sieben Stunden — die süssesten, die ich je verlebt habe. Nie begriff ich besser, wie das wahre Glück von allem unabhängig ist, von dem wir es sonst erwarten. Nie haben mir süssere Erinnerungen lebhafter die Tage abgemahlt, da ich, gleich frey von Ehrgeitz und Kummer, mein Daseyn leicht dahingleiten sah, wie die Barke, die mich trug, auf dem Meer, das heute ruhig und morgen stürmisch ist, und in einer Welt, die ich schon hinlänglich kannte, um ihrer Stille zu mißtrauen, und ihren Sturmen zu trotzen *). Aber nie sah' ich auch mit minder Vergnügen die schwache Helle der Morgenröthe allmählig das bleiche Licht der Sterne hinwegwischen, als da ich, in einer dunkeln Bucht, die Gipfel der Thürme von Larochelle von ihren ersten Strahlen beleuchtet erblickte. Wie gern hätt' ich jetzt Josua's Wort parodirt: stehe still, Nacht! Der Sieger über die Amalekiter foderte den Tag ja nur, um ein Blutbad zu

*) Theure Freunde meiner Jugend, die ihr meine Sorglosigkeit so oft getadelt habt, warum kann ich die zärtliche Theilnahme eurer Freundschaft nicht dadurch erkennen, daß ich euch täglich einige Stunden verschaffe, gleich denen, welche ich diese Nacht verlebt habe.

vollenden; aber wie viele Unglückliche würden mich dafür gesegnet haben, daß ich ihnen die Vergessenheit ihres Kummers, dessen Gefühl der Schlaf bedeckt, verlängert hätte!

Es war Morgens vier Uhr in der Frühe, als ich zu Larochelle ankam. Ich durchlief die düstern, engen Strassen, in welchen das geitzige Mißtrauen bereits die Schlösser und Ketten, die traurigen Bürgen seiner Ruhe, in Bewegung setzte, und beeilte mich, mein Zimmer zu gewinnen, als ich im Vorbeygehen an der Remise, in der mein Cabriolet stand, einen Reisenden bemerkte, welcher dasselbe mit einem Grade von Aufmerksamkeit besah, die man nur einem vormaligen oder künftigen Eigenthum zu schenken pflegt. „Gefällt es Ihnen?“ sprach ich zu ihm. — „Ja, mein Herr.“ — „Nun so lass' ich es Ihnen für dreissig Louisd'ors.“ — „Hier sind sie, mein Herr!“

So braucht' ich nicht mehr, als eine Viertelstunde, um mich auszuschiffen, die Stadt zu durchlaufen, ein Gefährth, mit dem ich in Verlegenheit war, zu verkaufen, und mich zu Bette zu legen.

Wenn alle Geschäfte mit diesem doppelten Laconismus in Wort und That von Statten gingen, so würden sie vielleicht darum eben so gut gethan, und gewänne man wenigstens viele Zeit, über deren Kürze wir uns immer beklagen, ohngeachtet wir alles anwenden, um sie so leichtsinnig, als möglich, zu verschleudern.

Larochelle ist, so viel ich weiß, nach Tyrus der einzige Handlungs-Hafen, der seinen ganzen Ruf einer der langsten und mörderischsten Belagerungen verdankt, welche die Geschichte kennt.

Unerachtet es den Engländern zweymal mißlungen war, Hülfzufuhr in eine Stadt zu werfen, die damals der Hauptort und die Vormauer des Protestantismus war; so vertheidigten sich die Belagerten doch mit solcher Hartnäckigkeit, daß ihre 15000 unglücklichen Bewohner am Ende auf 4000 herabkamen.

Noch sieht man, bey voller Ebbe, die Trümmer jenes berühmten Damms, durch dessen Hülfe Richelieu die Belagerten in die furchterlichste Hungersnoth versetzte, und welcher seit der Zeit dem Handel des Hafens in mancher Hinsicht beschwerlich ist. So wahr bleibt es, daß die größten Staatsmänner, von dem vorübergehenden Glanz eines falschen Ruhms geblendet, beynah immer die grossen Interessen des allgemeinen Besten dem Vergnugen aufopfern, ihre Macht durch eben so schnell vorübergehende Erfolge zu zeigen!

Wäre der Cardinal von Richelieu gewesen, was er seyn wollte, Beydes, Staatsmann und General, so hätt' er die Engländer, indem er ihnen La Rochelle überlassen, gezwungen, nicht nur zum frivolen Aufwand für einige Unterstüzzungs-Expeditionen, sondern zu allen Ausgaben, welche ihnen die Nothwendigkeit, in diesem Theil von Frankreich eine, zur Deckung Larochelle's, das leichter zu belagern, als zu vertheidigen ist, nöthige, Armee aufzustellen, verursacht haben würde.

Aber es ist unmöglich, mein Herr, von dieser denkwürdigen Belagerung zu reden, ohne vor der blutigen Vorstellung jener Mutter zurückzuschaudern, welche lange der Wuth des dringendsten Bedürfnisses widerstand, endlich aber das mächtigste und süsseste Gefühl der Liebe überwand, und das noch zuckende Fleisch ihres einzigen Kindes verschlang!

Da Einrichtungen für unsre bevorstehende Einschiffung meine Gegenwart in Rochefort nöthig machen, so benutzt' ich einen Schleichhändler, der dahin ging, um im Vorbeygehen die Befestigungen zu sehen, welche auf der Insel Aix angelegt werden, und in der Charente, deren Mündung sie decken sollen, den einzigen französischen Fluß zu betrachten, welcher für Schiffe vom ersten Range fahrbar ist.

Durch einen glücklichen Zufall fand ich auf der Insel Aix den Offizier, welcher ein hölzernes Fort zu erbauen hatte, indem die ganze Insel ein blosser Sandboden ist, der für keine Art von Mauerwerk paßt.

Für Herrn von Laclos, den ich im Jahre 1778 häufig zu Grenoble in Gesellschaft gesehen hatte, und welcher indeß durch das Glück, das sein Roman, les liaisons dangéreuses, gemacht hatte, berühmt geworden ist, nachdem ihm die literarische Laufbahn durch seine Epistel an Margot und seine schlechte Opera, Ernestine, *)

*) Er hat später eine Rolle gespielt, auf welche seine Verbindung mit dem schändlichen Herzog von Orleans ein, für seinen moralischen Karakter sehr nachtheiliges, Licht geworfen hat. Im Übrigen diente er als General sehr brav, und

winder gelungen war; für Herrn von Laclos war das unvermuthete Zusammentreffen mit einem alten Bekannten auf einer öden Insel ein glückliches Abentheuer. Er hatte die Gefälligkeit, mir den Bau eines Werks, das nach seinen Planen aufgeführt wurde, zu zeigen und zu erklären. Es war ein Fort von Zimmerwerk, das in drey Batterieen hundert Kanonen vom größten Kaliber enthielt, und durch ein sehr scharfsinnig erdachtes Blendwerk vor Bomben gesichert wer.

Ich wünschte dem Herrn von Laclos Glück, und dankte ihm sogar dafür, daß er so glänzend diejenigen widerlegte, welche, bey völligem Mangel an den Hulfsmitteln eines, durch die Wissenschaften ausgebildeten, Geistes die Meinung feststellen wollen, daß ein, durch literarische Erfolge bekannter, Mann für nichts Anders tauglich sey. Und wirklich, warum sollte der, welcher so gut Blumen zu pflanzen versteht, nicht auch Gemüße pflanzen können?

Ich verließ die Insel Aix, und lief in die Charente ein, welche, im Jahr 1501, unter ih-

fiel, oder starb eines natürlichen Todes zu Piemont.

ten Schwestern zuerst die Ehre hatte, dem größten Linienschiff der französischen Marine ihren Namen zu geben.

Neunter Brief.

La Rochelle.

Da mir die Umstände nicht erlaubten, mich länger in Rochefort aufzuhalten, als meine Geschäfte erfoderten, so nahm ich eine Post-Chaise mit zwey Pferden, in der Hoffnung, schnell hieher zu kommen.

Aber ich hatte keine halbe Stunde Wegs gemacht, als ich bemerkte, daß meine Pferde Mähren, meine Chaise ein alter Karren, und mein Postillon ein noch älterer, und eben so hinfälliger Trunkenbold war, als die ganze Equipage.

An einer Stelle, wo diese so tief in den Morast einsank, daß ich zweifelte, ob sie je wieder herauskommen würde, stieg ich aus, und setzte meinen Weg allein fort.

Nichts ist minder schön, minder lustig, und so unmahlerisch, als dieser Theil von Aunis, — berühmt durch die Sümpfe, welche ihn verpesten, und für deren Austrocknung schon so viele schöne Plane entworfen, so große Kosten verwandt, und so viele Versuche gemacht worden sind, die, weil sie nicht gehörig verfolgt wurden, bis jetzt alle vergeblich waren.

Das einzige Merkwürdige schien mir die Niedrigkeit des Bodens im Ganzen, der tiefer als das Bette der Charente, liegend, von dieser nur die Masten und Segel, so wie einen Theil des Schiffs selbst zeigt, welche den Fluß auf oder niedergehen.

Ein schwacher, feiner Regen, der mich überfiel, nöthigte mich, meine Schritte zu verdoppeln, um den Rocher, die Zwischen-Post zwischen La-Rochelle und Rochefort, zu erreichen. Auch hier gedacht' ich meine Chaise nicht abzuwarten, und langte nach einem starken Marsch von einer halben Stunde an.

Ich muß gestehen, daß ich dießmal mit meiner Person in größerer Verlegenheit war, als bey meinem Einzug in Saint-Pierre. Cincinnatus wollte hier gar nichts helfen; statt seiner aber lieh mir das Alterthum nun freylich eine gewisse Formel, vermittelst deren jeder reisende Fremde gewiß seyn konnte, überall die Gastfreundschaft zu finden, deren Rechte und Hülfe er ansprach. Nun eigneten sich die Umstände freylich nicht zum Besten zur Anwendung dieser ehrwürdigen Formeln; denn wie konnt' ich einem Manne, den ich für den Postmeister kannte, sagen? O wer du auch bist!

Ich verließ mich daher auf meine Geistesgegenwart, und redete einen Mann an, der unter der Thüre stand, und den ich für denjenigen hielt, den ich suchte. Auch bewies mir seine Antwort, daß ich mich nicht betrogen hatte.

Sein Empfang war, wie ich ihn liebe, kalt und höflich, weil darin weder Falschheit, noch Übertreibung liegen kann. Da ihn mein Nahme und meine Uniform überzeugt hatten, daß ich ihm in der Erzählung von meinem Reise-Abenteuer die Wahrheit sagte, so lud er mich ein, hineinzutreten und auszuruhen, bis sein eigenes Pferd gesattelt war, indem sich seine Cariole in La Rochelle befand, um ausgebessert zu werden.

Er führte mich in ein sehr reinliches Zimmer, und ging hinaus, um seine Befehle zu ertheilen. Kurz darauf brachte eine Magd eine Bouteille Wein, und der Herr des Hauses erschien wieder, in einer Perucke, statt der weissen Mütze, die er zuvor aufgehabt hatte.

Ohnerachtet ich die Artigkeit erkannte, welche er den Epanletten,

de mon grade à la guerre éclatants interprêtes,

erzeigte, so zankte ich doch über eine, für mich unnöthige, Veränderung seines Anzugs, die seine Bequemlichkeit störte, und mir unnütz war. Allein es gibt heutzutag so viele, welche einen Ehrgeitz darin setzen, in ihrem Betragen alles zu verläugnen, was Geburt und Vermögen von ihrer Erziehung und ihrem Benehmen erwarten lassen, daß man nur mit Vergnügen den entgegengesetzten Ehrgeitz in einem Manne findet, den Vermögen und Stand davon loszusprechen scheinen.

Ich fand im Gespräch mit ihm sowohl über den Austrocknungs-Plan der Sumpfe von Rochefort, als über die Producte und den Handel dieser Küsten, wovon der Wein ein Hauptzweig ist, so viel richtigen Verstand und so gesunde Ideen, wie man sie immer in dieser Classe antrifft. Auch überzeugte ich mich von zwey Dingen: erstlich, daß bey dem Austrocknungs-Geschäft das allgemeine Beste immer untergeordneten Absichten und Privat-Interessen, so wie jener Art von Trägheit aufgeopfert worden war, welche immer so mächtig in Staaten ist, wo das Gemein-Wohl, so zu sagen, nur als eine abstracte Idee lebt, weil der Fürst, und oft sogar seine nächsten Agenten, dasselbe nur von Hörensagen kennen; und zweytens, daß die meisten Weine, welche in Frankreich und besonders im nördlichen Europa, unter dem Nahmen Bordeaux getrunken werden, blos Weine, und zwar von der niedrigen Gattung, aus dem Aunis und Anjou sind. Noch ists ein Glück, wenn die Giftmischer, welche sie im Kleinen verkaufen, dieselben in ihrem natürlichen Zustande lassen! Sie sind im Durchschnitte stark gefärbt, dick und hart; Eigenschaften, welche die Verfälschung sehr begünstigen.

Da mein Pferd gesattelt war, so nahm ich herzlichen Abschied von einem Manne, der offenbar zu der sehr beschränkten Classe von denen gehört, welchen die glücklichste Unerfahrenheit noch jene Grundlage von originaler Rechtlichkeit und angebohrner Herzensgüte übrig gelassen hat, die, nach des Philantropen Behauptung, zu den ersten Früchten der gesellschaftlichen Verbindung gehören, im Anfang durch das Bedürfniß gebildet, dann durch die Vernunft vervollkommnet, und endlich durch den Eigennutzen verdorben worden sind.

Das Wohlwollen, welches mir der Herr eingeflößt hatte, bekam seinem Thier sehr wohl, und ich behandelte es mit weit mehr Rücksicht, als man sonst einem Postpferde zu erweisen pflegt.

Der Weg, welchen ich kam, setzte mich in den Stand, genau das Terrain, auf welchem die Belagerungs-Armee von La Rochelle gestanden, und die verschiedenen Puncte zu betrachten, gegen welche die englischen Expeditionen agirt hatten.

Die erste hatte 1627 Statt, wo der Herzog von Buckingham mit einer Flotte von hundert Segeln vor dem Hafen erschien. Er häufte aber bey dieser Gelegenheit alle Fehler auf einander, die ein General und ein Admiral nur immer begehen können.

Sein erster Fehler bestand darin, daß er dem Gouverneur der Insel Rhé, Thiras, fünf Tage Zeit ließ, ihn zu empfangen, wodurch sein Angriff dieses wohlbefestigten Postens mißlang.

Nach verschiedenen ähnlichen Thorheiten schiffte sich dieser anmassende Günstling am 28sten October wieder ein, und kehrte nur noch mit zwei Drittheilen seiner Armee nach England zurück.

Der zweyte Versuch wurde 1628 durch den Grafen von Lindesey gemacht, der in dem Damm ein unübersteigliches Hinderniß für die Unterstüzzung fand, welche er in die Festung werfen wollte. Seine ganze Expedition wirkte weiter nichts, als daß sie ihn zum Zeugen der Übergabe machte.

Sie werden mir einwenden, daß der Bau dieses Damms von dem Cardinal doch klug gewesen war.

Ja, für den Augenblick! Aber er handelte dabey mehr wie leidenschaftlicher Mensch, als römischer Katholik, mehr als allmächtiger Minister, denn als voraussehender Staatsmann. Und denkt man vollends, daß Richelieu vor La Rochelle Alexandern vor Tyrus nachahmte, um zu erobern, was? — Eine Stadt, die nur durch einen unbedeutenden Hafen bestand, und nur durch ihn bestehen konnte; während Alexander auf gleiche Weise die Hauptstadt des Handels, die einzige Hülfsquelle seiner Feinde, zerstörte, so muß man über diese Vergleichung um so mehr staunen, da die Einnahme von La Rochelle, statt dem Protestantismus einen entscheidenden Stoß zu versetzen, ihm vielmehr die volle Energie der Verzweiflung gegeben hat.

Richelieu war ein grosser Mann; aber ein grosser Mann ist immer noch ein Mensch; und wenn das umfassende Genie dieses Minister-Königs auch in der Nothwendigkeit, das Haus Österreich zu erniedrigen, das Heil des Hauses Bourbon sah, so bereitete er andrer Seits durch die Unterdrückung des Adels, welcher eine constitutionelle und mächtige Stütze des Throns war, den Untergang des Hauses Bourbon vor. Ich weiß wohl, daß der Adel zuweilen seinen Einfluß mißbraucht hat; aber dieß geschah immer unter denjenigen Königen, die nicht zu regieren verstanden, und versteht ein König das nicht, so ist ohnedieß alles verloren.

Der persönliche Stolz Richelieu's und sein despotischer Karakter haben unglücklicher Weise zu

ten Schwestern zuerst die Ehre hatte, dem größten Linienschiff der französischen Marine ihren Nahmen zu geben.

Neunter Brief.

La Rochelle.

Da mir die Umstände nicht erlaubten, mich länger in Rochefort aufzuhalten, als meine Geschäfte erfoderten, so nahm ich eine Post-Chaise mit zwey Pferden, in der Hoffnung, schnell hieher zu kommen.

Aber ich hatte keine halbe Stunde Wegs gemacht, als ich bemerkte, daß meine Pferde Mähren, meine Chaise ein alter Karren, und mein Postillon ein noch älterer, und eben so hinfälliger Trunkenbold war, als die ganze Equipage.

An einer Stelle, wo diese so tief in den Morast einsank, daß ich zweifelte, ob sie je wie-

Die Meisten messen ihr Interesse für ein Land nach ihrer Entfernung von demselben ab, und so müßt' ich Anstand nehmen, Ihnen von diesem zu schreiben, wenn ich nicht wüßte, daß Sie so weise sind, den Himmel, unter welchem sie gebohren wurden, und den Boden, der Sie nährt, allen fremden Ländern vorzuziehen. Es ist eben so vernünftig, der Neigung, die uns vorzugsweise an unser Vaterland kettet, nachzugeben, als thöricht, demselben alles ausschliessend beyzumessen, was Natur und Gesellschaft Gutes und Schönes anbieten.

Die Insel Oleron spielte eine militärische Rolle in der Zeit, da sie in dem Gouvernement jenes Theodor Agrippa von Aubigné lag, welcher, wenn nicht der größte, doch wenigstens der erstaunungswürdigste Mensch seines Zeitalters durch die Vereinigung der seltensten Eigenschaften gewesen ist. Er war ein Held im Gefecht, ein Hofmann von strenger Tugend, der wahrheits-

schrieb Episteln, und hätte sogar welche an seine Frau schreiben können; denn er war verheirathet, so wie St. Prosperus, der Bischof von Reggio.

liebende Freund seines Königs, und abwechselnd unterwürfiger und partheysüchtiger Unterthan.

Tief als Politiker im Conseil, ein gelehrter Theologe im polemischen Streit, energischer Historiker und origineller Schriftsteller, fehlte ihm nichts, als etwas von der Biegsamkeit des Geistes, welche den Karakter den Umständen anpaßt, um als Partheyhaupt, als Staatsmann und als General eine, seines Genie's und seiner Tugenden würdige, Rolle zu spielen.

Die Insel Oleron hat keine andere Festung, als das Schloß, ein Mauerwerk, das uns einen Begriff von dem gibt, was eine Befestigung der Art vor zweyhundert Jahren gewesen ist. Auf der Spitze der Insel, dem festen Lande gegenüber liegend, war sie bestimmt, die Insel und die Meerenge zu vertheidigen, welche sie von der Küste trennt. Das Gouvernement derselben, das zu denen vom dritten Rang gehört, wird gewöhnlich einem Marschall de Camp ertheilt, der an dergleichen Belohnungen keine andere Ansprüche hat, als seine Verdienste.

Saint-Pierre, der Sitz der bürgerlichen Obrigkeiten, ist eine, ziemlich gut gebaute, Ortschaft, welche von einem Theil der wohlhabendsten

Leute der Insel bewohnt wird. Sie liegt im Mittelpunct der Letztern, und diese ist fünf Stunden lang und drey breit.

Die Bevölkerung wird auf 17 bis 18000 Seelen geschätzt; auch zählt man noch sechs andere Ortschaften, wie Saint-Pierre.

Die Haupt-Ausfuhr besteht in Salz und Brandtwein.

Getreide, Wein, Hanf und Flachs sind die Gegenstände des Anbau's.

Den meisten Gewinn liefern die Salz-Lachen, eine Art von Industrie, die wenigen Zufällen und Unkosten unterworfen, und daher den Salzquellen weit vorzuziehen ist, deren Bearbeitung, ausser den weitläuftigen Maschinerieen, viele kombinirte Sorgfalt, Hände-Arbeit und Kenntniß in der Administration erfodert.

Die Felder sind hier um so besser angebaut, da man nichts von dem Pflug weiß, und aller Feldbau durch Hände-Arbeit geschieht. Dadurch werden die Erndten verdoppelt, eine grössere Menge Bauern genährt, und die Staats-Einnahmen von der Consumtion, der Ein- und Ausfuhr erhöht.

Die Regierung kennt diese Vortheile, und hat daher das kluge Verbot gemacht, daß kein Bewohner der Insel unter den Truppen engagirt werden darf.

Diese Maßregel, welche um so zweckmässiger ist, da sie die Bevölkerung in ansehnlichem Umfang erhält, (die, was man auch sagen mag, immer das Prinzip der Kraft, wie des Reichthumes eines Staats bleibt, wenn man sie für die, so ergiebigen Zweige einer wohlgeleiteten Industrie anwendet;) diese Maßregel, sag' ich, verhütet, daß die jungen Leute nicht in ihre Familien Laster aller Art zurückbringen, welche an andern Orten in den Armeen geholt werden, und läßt ihnen in Kriegs-Zeiten ihre natürlichen Vertheidiger.

Ein Theil der Miliz der Insel ist für die Bewachung der Küsten bestimmt; der übrige steht immer unter den Waffen.

Ich habe eine Revue dieser Miliz gesehen, die das schönste Korps ist, welches ich kenne. Freylich hat es nicht die unbewegliche Steifheit eines gut dressirten Regiments; dafür aber besitzt es jenen Ausdruck von Kraft und martialischem Selbstgefühl, der den Vertheidigern des

Vaterlandes so wohl ansteht, und der vor der steifen, gedrechselten Stellung, welche man Menschen, die der Gewandtheit so sehr bedürfen, zu geben bemüht ist, in den Augen desjenigen den Vorzug hat, welcher weiß, daß sein Höcker den Sieger bey Neerwinden nicht verhinderte, überall, wo sie ihm begegneten, jene Armeen zu schlagen, in welchen die jungen, feurigen Beförderer einer Disciplin von verdächtiger Geburt die Grundsätze ihres militärischen Gewäsches heutzutag hohlen. „Luxemburgs Wuchs," sagt Voltaire, „war sehr unregelmässig; aber er marschirte sehr gerade gegen den Feind."

Sie werden aus dem, was ich Ihnen von Oleron sage, sehen, mein Herr, daß seine Bewohner sehr wohlhabend sind. Das Volk scheint hier wirklich so glücklich, wenn es schon nicht so reich ist, als die Freyheit von den Zöllen vermuthen läßt; und dieß aus dem Grunde, weil mehrere reiche Grund-Eigenthümer ihre Einkünfte auf dem festen Lande verzehren, so daß jährlich gegen eine Million baaren Geldes aus der Insel geht. Welchen Unterschied würd' es für ihren Anbau, für ihre Industrie und ihren Handel

Sein erster Fehler bestand darin, daß er dem Gouverneur der Insel Rhé, Thoiras, fünf Tage Zeit ließ, ihn zu empfangen, wodurch sein Angriff dieses wohlbefestigten Postens mißlang.

Nach verschiedenen ähnlichen Thorheiten schiffte sich dieser anmassende Günstling am 28sten October wieder ein, und kehrte nur noch mit zwei Drittheilen seiner Armee nach England zurück.

Der zweyte Versuch wurde 1628 durch den Grafen von Lindesey gemacht, der in dem Damm ein unübersteigliches Hinderniß für die Unterstüzzung fand, welche er in die Festung werfen wollte. Seine ganze Expedition wirkte weiter nichts, als daß sie ihn zum Zeugen der Übergabe machte.

Sie werden mir einwenden, daß der Bau dieses Damms von dem Cardinal doch klug gewesen war.

Ja, für den Augenblick! Aber er handelte dabey mehr wie leidenschaftlicher Mensch, als römischer Katholik, mehr als allmächtiger Minister, denn als voraussehender Staatsmann. Und denkt man vollends, daß Richelieu vor La Rochelle Alexandern vor Tyrus nachahmte, um zu erobern, was? — Eine Stadt, die nur durch einen unbedeutenden Hafen bestand, und nur durch ihn bestehen konnte; während Alexander auf gleiche Weise die Hauptstadt des Handels, die einzige Hülfsquelle seiner Feinde, zerstörte, so muß man über diese Vergleichung um so mehr staunen, da die Einnahme von La Rochelle, statt dem Protestantismus einen entscheidenden Stoß zu versetzen, ihm vielmehr die volle Energie der Verzweiflung gegeben hat.

Richelieu war ein grosser Mann; aber ein grosser Mann ist immer noch ein Mensch; und wenn das umfassende Genie dieses Minister-Königs auch in der Nothwendigkeit, das Haus Österreich zu erniedrigen, das Heil des Hauses Bourbon sah, so bereitete er andrer Seits durch die Unterdrückung des Adels, welcher eine constitutionelle und mächtige Stütze des Throns war, den Untergang des Hauses Bourbon vor. Ich weiß wohl, daß der Adel zuweilen seinen Einfluß mißbraucht hat; aber dieß geschah immer unter denjenigen Königen, die nicht zu regieren verstanden, und versteht ein König das nicht, so ist ohnedieß alles verloren.

Der persönliche Stolz Richelieu's und sein despotischer Karakter haben unglücklicher Weise zu langen Einfluß auf die politischen Meinungen gehabt. Indem er alles für die willkührliche Gewalt that, bereitete er den Ruin der Monarchie vor, und das Blut der Montmorency's, der De Thou's und der Cinqmars streute einen Saamen, der nun in Keime zu treten anfängt.

Zehnter Brief.

Insel Oleron.

Da ich nun bis zur nahen Zeit unsrer Einschiffung hier bleiben muß, und mit den Details der schwierigsten militärischen Operation beschäftigt bin, so kann ich Ihnen nur noch so oberflächlich hinschreiben, was mich mehr zerstreuen, als Ihre Aufmerksamkeit verdienen wird.

Plinius führt die Insel Oleron unter dem Nahmen Uliarus, und Sidonius Apollinaris *) unter dem von Olario an.

*) Er war Bischof von Clermont in der Auvergne,

Die Meisten messen ihr Interesse für ein Land nach ihrer Entfernung von demselben ab, und so müßt' ich Anstand nehmen, Ihnen von diesem zu schreiben, wenn ich nicht wüßte, daß Sie so weise sind, den Himmel, unter welchem sie gebohren wurden, und den Boden, der Sie nährt, allen fremden Ländern vorzuziehen. Es ist eben so vernünftig, der Neigung, die uns vorzugsweise an unser Vaterland kettet, nachzugeben, als thöricht, demselben alles ausschliessend beyzumessen, was Natur und Gesellschaft Gutes und Schönes anbieten.

Die Insel Oleron spielte eine militärische Rolle in der Zeit, da sie in dem Gouvernement jenes Theodor Agrippa von Aubigné lag, welcher, wenn nicht der größte, doch wenigstens der erstaunungswürdigste Mensch seines Zeitalters durch die Vereinigung der seltensten Eigenschaften gewesen ist. Er war ein Held im Gefecht, ein Hofmann von strenger Tugend, der wahrheits-

schrieb Episteln, und hätte sogar welche an seine Frau schreiben können; denn er war verheirathet, so wie St. Prosperus, der Bischof von Reggio.

liebende Freund seines Königs, und abwechselnd unterwürfiger und partheysüchtiger Unterthan.

Tief als Politiker im Conseil, ein gelehrter Theologe im polemischen Streit, energischer Historiker und origineller Schriftsteller, fehlte ihm nichts, als etwas von der Biegsamkeit des Geistes, welche den Karakter den Umständen anpaßt, um als Partheyhaupt, als Staatsmann und als General eine, seines Genie's und seiner Tugenden würdige, Rolle zu spielen.

Die Insel Oleron hat keine andere Festung, als das Schloß, ein Mauerwerk, das uns einen Bergiff von dem gibt, was eine Befestigung der Art vor zweyhundert Jahren gewesen ist. Auf der Spitze der Insel, dem festen Lande gegenüber liegend, war sie bestimmt, die Insel und die Meerenge zu vertheidigen, welche sie von der Küste trennt. Das Gouvernement derselben, das zu denen vom dritten Rang gehört, wird gewöhnlich einem Marschall de Camp ertheilt, der an dergleichen Belohnungen keine andere Ansprüche hat, als seine Verdienste.

Saint-Pierre, der Sitz der bürgerlichen Obrigkeiten, ist eine, ziemlich gut gebaute, Ortschaft, welche von einem Theil der wohlhabendsten

Leute der Insel bewohnt wird. Sie liegt im Mittelpunct der Letztern, und diese ist fünf Stunden lang und drey breit.

Die Bevölkerung wird auf 17 bis 18000 Seelen geschätzt; auch zählt man noch sechs andere Ortschaften, wie Saint-Pierre.

Die Haupt-Ausfuhr besteht in Salz und Brandtwein.

Getreide, Wein, Hanf und Flachs sind die Gegenstände des Anbau's.

Den meisten Gewinn liefern die Salz-Lachen, eine Art von Industrie, die wenigen Zufällen und Unkosten unterworfen, und daher den Salzquellen weit vorzuziehen ist, deren Bearbeitung, ausser den weitläuftigen Maschinerieen, viele kombinirte Sorgfalt, Hände-Arbeit und Kenntniß in der Administration erfodert.

Die Felder sind hier um so besser angebaut, da man nichts von dem Pflug weiß, und aller Feldbau durch Hände-Arbeit geschieht. Dadurch werden die Erndten verdoppelt, eine grössere Menge Bauern genährt, und die Staats-Einnahmen von der Consumtion, der Ein- und Ausfuhr erhöht.

setzte ich mich in Gallop. Plötzlich erschrack mein bisher sehr sicheres Pferd durch einen Blitzstrahl und einen starken Donnerschlag, und machte einen so gewaltigen und unerwarteten Seitensprung, daß ich der Länge nach auf die Erde geworfen wurde — recht als ein Opfer der Zuversicht, mit der ich mich etwas leichtsinnig der Artigkeit meines Thieres anvertraut hatte.

So befand ich mich nun in gleichem Zustand mit dem Apostel Päulus, als ihn ein ähnlicher Zufall auf seiner Zöllner-Reise niederwarf, und eine Stimme ihm zurief: „Saul! Saul! warum verfolgest du mich?" Aber dieser, wirklich einzige, Zug meines verwandten Schicksals mit dem des Heiligen, welchen ein, von mir nie beneideter, Karakter berühmt gemacht hat, hätte mich, bey einiger Anlage zum Fanatismus, stark genug ergreifen können, um, wie man sagt, in mich zu gehen — wenn das nöthig gewesen wäre.

Aber, unabhängig von meiner natürlichen Abneigung gegen jede Art von Zöllner, und von Gewissensstrenge, fühlte ich in diesem Augenblick keine andre Vocation, als mein Roß eiligst wieder zu besteigen.

Vaterlandes so wohl ansteht, und der vor der steifen, gedrechselten Stellung, welche man Menschen, die der Gewandtheit so sehr bedürfen, zu geben bemüht ist, in den Augen desjenigen den Vorzug hat, welcher weiß, daß sein Höcker den Sieger bey Neerwinden nicht verhinderte, überall, wo sie ihm begegneten, jene Armeen zu schlagen, in welchen die jungen, feurigen Beförderer einer Disciplin von verdächtiger Geburt die Grundsätze ihres militärischen Gewäsches heutzutag hohlen. „Luxemburgs Wuchs,“ sagt Voltaire, „war sehr unregelmässig; aber er marschirte sehr gerade gegen den Feind.“

Sie werden aus dem, was ich Ihnen von Oleron sage, sehen, mein Herr, daß seine Bewohner sehr wohlhabend sind. Das Volk scheint hier wirklich so glücklich, wenn es schon nicht so reich ist, als die Freyheit von den Zöllen vermuthen läßt; und dieß aus dem Grunde, weil mehrere reiche Grund-Eigenthümer ihre Einkünfte auf dem festen Lande verzehren, so daß jährlich gegen eine Million baaren Geldes aus der Insel geht. Welchen Unterschied würd' es für ihren Anbau, für ihre Industrie und ihren Handel machen, wenn dieser Ertrag von ihren Erzeugnissen im Lande selbst angewendet würde!

Ein anderes Hinderniß des völligen Wohlstandes der Insel besteht darin, daß sie keinen Hafen hat, welcher nur eine Barke von fünfzig Tonnen aufnehmen könnte.

Die Männer sind von hohem Wuchs, flink und wohlgebildet. Nicht so die Weiber; entweder, weil die Einwirkung einer, äusserst mit Salz geschwängerten, Luft der Entwicklung ihrer Kräfte schadet, und sie frühe hinwelken macht; oder, weil die Arbeiten, welche ihnen das Herkommen hier einmal zugetheilt hat, der natürlichen Zartheit ihrer Constitution nachtheilig sind.

Man kann es nicht oft genug wiederhohlen: die Frauen sind einmal nicht dazu gemacht, mit den Männern Arbeiten zu theilen, welche eine gewaltsame Spannung der Muskeln und Nerven erfodern. Unser Geschäft ist es, der Erde unsern Unterhalt und den eines Geschlechts abzugewinnen, welches durch seine Schwäche, seine Krankheiten, seine langen und beschwerlichen Mutterpflichten, für die innern und ruhigen Sorgen der Haushaltung bestimmt ist. Die Natur beschränkt der Frauen Antheil dazu, von unsrer Stirne den

Schweiß zu wischen, für den wir zur Arbeit verurtheilt sind. Derselbe Beschluß, der uns fur das erste Vergehen diese Züchtigung auferlegt hat, verdammte die Frauen zu den Schmerzen der Geburt. Mit welchem Recht laden wir ihnen daher die Hälfte unserer Last auf, wenn wir die ihrige nicht theilen können?

Diese Arbeit, welche den Weibern zu allgemein zugemuthet wird, ist ein Rest von der Barbarey unserer Väter, welche, einzig und allein mit Kampf und Raub beschäftiget, mitten unter den Schätzen, die sie im Orient und in Italien geplündert hatten, Hungers gestorben wären, wenn ihre Weiber nicht für sie den Boden bebaut hätten, den sie nur mit Trümmern und Leichen zu bedecken verstanden.

Die erste Erziehung der Kindheit, die Ordnung und Reinlichkeit unsrer Wohnungen, die Unterhaltung der Kleidungsstücke, die Zubereitung der Speisen, und jene Besorgnisse überhaupt, deren Werth wir nicht erkennen, wenn sie blos als Pflichten für uns betrieben werden, und welche wir erst, wenn wir ihrer entbehren, schätzen lernen; diese Besorgnisse, die für sie eben so oft Opfer, als Genüsse sind, bilden das Amt der Frauen. Löset sich ihre Eitelkeit gegen diesen Beschluß der Vernunft und der Natur auf, so sag' ich ihnen: öffnet die Bibel und die Odyssee! Da werdet ihr eure Pflichten, eure Rechte und eure Vergnügungen besser aufgezeichnet finden, als in der Geschichte einer Elisabeth oder Semiramis. Stellt alles Gute, was die Königinnen von Frankreich in fünfzehn Jahrhunderten geleistet haben, zusammen, und sehet, ob es die Verbrechen einer Brunehaut und Fredegonde aufwiegt.

Die meisten Bewohner von Oleron sind Protestanten, und bekennen ihre Religion ziemlich unverholen. Die Katholiken leben mit ihnen als Brüder, und ich bemerke mit Vergnügen, daß die Geistlichkeit alles dazu beyträgt, um diese Harmonie zu unterhalten; was kein geringes Lob für die Priester der herrschenden Religion ist, was aber die Fanatiker immer noch der neuen Philosophie als ein Verbrechen vorwerfen. Müssen die Philosophen, statt des heiligen Dominikus, dereinst in der Hölle braten, die ihnen die christliche Liebe der Devoten zugedacht hat, weil sie die Ketzer nicht braten liessen, so haben sie dieses Unglück wenigstens mit den guten Geistlichen von Oleron zu theilen.

Am Bord der Esperance.

Ein Zufall, an dem ein übertriebener Diensteifer schuldig ist, mein Herr, hat meinen Brief beynah unterbrochen.

Ich hatte vorgestern in der Frühe die Hälfte meines Detachements, das ich kommandire, selbst nach dem Hafen la Perotine geführt, wo es auf Schaluppen eingeschifft wurde, um an Bord gebracht zu werden.

Eine Menge Geschäfte nöthigten mich aber, so wie die Schaluppen vom Lande gestossen waren, wieder nach Saint-Pierre zurückzukehren.

Ein Sturm, der gegen Ein Uhr ausbrach, machte mich wegen meiner eingeschifften Leute, welche ziemlich stark zusammen geladen waren und eine Überfahrt von drey Stunden zu machen hatten, besorgt. Ich bestieg daher, gleich nach dem Mittagessen, ein Pferd, und begab mich nach der Perotine, wo ich das Vergnügen hatte, mein kleines Geschwader glücklich bey seinem Transportschiff ankommen zu sehen.

Der Sturm war sehr heftig; allein über das Schicksal meiner Leute beruhigt, und von Geschäften und von einem schuttenden Regen gejagt, setzte ich mich in Gallop. Plötzlich erschrack mein bisher sehr sicheres Pferd durch einen Blitzstrahl und einen starken Donnerschlag, und machte einen so gewaltigen und unerwarteten Seitensprung, daß ich der Länge nach auf die Erde geworfen wurde — recht als ein Opfer der Zuversicht, mit der ich mich etwas leichtsinnig der Artigkeit meines Thieres anvertraut hatte.

So befand ich mich nun in gleichem Zustand mit dem Apostel Päulus, als ihn ein ähnlicher Zufall auf seiner Zöllner-Reise niederwarf, und eine Stimme ihm zurief: „Saul! Saul! warum verfolgest du mich?" Aber dieser, wirklich einzige, Zug meines verwandten Schicksals mit dem des Heiligen, welchen ein, von mir nie beneideter, Karakter berühmt gemacht hat, hätte mich, bey einiger Anlage zum Fanatismus, stark genug ergreifen können, um, wie man sagt, in mich zu gehen — wenn das nöthig gewesen wäre.

Aber, unabhängig von meiner natürlichen Abneigung gegen jede Art von Zöllner, und von Gewissensstrenge, fühlte ich in diesem Augenblick keine andre Vocation, als mein Roß eiligst wieder zu besteigen.

Ich war auf die Seite gefallen, und glaubte mir die Nieren beschädiget zu haben, so stark war mein Schmerz. Glücklicher Weise war mein Pferd indeß zehn Schritte von mir von selbst stehen geblieben. Mit vieler Mühe und mit Gesichtern, die es hätten davon jagen sollen, gelang es mir endlich, mich wieder aufzusetzen. Ein dumpfer Schmerz im Kopf bestimmte den Wundarzt, mir zu Ader zu lassen; allein da ich noch die ganze Nacht zu arbeiten hatte, und besonders über die Verdächtigen unter meinen Leuten, die ich darum auch für den letzten Transport aufgespart, wachen wollte, überdieß auch meine Nierenschmerzen sich so weit milderten, daß ich gehen konnte, so ließ ich die Aderlässe bleiben.

Gestern schiffte ich mich endlich selbst ein, und wir warten nur noch auf guten Wind, um unter Segel zu gehen.

---

in dem, was ich nun sagen will. Ich werde es darum aber doch nicht zurückhalten.

Man findet in allen Systemen der Kosmogonie, in vielen geographischen Werken und bey mehreren Reisenden Bemerkungen über das allmählige sich Zurückziehen des Meers in verschiedenen Erdgegenden, und besonders im mittelländischen Meer, über dessen Küsten uns die Alten nähere Nachrichten genug übrig gelassen haben, um mit einem gewissen Grade von Genauigkeit das Maaß des Bodens zu bestimmen, welcher allmählig vom Meere verlassen worden ist.

So viel ich mich erinnern kann, haben die, deshalb gemachten, Beobachtungen nie bewiesen, daß die Eingriffe des Meeres in einige niedrige Gegenden auf eine genügende Art das Verschwinden des Wassers von Ufern, die es trocken liegen ließ, erklärte. Es giebt in diesem Puncte keine Theorie, der man nicht die stärksten Einwürfe entgegensetzen könnte. Man hat sogar nicht einmal bemerkt, daß Arbeiten, durch welche die menschliche Industrie der See beträchtliche Stükke Bodens entrissen hat, welche sie vordem überschwemmt hatte, sie im geringsten genöthigt hät-

geschrieben, seit wir das Land aus dem Auge verloren haben.

Am 11ten redeten wir mit einem Kauffahrer von Bordeaux, und am andern Tag mit einem portugiesischen Linienschiff, das von einer Fregatte begleitet wurde.

Von da an blieben wir bis zum 22sten ganz allein auf dem ungeheuern Horizonte. An diesem Tag sahen wir die Insel, oder den Monte Clara, wie unsre Seeleute behaupten, denen man in diesem Puncte glauben muß, und am 24sten die große Canarische Insel, welche den sechs andern Inseln Fero, Palma, Gomera, Tenerif, Fortaventura und Lancerotta, ihren Nahmen gibt. Sie liegen alle unter dem 47sten Grad der Breite.

Von allen Besitzungen der Europäer jenseits der, von den Alten so genannten, Säulen des Herkules hat keine so vielen Streit verursacht, als diese, und zwar durch die zweifelhafte und oft widersprechende Weise, wie Plato *), Diodor

*) Im Dialog Timäus.

von Sicilien *), Aristoteles **), Plutarch ***), Seneka ****) und andere von denselben, bald unter dem Nahmen der Atlantis, bald unter dem der glücklichen Inseln, geredet haben. Immer geschah es mit so viel Mangel an Genauigkeit und Deutlichkeit, daß Plutarch nur zwey, Plinius sechs, und Ptolomäus zehn Inseln zählt.

Unerachtet kein Vernünftiger auf Plato's Zeugniß hin, welcher acht tausend Jahre seit dem Verschwinden von Atlantis zählt, und der somit unmöglich nach dem Bericht von Augenzeugen davon reden konnte; unerachtet man, sag' ich, Plato'n nicht glauben kann, daß die Atlantis einen Umfang, gleich dem von Asien und Afrika zusammen hatte, selbst nur von Letzterm so viel gerechnet, als die Alten davon kannten; so erweckt doch der Nahme des atlantischen Ozeans ein zu günstiges Vorurtheil für die Existenz irgend einer Atlantis, so vereinigen sich zu viele Zeugnisse in

*) Im B. V. K. 15.

**) Von dem Himmel. B. III. K. 14.

***) In dem Leben des Sertorius.

****) Quaest. nat.

diesem Punct, und verrathen die kanarischen Inseln selbst zu deutliche Spuren ihres alten Umfanges, als daß man nicht mit mehrern neuern Reisenden und einigen ausgezeichneten Gelehrten annehmen dürfte, daß kein physischer Grund gegen das verschwundene Daseyn dieses berühmten Landes vorhanden ist, und daß die kanarischen, die Cap-Nord-die Azorischen Inseln, Madera u. s. w. einst einen Continent gebildet, welcher mit dem von Afrika durch eine Landenge zusammen hing, wie die von Suez oder Darien, oder daß sie Eine grosse Insel ausgemacht haben, die allmählig durch Erdbeben und Vulkane (2), deren Spuren man noch häufig findet, und durch eine Menge reissender Meer-Ströme zerrissen wurde, welche man an ihren Küsten antrifft, und daß sie sich vom zwölften bis zum ein und vierzigsten Grade der Breite erstreckt hat.

Nun bleibt aber noch ein Zweifel zu entscheiden, mein Herr, den ich mich noch nirgends gelesen zu haben entsinne.

Es ist allerdings möglich, mit einem gewissen Grad von Genauigkeit die Oberfläche des Meeres von den Azoren bis zum grünen Vorgebirge zu messen, und in Toisen zu bestimmen.

nem Auffallen auf einen glühenden Boden gewissermassen so auf, daß die feinsten, und folglich flüssigsten, Theile davon verdunsten. Aber diese Länder haben darum nicht minder ihre Quellen, ihre Bäche, ihre Seen, ihre Flüsse und ihre Ströme.

Warum sollt' ich also nicht glauben, daß es zu dem organischen Natur-Plan der Erde gehörte, daß das Meer, was es erhält, wieder geben, seinen Überfluß erstatten, und allmählig von der Fläche der Erde in deren Höhlungen eindringen soll? Mag dieß nun durch Infiltration oder auf eine andere Weise geschehen, was macht dieß aus? Eine Weise verbannt die andere nicht. Aber möchte man vielleicht den Einwurf machen, daß bey diesem allmähligen Verschwinden des See-Wassers das Becken des Meers am Ende trocken gelegt, und das Menschengeschlecht dereinst nur auf die Nation Wassers beschränkt werden könnte, welche ihm Regen und Thau noch lieferte?

Meinetwegen! würde einer antworten, der gerade einen Rausch hätte. Ich für meinen Theil aber sage, daß man hierauf viel Gründliches antworten könnte, und zuerst, wie man die Sorge dafür füglich dem überlassen darf, der, nachdem er einmal gewollt hat, daß unser Planet bewohnt werden soll, auch Anstalt treffen wird, daß er immer bewohnbar ist.

Zwölfter Brief.

Auf der hohen See.

Nach den Fabeln der Alten über die Canarischen Inseln, mein Herr, kommen die der Neuern, des Cadamosto, Abreu Galindo, Viana, Clarijo, Don Pedro de Castillo, Gomera, Leti u. s. w., bey welchen man einen so bunten Haufen von Wundern, Abgeschmacktheiten und Lügen findet, daß man alles Zutrauen verliert, welches man gegen einige gute Bemerkungen fassen könnte. Denn wer von uns wird je glauben wollen, daß sich die Bewohner dieser Insel mit Kieselsteinen rasirten; daß ihre Oberhäupter, denen die Europäer den Königstitel gegeben, das Fayau, oder Recht der ersten Nacht bey allen Neuvermählten im strengsten Sinn ausübten; daß die Weiber von Lancerota drey Männer auf einmal heyratheten; daß sie ihre Kinder durch Ziegen säugen liessen; daß der Pik von Teneriffa von einem Geschlecht Menschenfressender Riesen bewohnt werde, und daß endlich Sankt Bartholomäus, der Vorläufer des heiligen Macrobius und des heiligen Borondon, den Guanchen das Evangelium gepredigt haben? Diese Leute schreiben ihre Geschichten, oder ihre Reisen, wie die Mönche ihre Legenden.

Ich habe weder Gelehrsamkeit, noch Muße genug — unerachtet es Reisenden meines Schlags nicht daran zu fehlen pflegt — um hier alle Meinungen zu vergleichen und zu untersuchen, welche von einigen unsrer Zeitgenossen, und unter andern von dem Verfasser der Briefe über die Atlantis *), sowohl über den alten Umfang dieses Landes, als über seine Verhältnisse zu unserm Continent aufgestellt worden sind, und wor-

*) Dem unglücklichen Bailly, der damals berühmt war, später aber als erster Maire von Paris noch weit berühmter wurde.

unter zuverlässig die ungründlichste die ist, die auf einige Ähnlichkeiten der Sprache, auf die Analogie einiger Gebräuche, wie des Einbalsamirens der Todten, den Schluß gebaut haben, daß die Atlanten Egypten erobert, und ihre Wissenschaften, ihre Sagen, ihre Sitten, ihren Gottesdienst und sogar ihre Mumien dahin gebracht haben. Eben so leicht wär' es, die Meinung von denjenigen damit zu vereinigen, welche behaupten, daß Noah nach der Sündfluth auf dem Adams- oder Sereipour-Pik, auf der Insel Ceylon, oder, nach Andern, auf dem Tyde-Pik, auf der Insel Teneriffa, oder auf den Bernu- oder Bernoa-Gebirgen in Arabien *), oder auf dem Ararath, wie die Perser, nach Chardin, behaupten, mit der Arche gelandet habe. Welcher von allen diesen Orten es nun auch seyn mag, so war der Platz auf jeden Fall für eine Landung äusserst schlecht gewählt.

Was sich indeß aus dem Vielen, das über diese Inseln geschrieben worden, noch am klarsten

*) Voyages en Afrique, par Mrs. Ledyard et Luces. Tome II.

herausbringen läßt, ist: daß die Araber und die Genueser *) sie schon im zwölften Jahrhundert gekannt haben, und daß die Erstern ihnen einen Nahmen in ihrer Sprache gaben, der mit dem der Alten übereinstimmt. Wahrlich, das Land, welches alle Fremden zu jeder Zeit das glückliche genennt haben, muß ein schönes und glückliches Land seyn!

Gomara sagt in seiner Geschichte von Indien, daß Theodor Doria und ein gewisser Ugolino Viraldo im Jahr 1291 auf zwey Fregatten eine Reise unternommen haben, welche die Erforschung dieser Inseln zum Zweck hatte; aber daß man nicht weiß, was aus diesen beyden Reisenden geworden ist.

Verweilen wir bey diesem Moment, wo ein bestimmtes Zeugniß, obgleich auf unvollkommene Versuche gegründet, Europa in directe und fortgesetzte Verhältnisse mit den Bruchstücken der al-

*) Der Verfasser der Essais sur les isles fortunés nennt sie Genfer. Es ist aber klar, daß dieß ein Verstoß des Verfassers, oder des Druckers war; die Genfer haben nie andere See-Expeditionen gemacht, als auf ihrem See.

den dunklen Atlantis gesetzt hat, nnd erlauben Sie mir, eh' ich weiter gehe, Ihnen die Vermuthungen mitzutheilen, welche die Ungewißheit über Doria's und Viraldo's Schicksal in mir erweckt.

Man hat in verschiedenen Theilen des amerikanischen Continents Spuren von Civilisation mit dunkeln Traditionen gefunden, aus welchen sich schliessen läßt, daß mehrere Jahrhunderte vor Colombo Europäer oder Asiaten nach Amerika gekommen sind.

Nun gehört es doch gewiß zu den Möglichkeiten, daß dieser Doria und Viraldo durch einen Ostwind-Stoß jenseits der Vorgebirge auf einem, nach den Canarischen Inseln bestimmten, folglich mit Lebensmitteln für zehn bis vierzehn Tage versehenen, Schiff, nach den amerikanischen Küsten verschlagen werden konnten. Und dann ist es auch nicht zu vewundern, daß man zwey Jahrhunderte später nur verwirrte und fabelhafte Traditionen von ihnen bey wilden, oder halb civilisirten Völkern gefunden hat.

Indeß möcht' ich mich nicht anheischig machen, zu beweisen, daß Doria der Gott Pachacamac, und Viraldo der Gott Con-war, die, wie

wie Zarate sagt, aus dem Norden kamen, weder Knochen noch Gelenke hatten, und im Gehen ihren Weg nach Gefallen verkürzten, oder verlängerten. Gewiß ist aber doch, daß beyde Gottheiten neuen Schlags die Ankunft einer Menschen-Gattung, wie die ihrige, verkündigt haben, und eben so zuverlässig ist auch, daß Montezuma, durch diese Prophezeihung getroffen, selbst an ihre nahe Erfüllung glaubte.

Könnte man also nicht annehmen, daß Doria und Viealdo, wenn sie wirklich nach Amerika kamen, durch eigene Erfahrung und einiges Nachdenken belehrt, den Einwohnern desselben die Aussicht zeigen mußten und aus ihrem eigenen Vortheil gezeigt haben, es würden früher oder später Europäer an diese fernen Küsten kommen?

Die erste regelmässige Unternehmung der Europäer zur Erforschung der Kanarischen Inseln wurde ums Jahr 1350, also einige Zeit nach dem ähnlichen Versuch von 1344 gemacht, da Papst Clemens VI. dem spanischen Infanten Don Louis de la Cerda dieselben in aller Form als ein Lehen des päpstlichen Stuhls verlieh.

Diese zweyte Unternehmung von 1350, über die man indeß nicht mehr Bestimmtes weiß, als über die Erstere, war ohne Erfolg. Auf der einen hatten die Europäer die Kanarischen Inseln nur gesehen; auf der andern landeten sie zwar an Gomera, mußten sich aber gleich wieder einschiffen.

Auch die Majorkaner und Aragonier sollen 1360 einen eben so fruchtlosen Versuch gemacht haben.

So soll es auch eine Castilische Carte dieser Insel geben, die, auf Holz geklebt, sehr genau ist, und im Jahre 1646 gemacht wurde.

Wirklich ist es auch gar nicht unmöglich, daß zwischen 1344 und 1346 eine Erforschungsreise gemacht wurde, auf welcher ein guter Geometer die Lage dieser Inseln genau gezeichnet hat. Ihre Existenz war damals nicht im geringsten zweifelhaft; aber man hatte nur verwirrte Nachrichten davon und unerachtet nie gesagt worden ist, wie der Übersetzer von Pinkertons neuer Geographie zu behaupten scheint, (3) daß man von den Canarischen Inseln erst seit Bethencourts Eroberung derselben Nachricht habe, indem er bereits Servant, Bracamonte, Ormel und andere zu Vorgängern gehabt hatte.

Dreyzehnter Brief.

Auf der hohen See.

Unglücklicher Weise, mein Herr, hatten die spätern Unternehmungen der Europäer auf die Canarischen Inseln sehr traurige Folgen für die Bewohner dieser glücklichen Länder.

Ein Sieur Servant, ein Abenteurer aus der Normandie, und Sie wissen, daß man dazumal jeden, der auf seine eigene Rechnung See-Unternehmungen machte, also benannte; ein Robin, oder Robert und auch Robinet von Bracamonte, ein Ferdinand Ormel, ein Lancelot von Moysel, am Ende Johann von Bethencourt, Kammerherr Königs Karl VI. von Frankreich*),

*) Der Bericht dieses Zugs wurde von dem Caplan von Bethencourt abgefaßt, und erschien 1630.

und mit ihm der Sieur Gadifer von Lasalle, machten Züge nach diesen Inseln, die glücklicher für sie, und folglich unglücklicher für die Eingebornen ausfielen; denn sie unterjochten Lancerota, Fortaventura, Gomera und Fero nicht nur allmählig durch die Gewalt der Waffen, sondern sie entvölkerten sie auch.

Ferdinand Perraza von Sevilla, Don Diego Herrera, Don Diego Sylva, Johann Bojon und Pedro de Vera übernahmen es nach einander, auf Canarien und Teneriffa auszuführen, was ihre Nebenbuhler auf den übrigen Inseln gethan hatten.

Vera vollendete die Eroberung der erstern im Jahr 1483.

Palma hatte bald gleiches Schicksal, indem es in die Gewalt von Alonso Fernandez de Lugo fiel. Im folgenden Jahr, 1493, griff er Teneriffa an, das, trotz dem verzweifelten Muth, mit welchem sich seine Einwohner drey Jahre lang vertheidigten, 1497 völlig unterjocht wurde.

Bethencourts Nachkommen bestehen unter gleichem Nahmen, als Herzoge, noch in Spanien.

Sie können sich selbst das Schicksal der Eingebornen dieser unglücklichen Gegenden nach der Eroberung denken, mein Herr. Diejenigen, die der Taufe und dem Schwert der Europäer entronnen waren, hatten sich in die Gebirgshöhlen, auf unzugängliche Felsen zurückgezogen. Hier blieb ihnen kein anderes Schicksal, als Gras zu essen, oder in die Besitzungen ihrer Überwinder Einfälle zu machen, über welche diese unverschämt genug waren, als über ein Todeswürdiges Verbrechen zu klagen, das ausser dem Kreis aller Gerechtigkeit liege. Man säumte daher nicht lange, ein Verbrechen zu bestrafen, das allerdings ausser dem Kreis aller Verbrechen lag; man übergab die Schuldigen dem weltlichen Arm und der Strenge der Inquisition, und beyde thaten ihre Schuldigkeit so gut, daß der Stamm der Eingebornen heutzutag völlig zernichtet ist, ohnerachtet schlecht unterrichtete Reisende und leichtgläubige Compilatoren gegen das Zeugniß der zuverlässigsten Geschichtschreiber *) behaupten, daß noch

*) Clavijo, welcher lang' auf den Canarischen Inseln gelebt hatte, versichert, daß man auf Te-

Guanchen auf Teneriffa übrig sind ... Ach, mein Herr! die Europäer rotteten daselbst ja sogar eine Race vortrefflicher Hunde aus, von denen Plinius sagt, daß zwey Stücke derselben dem mauritanischen König Juba gebracht wurden!

Alle frühern Historiker, von denen die Meisten an Ort und Stelle gewesen sind, stimmen über die starke Bevölkerung der Canarischen Inseln zur Zeit ihrer Entdeckung überein. Alle ertheilen ihren Bewohnern ein Lob, das gewiß nicht verdächtig ist, da sie meistens zu ihren Henkern gehörten .... Wunderbares Beyspiel von der Gewalt der Wahrheit! Aber würdig jenes Schlags von Loyalität, der in diesen Zeiten der Barbarey die glänzende und wilde Tapferkeit derjenigen begleitete, welche sich alles Verbrechens ledig glaubten, wenn es nur mit Gefahr gepaart und mit Muth begangen war! Man könnte dieß das Erhabene in der Ungerechtigkeit nennen!

Unter die Tugenden, welche die einstimmigen Zeugnisse den Guanchen beymessen, als da sind,

neriffa keine andere Guanchen mehr findet, als Mumien.

Sanftmuth, Menschlichkeit u. s. w. zählt man mit allem Recht ihre schonende Achtung, ihre Ehrfurcht für das Geschlecht, das am besten unsere Tugenden zu schätzen versteht, als die, unsrer Huldigung würdigste, Tugend. Auch der Muth, mit welchem sie ihre angefallenen Heerden vertheidigten, ist ein neuer Beweis, daß man über den Muth jedes Mannes am sichersten nach den Grundsätzen urtheilen kann, die sein Betragen gegen die Frauen leiten *).

„Die Gesetze in Bezug auf die Ehrfurcht gegen das andere Geschlecht," sagt der Verfasser des Versuchs über die glücklichen Inseln, „wurden mit der größten Genauigkeit beobachtet. Nichts ward strenger getadelt und von der Gerechtigkeit bestraft, als der Mangel an Rücksichten gegen die reitzenden und furchtsamen

*) Nicht nur über den Muth, sondern über alle andere Tugenden. Jeder Mann, der die Frauen verachtet, oder sich das Ansehn davon giebt, sie zu verachten, ist mit Zuverlässigkeit ein verächtlicher Mensch. Von allen allgemeinen Regeln leidet diese die wenigsten Ausnahmen. In England ist Gallant synonim mit brav, muthig.

Wesen, welche der Himmel geschaffen hat, um uns einen Begriff von der Vollkommenheit zu geben, und unsre Leiden zu mildern. Diese Ehrfurcht ging so weit, daß ein Mann, der einer Frau auf einem Wege begegnete, ihr nicht nur ausweichen mußte, sondern auch nicht einmal die Augen auf sie heften durfte, wenn ihn kein Blick von ihr dazu aufmunterte. Noch weniger konnt' er sie anreden, wenn sie ihm nicht die Erlaubniß dazu gab, indem sie selbst das Wort an ihn wendete."

Die Guanchen trieben die Ehrfurcht für die Frauen demnach so weit, als die Römer, welche ihnen, vom Anfang der Republik an, bey allen Gelegenheiten den Vortritt und die rechte Hand einräumten, und noch weiter, als die Spartaner, denen ihr Gesetz befahl, sich nur von den Schwangern abzuwenden.

Ehren wir unsre Frauen, wie diese Völker die ihrigen, und wir werden sie dadurch zwingen, sich selbst zu ehren.

Man hat nur sehr unvollkommene Nachrichten über die Bevölkerung dieser Inseln, und kann auch keine andern haben. Eroberer sind immer schlechte Beobachter, und die der Canarischen

Inseln lebten zu einer Zeit, da die erste politische Maßregel dahin ging, die Eingebornen eines entdeckten Landes, nicht zu zählen, sondern auszurotten. Daher stehen auch einige Schriftsteller, welche von diesen Inseln nach ihrer Eroberung geredet haben, in geradem Widerspruch mit ihren Vorgängern, indem sie die Bevölkerung derselben, gegen alle Wahrscheinlichkeit, weit niedriger angeben, als sie heutzutag ist. Dieß muß um so verdächtiger scheinen, da es, wenn auch bewiesen ist, daß die Spitzbüberey der Eroberer immer ein Interesse hatte, die Zahl ihrer Feinde zu übertreiben, doch nicht unmöglich ist, daß, unter diesen Umständen wenigstens, ihre ruhigern Geschichtschreiber, durch die Menge des, von ihren Landsleuten vergossenen, Blutes entsetzt, den Abscheu, welchen sie einflößen mußten, durch die Verringerung ihrer Opfer mildern wollten. Zur Zeit der Eroberung der Canarischen Inseln waren die Geister noch nicht durch die Entdeckung und Eroberung Amerika's an solche Metzeleyen gewöhnt, die in wenigen Jahren ganze Völker von dem Erdboden wegwischten.

Wie dem sey, mein Herr, so ist die genaueste Bevölkerungs-Angabe dieser Inseln heut zutag:

Fortaventura,	mit	8,600 Seelen.
Lanzerota	—	9,000.
Canarien	—	41,000.
Palma	—	20,000.
Gomera	—	7,000.
Fero	—	4,000.
Teneriffa	—	64,000.

Im Ganzen 157,000 und nicht 196,500, wie Reisende behaupten, welche einander abgeschrieben, und die Bevölkerung von Palma um 10,000 so wie die von Teneriffa um 30,000 Seelen übertrieben haben.

Ich hab' Ihnen nun nur noch ein Wort über das Clima und die Producte dieser Inseln zu sagen.

Ihre Breiten-Läge, mitten in einem, gewöhnlich ruhigen Meere, das im Durchschnitt nur durch milde und regelmässige Winde bewegt wird, hat mehr, als der Anblick des Lands, die Fruchtbarkeit des Bodens und das Glück seiner Bewohner, zur Erhaltung ihres Nahmens der glücklichen Inseln beygetragen.

Diese Inseln vereinigen zuverlässig grosse Vortheile. Sie sehen die Producte Amerika's und Europa's mit einander reifen, die Banane neben dem Apfel, die Goyave neben dem Pfirsich, und die Rebe unter dem Dattelbaum. Die Kraft nnd Mannichfaltigkeit der vegetabilischen Producte auf einem, an sich sehr abwechselnden, Boden, macht den Anblick einiger dieser Inseln, wenn man einmal über den Sand oder die steilen Felsen ihrer Ufer weg ist, äusserst angenehm und mahlerisch.

Aber der Regen, der hier in Strömen fällt, richtet auch zuweilen die schrecklichsten Verwüstungen an. 1645 zerstörte er Garrachio, eine Stadt auf Teneriffa. Auch bringt der Ostwind von der benachbarten afrikanischen Küste die Keime ansteckender Krankheiten, Schwärme von Heuschrecken, welche alle Produkte des Bodens *) auffressen, und eine so durchglühte Luft, dass alle Quellen austrocknen, die Geräthschaften von Tannenholz ihr Harz so ausschwitzen, daß es ohne

*) Im Jahr 1759 frassen sie selbst die Aloe, die bitterste und die zäheste Pflanze auf.

Consistenz bleibt *) . . . . und dennoch, mein Herr, ist unter allen Ländern, welche der Mensch bewohnen kann, dieses das von der Natur begünstigtste, das schönste, das glücklichste Land.

Vierzehnter Brief.

Auf der hohen See.

Wir haben gesehen, mein Herr, daß man vor der christlichen Zeitrechnung in Europa nur sehr verwirrte Vorstellungen von den Canarischen und Azorischen Inseln hatte; ungeachtet der Plan, welchen man einer Seits den Karthagern beymißt, den Sitz ihres Reichs dahin zu verlegen **),

*) Dieß geschah 1704.

**) Diesen Plan ergriff das Volk mit solcher Begeisterung, daß der Senat sich genöthiget sah, strenge Gesetze gegen die Auswanderung bekannt

andrer Seits dem Sertorius, hier einen unabhängigen Staat zu errichten, unerachtet beyde Plane voraussetzen lassen, daß zur Zeit von Carthago, und von diesem großen Manne diese Inseln wenigstens bekannt genug waren, um einen solchen Gedanken zu rechtfertigen.

Diese Thatsache besonders muß jeden vernünftigen Freund der Menschheit aufrichtig bedauern machen, daß die Wünsche der Lusitanier, welche den Sertorius nach Spanien zurückriefen, ihn gehindert haben, seinen Plan auszuführen.

Verweilen wir einen Augenblick bey diesem Gedanken. Er ist, gesteh' ich gern, dem Tagebuch eines Reisenden etwas fremd, aber weder Ihren, noch meinen Begriffen von dem Grade des Glücks unwürdig, dessen politische Gesellschaften fähig sind.

zu machen, und so sehr, als möglich, alles unterdrückte, was die Existenz dieser Inseln ausser Zweifel setzen konnte. Gewiß verdanken wir dieser Maßregel die wenigen Nachrichten, welche uns die Alten über diese Inseln hinterlassen haben.

Meine einzige Sorge ist nur, daß Sie bald die Dauer des schönen Wetters verwünschen möchten, das uns bisher begünstiget hat. Man öffnet keinen Brief von einem Reisenden ohne die Hoffnung, in Ermanglung eines Schiffbruchs oder Sturms, wenigstens einen Windstoß oder etwas dergleichen darin zu finden. Allein unsre Fahrt war bis auf diesen Tag so glücklich, so sanft, so monoton, daß man sich, wenn man so, wie ich, auf das Schreiben versessen ist, an die Details einer ganz gemeinen Fahrt halten muß. Auch möge der Himmel verhüten, daß ich Ihnen etwas sehr Interessantes zu melden habe!

So lassen Sie uns denn sehen, was Sertorius gethan hätte, oder hätte thun können, wenn er seinen Plan ausgeführt haben würde.

Wir wissen aus der Geschichte, und nahmentlich aus der Geschichte der Gründung von den Colonieen der alten Republiken, daß diese in solchem Punkt immer nach Grundsätzen verfuhren, welche den, von den modernen Regierungen befolgten, völlig entgegengesetzt sind. (4)

Man kann darum, und besonders nach Sertorius bekanntem Karakter, annehmen, daß,

wenn die Eingebornen der Kanarischen Inseln ihm hinlänglichen Widerstand entgegengesetzt hätten, um ihn zur Waffen-Entscheidung zu zwingen, die Superiorität der römischen Taktik unfehlbar eine Eroberung beschleuniget haben würde, die die Menschlichkeit des Eroberers schwerlich mit den, von den Neuern begangenen, Grausamkeiten befleckt haben dürfte.

Die Römer würden gethan haben, was sie um dieselbe Zeit an andern Orten thaten; sie hätten die Canarier unterjocht, aber nicht ausgerottet; sie hätten den Überwundenen ihre Gesetze, ihre Religion, ihre Gebräuche, und uns wahrhaftere Nachrichten, als die von Cadamosto und Barros sind, über die Meinungen, das Alterthum, die Küste, die Denkmale in Tradition und Geschichte von einem Volk hinterlassen, dessen Kenntniß um so merkwürdiger ist, da man es, mit gutem Grunde, nicht als den einzigen, doch als einen der Hauptkeime des Menschen-Geschlechts ansehen darf.

Diesen vorläufigen Betrachtungen, welche Sie, wie ich hoffe, nicht ausser ihrem Platz finden werden, mein Herr, füg' ich noch die Bemerkung bey: daß man, weil denn doch einmal

Sertorius und der Carthager Plan nicht in Zweifel gezogen werden kann, nur desto mehr darüber staunen muß, daß die Alten nie, weder vor, noch nach dieser Zeit, einen Versuch gemacht haben, diese Inseln näher kennen zu lernen, deren Besitz sowohl ihre, zu verschiedenen Zeiten gemachten, Expeditionen für die Erforschung der West-Küsten von Afrika, auf welchen ihre Niederlassungen bis zum 25sten Grade der Nord-Breite reichten, ganz besonders begünstigen mußte, als auch ihren damaligen Handel mit England und den Orkaden, und selbst mit den Hebriden erweitert und beschützt haben würde. Pythias hatte, nach Strabo, seine Reisen nach dem Norden ja sogar bis zum 67sten Grade ausgedehnt.

Diese Gleichgültigkeit der Griechen, welche alles wissen, und der Römer, welche alles erobern wollten, gegen ein Land, aus dem Diodor von Sicilien eine Art von irdischem Paradiese machte, wo, wie er sagt, *) selbst die Dörfer aus

*) Buch V. Cap. 15. Die Erfahrung hat indeß bewiesen, daß man auf diesen Inseln nicht einmal Trümmer prächtiger Architektur findet, und so ist Diodors Glaubwürdigkeit verdächtig.

Sanftmuth, Menschlichkeit u. s. w. zählt man mit allem Recht ihre schonende Achtung, ihre Ehrfurcht für das Geschlecht, das am besten unsere Tugenden zu schätzen versteht, als die, unsrer Huldigung würdigste, Tugend. Auch der Muth, mit welchem sie ihre angefallenen Heerden vertheidigten, ist ein neuer Beweis, daß man über den Muth jedes Mannes am sichersten nach den Grundsätzen urtheilen kann, die sein Betragen gegen die Frauen leiten *).

„Die Gesetze in Bezug auf die Ehrfurcht gegen das andere Geschlecht," sagt der Verfasser des Versuchs über die glücklichen Inseln, „wurden mit der größten Genauigkeit beobachtet. Nichts ward strenger getadelt und von der Gerechtigkeit bestraft, als der Mangel an Rücksichten gegen die reitzenden und furchtsamen

*) Nicht nur über den Muth, sondern über alle andere Tugenden. Jeder Mann, der die Frauen verachtet, oder sich das Ansehn davon giebt, sie zu verachten, ist mit Zuverläßigkeit ein verächtlicher Mensch. Von allen allgemeinen Regeln leidet diese die wenigsten Ausnahmen, In England ist Gallant synonim mit brav, muthig.

Wesen, welche der Himmel geschaffen hat, um uns einen Begriff von der Vollkommenheit zu geben, und unsre Leiden zu mildern. Diese Ehrfurcht ging so weit, daß ein Mann, der einer Frau auf einem Wege begegnete, ihr nicht nur ausweichen mußte, sondern auch nicht einmal die Augen auf sie heften durfte, wenn ihn kein Blick von ihr dazu aufmunterte. Noch weniger konnt' er sie anreden, wenn sie ihm nicht die Erlaubniß dazu gab, indem sie selbst das Wort an ihn wendete."

Die Guanchen trieben die Ehrfurcht für die Frauen demnach so weit, als die Römer, welche ihnen, vom Anfang der Republik an, bey allen Gelegenheiten den Vortritt und die rechte Hand einräumten, und noch weiter, als die Spartaner, denen ihr Gesetz befahl, sich nur von den Schwangern abzuwenden.

Ehren wir unsre Frauen, wie diese Völker die ihrigen, und wir werden sie dadurch zwingen, sich selbst zu ehren.

Man hat nur sehr unvollkommene Nachrichten über die Bevölkerung dieser Inseln, und kann auch keine andern haben. Eroberer sind immer schlechte Beobachter, und die der Canarischen

Inseln lebten zu einer Zeit, da die erste politische Maßregel dahin ging, die Eingebornen eines entdeckten Landes, nicht zu zählen, sondern auszurotten. Daher stehen auch einige Schriftsteller, welche von diesen Inseln nach ihrer Eroberung geredet haben, in geradem Widerspruch mit ihren Vorgängern, indem sie die Bevölkerung derselben, gegen alle Wahrscheinlichkeit, weit niedriger angeben, als sie heutzutag ist. Dieß muß um so verdächtiger scheinen, da es, wenn auch bewiesen ist, daß die Spitzbüberey der Eroberer immer ein Interesse hatte, die Zahl ihrer Feinde zu übertreiben, doch nicht unmöglich ist, daß, unter diesen Umständen wenigstens, ihre ruhigern Geschichtschreiber, durch die Menge des, von ihren Landsleuten vergossenen, Blutes entsetzt, den Abscheu, welchen sie einflößen mußten, durch die Verringerung ihrer Opfer mildern wollten. Zur Zeit der Eroberung der Canarischen Inseln waren die Geister noch nicht durch die Entdeckung und Eroberung Amerika's an solche Metzeleyen gewöhnt, die in wenigen Jahren ganze Völker von dem Erdboden wegwischten.

Wie dem sey, mein Herr, so ist die genaueste Bevölkerungs-Angabe dieser Inseln heut zutag:

Fortaventura,	mit	8,600 Seelen.
Lanterota	—	9,000.
Canarien	—	41,000.
Palma	—	20,000.
Gomera	—	7,000.
Fero	—	4,000.
Teneriffa	—	64,000.

Im Ganzen 157,000 und nicht 196,500, wie Reisende behaupten, welche einander abgeschrieben, und die Bevölkerung von Palma um 10,000 so wie die von Teneriffa um 30,000 Seelen übertrieben haben.

Ich hab' Ihnen nun nur noch ein Wort über das Clima und die Producte dieser Inseln zu sagen.

Ihre Breiten-Läge, mitten in einem, gewöhnlich ruhigen Meere, das im Durchschnitt nur durch milde und regelmässige Winde bewegt wird, hat mehr, als der Anblick des Lands, die Fruchtbarkeit des Bodens und das Glück seiner Bewohner, zur Erhaltung ihres Nahmens der glücklichen Inseln beygetragen.

Diese Inseln vereinigen zuverlässig grosse Vortheile. Sie sehen die Producte Amerika's und Europa's mit einander reifen, die Banane neben dem Apfel, die Goyave neben dem Pfirsich, und die Rebe unter dem Dattelbaum. Die Kraft nnd Mannichfaltigkeit der vegetabilischen Producte auf einem, an sich sehr abwechselnden, Boden, macht den Anblick einiger dieser Inseln, wenn man einmal über den Sand oder die steilen Felsen ihrer Ufer weg ist, äusserst angenehm und mahlerisch.

Aber der Regen, der hier in Strömen fällt, richtet auch zuweilen die schrecklichsten Verwüstungen an. 1645 zerstörte er Garrachio, eine Stadt auf Teneriffa. Auch bringt der Ostwind von der benachbarten afrikanischen Küste die Keime ansteckender Krankheiten, Schwärme von Heuschrecken, welche alle Produkte des Bodens *) auffressen, und eine so durchglühte Luft, dass alle Quellen austrocknen, die Geräthschaften von Tannenholz ihr Harz so ausschwitzen, dass es ohne

*) Im Jahr 1759 frassen sie selbst die Aloe, die bitterste und die zäheste Pflanze auf.

und mit ihm der Sieur Gadifer von Lasalle, machten Züge nach diesen Inseln, die glücklicher für sie, und folglich unglücklicher für die Eingebornen ausfielen; denn sie unterjochten Lancerota, Fortaventura, Gomera und Fero nicht nur allmählig durch die Gewalt der Waffen, sondern sie entvölkerten sie auch.

Ferdinand Perraza von Sevilla, Don Diego Herrera, Don Diego Sylva, Johann Bojon und Pedro de Vera übernahmen es nach einander, auf Canarien und Teneriffa auszuführen, was ihre Nebenbuhler auf den übrigen Inseln gethan hatten.

Vera vollendete die Eroberung der erstern im Jahr 1483.

Palma hatte bald gleiches Schicksal, indem es in die Gewalt von Alonso Fernandez de Lugo fiel. Im folgenden Jahr, 1493, griff er Teneriffa an, das, trotz dem verzweifelten Muth, mit welchem sich seine Einwohner drey Jahre lang vertheidigten, 1497 völlig unterjocht wurde.

Bethencourts Nachkommen bestehen unter gleichem Nahmen, als Herzoge, noch in Spanien.

andrer Seits dem Sertorius, hier einen unabhängigen Staat zu errichten, unerachtet beyde Plane voraussetzen lassen, daß zur Zeit von Carthago und von diesem großen Manne diese Inseln wenigstens bekannt genug waren, um einen solchen Gedanken zu rechtfertigen.

Diese Thatsache besonders muß jeden vernünftigen Freund der Menschheit aufrichtig bedauern machen, daß die Wünsche der Lusitanier, welche den Sertorius nach Spanien zurückriefen, ihn gehindert haben, seinen Plan auszuführen.

Verweilen wir einen Augenblick bey diesem Gedanken. Er ist, gesteh' ich gern, dem Tagebuch eines Reisenden etwas fremd, aber weder Ihren, noch meinen Begriffen von dem Grade des Glücks unwürdig, dessen politische Gesellschaften fähig sind.

zu machen, und so sehr, als möglich, alles unterdrückte, was die Existenz dieser Inseln ausser Zweifel setzen konnte. Gewiß verdanken wir dieser Maßregel die wenigen Nachrichten, welche uns die Alten über diese Inseln hinterlassen haben.

Meine einzige Sorge ist nur, daß Sie bald die Dauer des schönen Wetters verwünschen möchten, das uns bisher begünstiget hat. Man öffnet keinen Brief von einem Reisenden ohne die Hoffnung, in Ermanglung eines Schiffbruchs oder Sturms, wenigstens einen Windstoß oder etwas dergleichen darin zu finden. Allein unsre Fahrt war bis auf diesen Tag so glücklich, so sanft, so monoton, daß man sich, wenn man so, wie ich, auf das Schreiben versessen ist, an die Details einer ganz gemeinen Fahrt halten muß. Auch möge der Himmel verhüten, daß ich Ihnen etwas sehr Interessantes zu melden habe!

So lassen Sie uns denn sehen, was Sertorius gethan hätte, oder hätte thun können, wenn er seinen Plan ausgeführt haben würde.

Wir wissen aus der Geschichte, und nahmentlich aus der Geschichte der Gründung von den Colonieen der alten Republiken, daß diese in solchem Punkt immer nach Grundsätzen verfuhren, welche den, von den modernen Regierungen befolgten, völlig entgegengesetzt sind. (4)

Man kann darum, und besonders nach Sertorius bekanntem Karakter, annehmen, daß,

Sanftmuth, Menschlichkeit u. s. w. zählt man mit allem Recht ihre schonende Achtung, ihre Ehrfurcht für das Geschlecht, das am besten unsere Tugenden zu schätzen versteht, als die, unsrer Huldigung würdigste, Tugend. Auch der Muth, mit welchem sie ihre angefallenen Heerden vertheidigten, ist ein neuer Beweis, daß man über den Muth jedes Mannes am sichersten nach den Grundsätzen urtheilen kann, die sein Betragen gegen die Frauen leiten *).

„Die Gesetze in Bezug auf die Ehrfurcht gegen das andere Geschlecht,“ sagt der Verfasser des Versuchs über die glücklichen Inseln, „wurden mit der größten Genauigkeit beobachtet. Nichts ward strenger getadelt und von der Gerechtigkeit bestraft, als der Mangel an Rücksichten gegen die reitzenden und furchtsamen

*) Nicht nur über den Muth, sondern über alle andere Tugenden. Jeder Mann, der die Frauen verachtet, oder sich das Ansehn davon giebt, sie zu verachten, ist mit Zuverläſſigkeit ein verächtlicher Mensch. Von allen allgemeinen Regeln leidet diese die wenigsten Ausnahmen. In England ist Gallant synonim mit brav, muthig.

Wesen, welche der Himmel geschaffen hat, um uns einen Begriff von der Vollkommenheit zu geben, und unsre Leiden zu mildern. Diese Ehrfurcht ging so weit, daß ein Mann, der einer Frau auf einem Wege begegnete, ihr nicht nur ausweichen mußte, sondern auch nicht einmal die Augen auf sie heften durfte, wenn ihn kein Blick von ihr dazu aufmunterte. Noch weniger konnt' er sie anreden, wenn sie ihm nicht die Erlaubniß dazu gab, indem sie selbst das Wort an ihn wendete."

Die Guanchen trieben die Ehrfurcht für die Frauen demnach so weit, als die Römer, welche ihnen, vom Anfang der Republik an, bey allen Gelegenheiten den Vortritt und die rechte Hand einräumten, und noch weiter, als die Spartaner, denen ihr Gesetz befahl, sich nur von den Schwangern abzuwenden.

Ehren wir unsre Frauen, wie diese Völker die ihrigen, und wir werden sie dadurch zwingen, sich selbst zu ehren.

Man hat nur sehr unvollkommene Nachrichten über die Bevölkerung dieser Inseln, und kann auch keine andern haben. Eroberer sind immer schlechte Beobachter, und die der Canarischen

Inseln lebten zu einer Zeit, da die erste politische Maßregel dahin ging, die Eingebornen eines entdeckten Landes, nicht zu zählen, sondern auszurotten. Daher stehen auch einige Schriftsteller, welche von diesen Inseln nach ihrer Eroberung geredet haben, in geradem Widerspruch mit ihren Vorgängern, indem sie die Bevölkerung derselben, gegen alle Wahrscheinlichkeit, weit niedriger angeben, als sie heutzutag ist. Dieß muß um so verdächtiger scheinen, da es, wenn auch bewiesen ist, daß die Spitzbüberey der Eroberer immer ein Interesse hatte, die Zahl ihrer Feinde zu übertreiben, doch nicht unmöglich ist, daß, unter diesen Umständen wenigstens, ihre ruhigern Geschichtschreiber, durch die Menge des, von ihren Landsleuten vergossenen, Blutes entsetzt, den Abscheu, welchen sie einflößen mußten, durch die Verringerung ihrer Opfer mildern wollten. Zur Zeit der Eroberung der Canarischen Inseln waren die Geister noch nicht durch die Entdeckung und Eroberung Amerika's an solche Metzeleyen gewöhnt, die in wenigen Jahren ganze Völker von dem Erdboden wegwischten.

Wie dem sey, mein Herr, so ist die genaueste Bevölkerungs-Angabe dieser Inseln heutzutag:

Fortaventura,	mit	8,600 Seelen.
Lanzerota	—	9,000.
Canarien	—	41,000.
Palma	—	20,000.
Gomera	—	7,000.
Fero	—	4,000.
Teneriffa	—	64,000.

Im Ganzen 157,000 und nicht 196,500, wie Reisende behaupten, welche einander abgeschrieben, und die Bevölkerung von Palma um 10,000 so wie die von Teneriffa um 30,000 Seelen übertrieben haben.

Ich hab' Ihnen nun nur noch ein Wort über das Clima und die Producte dieser Inseln zu sagen.

Ihre Breiten-Lage, mitten in einem, gewöhnlich ruhigen Meere, das im Durchschnitt nur durch milde und regelmässige Winde bewegt wird, hat mehr, als der Anblick des Lands, die Fruchtbarkeit des Bodens und das Glück seiner Bewohner, zur Erhaltung ihres Nahmens der glücklichen Inseln beygetragen.

Diese Inseln vereinigen zuverlässig große Vortheile. Sie sehen die Producte Amerika's und Europa's mit einander reifen, die Banane neben dem Apfel, die Goyave neben dem Pfirsich, und die Rebe unter dem Dattelbaum. Die Kraft nnd Mannichfaltigkeit der vegetabilischen Producte auf einem, an sich sehr abwechselnden, Boden, macht den Anblick einiger dieser Inseln, wenn man einmal über den Sand oder die steilen Felsen ihrer Ufer weg ist, äusserst angenehm und mahlerisch.

Aber der Regen, der hier in Strömen fällt, richtet auch zuweilen die schrecklichsten Verwüstungen an. 1645 zerstörte er Garrachio, eine Stadt auf Teneriffa. Auch bringt der Ostwind von der benachbarten afrikanischen Küste die Keime ansteckender Krankheiten, Schwärme von Heuschrecken, welche alle Produkte des Bodens *) auffressen, und eine so durchglühte Luft, daß alle Quellen austrocknen, die Geräthschaften von Tannenholz ihr Harz so ausschwitzen, daß es ohne

*) Im Jahr 1759 frassen sie selbst die Aloe, die bitterste und die zäheste Pflanze auf.

Consistenz bleibt *) . . . . und dennoch, mein Herr, ist unter allen Ländern, welche der Mensch bewohnen kann, dieses das von der Natur begünstigtste, das schönste, das glücklichste Land.

Vierzehnter Brief.

Auf der hohen See.

Wir haben gesehen, mein Herr, daß man vor der christlichen Zeitrechnung in Europa nur sehr verwirrte Vorstellungen von den Canarischen und Azorischen Inseln hatte; ungeachtet der Plan, welchen man einer Seits den Karthagern beymißt, den Sitz ihres Reichs dahin zu verlegen **),

*) Dieß geschah 1704.

**) Diesen Plan ergriff das Volk mit solcher Begeisterung, daß der Senat sich genöthiget sah, strenge Gesetze gegen die Auswanderung bekannt

andrer Seits dem Sertorius, hier einen unabhängigen Staat zu errichten, unerachtet beyde Plane voraussetzen lassen, daß zur Zeit von Carthago, und von diesem großen Manne diese Inseln wenigstens bekannt genug waren, um einen solchen Gedanken zu rechtfertigen.

Diese Thatsache besonders muß jeden vernünftigen Freund der Menschheit aufrichtig bedauern machen, daß die Wünsche der Lusitanier, welche den Sertorius nach Spanien zurückriefen, ihn gehindert haben, seinen Plan auszuführen.

Verweilen wir einen Augenblick bey diesem Gedanken. Er ist, gesteh' ich gern, dem Tagebuch eines Reisenden etwas fremd, aber weder Ihren, noch meinen Begriffen von dem Grade des Glücks unwürdig, dessen politische Gesellschaften fähig sind.

zu machen, und so sehr, als möglich, alles unterdrückte, was die Existenz dieser Inseln ausser Zweifel setzen konnte. Gewiß verdanken wir dieser Maßregel die wenigen Nachrichten, welche uns die Alten über diese Inseln hinterlassen haben.

Meine einzige Sorge ist nur, daß Sie bald die Dauer des schönen Wetters verwünschen möchten, das uns bisher begünstiget hat. Man öffnet keinen Brief von einem Reisenden ohne die Hoffnung, in Ermanglung eines Schiffbruchs oder Sturms, wenigstens einen Windstoß oder etwas dergleichen darin zu finden. Allein unsre Fahrt war bis auf diesen Tag so glücklich, so sanft, so monoton, daß man sich, wenn man so, wie ich, auf das Schreiben versessen ist, an die Details einer ganz gemeinen Fahrt halten muß. Auch möge der Himmel verhüten, daß ich Ihnen etwas sehr Interessantes zu melden habe!

So lassen Sie uns denn sehen, was Sertorius gethan hätte, oder hätte thun können, wenn er seinen Plan ausgeführt haben würde.

Wir wissen aus der Geschichte, und nahmentlich aus der Geschichte der Gründung von den Colonieen der alten Republiken, daß diese in solchem Punkt immer nach Grundsätzen verfuhren, welche den, von den modernen Regierungen befolgten, völlig entgegengesetzt sind. (4)

Man kann darum, und besonders nach Sertorius bekanntem Karakter, annehmen, daß,

wenn die Eingebornen der Kanarischen Inseln ihm hinlänglichen Widerstand entgegengesetzt hätten, um ihn zur Waffen-Entscheidung zu zwingen, die Superiorität der römischen Taktik unfehlbar eine Eroberung beschleuniget haben würde, die die Menschlichkeit des Eroberers schwerlich mit den, von den Neuern begangenen, Grausamkeiten befleckt haben dürfte.

Die Römer würden gethan haben, was sie um dieselbe Zeit an andern Orten thaten; sie hätten die Canarier unterjocht, aber nicht ausgerottet; sie hätten den Überwundenen ihre Gesetze, ihre Religion, ihre Gebräuche, und uns wahrhaftere Nachrichten, als die von Cadamosto und Barros sind, über die Meinungen, das Alterthum, die Küste, die Denkmale in Tradition und Geschichte von einem Volk hinterlassen, dessen Kenntniß um so merkwürdiger ist, da man es, mit gutem Grunde, nicht als den einzigen, doch als einen der Hauptkeime des Menschen-Geschlechts ansehen darf.

Diesen vorläufigen Betrachtungen, welche Sie, wie ich hoffe, nicht ausser ihrem Platz finden werden, mein Herr, füg' ich noch die Bemerkung bey: daß man, weil denn doch einmal

Sertorius und der Carthager Plan nicht in Zweifel gezogen werden kann, nur desto mehr darüber staunen muß, daß die Alten nie, weder vor, noch nach dieser Zeit, einen Versuch gemacht haben, diese Inseln näher kennen zu lernen, deren Besitz sowohl ihre, zu verschiedenen Zeiten gemachten, Expeditionen für die Erforschung der West-Küsten von Afrika, auf welchen ihre Niederlassungen bis zum 25sten Grade der Nord-Breite reichten, ganz besonders begünstigen mußte, als auch ihren damaligen Handel mit England und den Orkaden, und selbst mit den Hebriden erweitert und beschützt haben würde. Pythias hatte, nach Strabo, seine Reisen nach dem Norden ja sogar bis zum 67sten Grade ausgedehnt.

Diese Gleichgültigkeit der Griechen, welche alles wissen, und der Römer, welche alles erobern wollten, gegen ein Land, aus dem Diodor von Sicilien eine Art von irdischem Paradiese machte, wo, wie er sagt, *) selbst die Dörfer aus

*) Buch V. Cap. 15. Die Erfahrung hat indeß bewiesen, daß man auf diesen Inseln nicht einmal Trümmer prächtiger Architektur findet, und so ist Diodors Glaubwürdigkeit verdächtig.

prächtigen Häusern bestanden, mit Terrassen, welche mit Blumen-Beeten bedeckt waren; diese Gleichgültigkeit der Alten läßt sich nur auf zweyerley Weise erklären.

Entweder hatten die offenbaren Übertreibungen vom Verfasser des Timäus über die Atlantis den Vernünftigen allen Glauben gegen die Historiker genommen, welche dieselben zu theilen in Verdacht waren; oder die Griechen und Römer waren durch Bürgerkriege und auswärtige Kämpfe, und durch die Revolutionen ihrer Regierungen zu sehr beschäftiget, um Zeit oder Lust haben zu können, den glücklichen Inseln den Grad von Aufmerksamkeit zu schenken, welchen sie zu verdienen schienen.

Nachdem ich das geringe Aufsehen, das die Existenz dieser Canarischen Inseln bey den Alten gemacht hatte, und die Verborgenheit, worin sie daher bis gegen das fünfzehnte Jahrhundert geblieben sind, hinlänglich geschildert habe, so hab' ich nur noch eine, mehr oder weniger angenommene, Meinung zu prüfen, nemlich die Kenntniß, welche die Alten von dem amerikanischen Continent gehabt haben sollen, und welche man, wie mir scheint, mit ihren unvollkommenen Begriffen von der Existenz der Canarischen, und besonders der Azorischen Inseln verwechselt.

Unter den wichtigsten Zeugnissen führt man zuerst das von Aristoteles an, welcher sagt, daß verschiedene Schiffs-Tagreisen von den Säulen des Herkules die Carthager eine Insel entdeckt haben sollen, welche sie später öfters besuchten.

Sodann Diodor von Sicilien, der indeß auch blos von Einer Insel von grossem Umfang redet, die von einem fischreichen Meer umgeben, westlich von Africa, in einer Entfernung von mehreren Schiffs-Tagreisen, lag.

Sie sehen also, mein Herr, daß hier nur von Einer Insel *) die Rede ist; verbinden wir.

*) Diese Art sich auszudrücken beweiset, daß hier nicht einmal von den Canarischen Inseln die Rede ist; denn warum nennt er nur Eine? Man kann ohnmöglich eine dieser Inseln, ohne mehrere andre sehen, und wenn die Carthager diese Insel oft besucht haben, warum sahen sie auf diesen Besuchen immer nur Eine, wenn es eine der Canarischen war?

mit diesem Zeugniß noch das eines Alten, wie Plinius, und eines Neuern, wie Robertson, von denen der eine sagt: „daß keine Communication zwischen den gemässigten Zonen Statt finden kann; *) der Andre: „daß die Canarischen und Azorischen Inseln die Grenzpuncte der Schiffahrt der Alten bildeten;“ **) erinnern wir uns ferner, daß Agricola in der Rede, welche er an sein Heer hielt, als er im Begriff stand, die Caledonier, oder Schotten anzugreifen, sagte: „daß es, wenn sie auch überwunden würden, immer noch ruhmvoll wäre, da, wo die Welt und die Natur endet, ihr Leben zu verlieren;“ so haben wir dem Diodor von Sicilien und dem Aristoteles schon drey Autoritäten entgegenzusetzen, wenn man in ihren Schriften etwas finden wollte, was vermuthen liesse, daß sie an die Existenz des amerikanischen Continents geglaubt haben. Denn was die Pythagoräer Ocellus und Philolaus betrifft, welche zuerst von der Existenz desselben geredet haben sollen, so ist es damit, wie mit dem Zeugniß von Aelian, von

*) Naturgesch. B. II. Kap. 68.

**) Geschichte von Amerika, B. I. Buch I.

Plutarch und Seneka, die sich so dunkel ausdrücken, daß man davon unmöglich einen vernünftigen Gebrauch fur die Meinung machen kann, welche sie stutzen sollen.

Behauptet aber der Verfasser der Geschichte des Handels und der Schiffahrt der Alten *) gegen alle Wahrscheinlichkeit und gegen die positivsten Zeugnisse, daß man unter den glücklichen Inseln nicht die Canarischen und die Azorischen Inseln, sondern die später sogenannten Antillen zu verstehen hat, so reicht schon die blosse Bemerkung, daß diese nie durch ihre Ansicht, ihren Boden, ihre Produkte, ihren Fischreichthum zu den Beschreibungen veranlassen konnten, welche man von den glücklichen Inseln macht, neben der eben so natürlichen Bemerkung hin, daß Inseln, welche nur einige Schiffs-Tagreisen von den Säulen des Herkules entfernt waren, nicht die Antillen seyn können, zu denen wenigstens vierzig solche Tagreisen gehören, um die Meinung des Verfassers der

*) Tacitus, Leben des Agricola. K. 5.

Geschichte des Handels und der Schiffahrt der Alten zu widerlegen.

Fünfzehnter Brief.

Auf der hohen See.

Wenn die Alten einige Kenntniß von Amerika gehabt haben sollen, mein Herr, so muß man zwar unzulässige Umstände annehmen: daß ihre Schiffe nicht gebaut waren, um ohne Ruder segeln, und Vorräthe an Lebensmitteln und Wasser auf mehrere Monate für eine Bemannung fassen zu können, welche wegen der Ruder-Arbeit nothwendig zahlreicher seyn mußte, als auf unsern Schiffen — was nie der Fall war, und nicht der Fall seyn konnte.

Ferner muß man annehmen: daß Seeleute, die immer im Angesicht des Landes reiseten, oder bey Tag von der Sonne, und bey Nacht vom Mond und den Sternen geleitet wurden, nicht nur aus dem mittelländischen Meere nach Amerika gegangen, sondern auch daher zurückgekommen seyen, und zwar auf Schiffen ohne Verdeck, „und ohne andern Kompaß, als die Küsten," wie Montesquieu sich ausdrückt — was heutzutag, da die Nautik, die Sternkunde und die Kenntniß der gewöhnlichen und Passatwinde so hohe Vollkommenheit erreicht haben, der erfahrenste und unerschrockenste Seemann nicht unternehmen würde.

Ich denke daher, und wag' es auszusprechen, daß man diese Reise kecklich mit derjenigen vergleichen kann, welche die Alten um Afrika herum gemacht haben sollen — eine Meinung, deren Täuschendes der gelehrte Bochard *) erwiesen, welche aber denn doch noch ihre Anhänger und Vertheidiger hat.

Sie werden mir daher erlauben, mein Herr, daß ich einen Augenblick bey der Untersuchung einer Frage verweile, welche, wenn sie uns auch heutzutag nicht mehr so nah angeht, dennoch für Niemand ganz ohne Interesse ist, welcher die

*) Geogr. sacra. P. II. L. I. cap. 35 u. 38.

Fortschritte verfolgen mag, die die Künste, deren Vervollkommnung für die Gesellschaft im Ganzen so wichtig ist, gemacht haben, und noch machen. Indem die Europäer ihre Schiffahrt von einem Pole zum andern erstreckten, bewirkten sie eine solche Revolution in allen gewohnten Begriffen, daß unsre, bis dahin in sehr engem Horizont gehaltenen, Gedanken gewohnt geworden sind, keine andere Grenzen mehr anzuerkennen, als die der Welt.

Diese Meinung von der Umschiffung Afrika's durch die Alten hat selbst heutzutag noch viele Anhänger, ist aber darum nichts desto weniger eine Abgeschmacktheit, wenn man weiß, daß man, um diese Fahrt zu machen, nothwendig das Vorgebirg der guten Hoffnung umsegeln muß.

Werfen wir zuerst einen flüchtigen Blick auf den Beweis, welcher am stärksten für diese Meinung spricht.

Ich werde den Verfasser der Geschichte des Handels und der Schiffahrt der Alten nicht anführen, welcher sagt: „Die Portugiesen haben das Vorgebirg der guten Hoffnung nur wieder gefunden; indem es bereits zu Salomo's Zeit umschifft worden ist."

Plinius erzählt, auf das Ansehn von Cornelius Nepos hin, daß sich zu dessen Zeit Eudox auf dem arabischen Meerbusen eingeschifft habe, und in Gades oder Cadix wieder ans Land gekommen sey. Dieß setzte nun allerdings voraus, daß er die Süd-Spitze von Afrika umsegelt habe, wenn wir nicht noch im Zweifel wären, was die Alten unter dem arabischen Meerbusen verstanden, und wenn der Geographe Mela den Arabern nicht einen Hafen im mittelländischen Meere gäbe, den er Azotus nennt; woraus sich schliessen liesse, daß Eudox aus demselben, zwar nicht in gerader Linie, sondern an der Küste hin bis ausser den Säulen des Herkules nach Cadix gegangen ist. In einer Zeit, wo die Nautik und die Geographie der Küsten noch in ihrer Kindheit lagen, konnte dieß sehr wohl zu dem Glauben Anlaß gegeben haben, daß Eudoxius die, damals bekannte, Küste von Afrika umsegelt habe.

Man braucht in diesem Punct nur wenige Erfahrung, um zu wissen, daß unter allen Schiffahrten die schwerste, die beschwerlichste und langsamste eine Küstenschiffahrt ist, besonders, wenn diese Küsten unbekannt sind, wie es die von Afrika den Alten waren. Bartholomäus Diaz brauchte über ein Jahr nach dem Cap *); ohnerachtet er schon vor dem 25° d. S. B. das Land verlassen hatte, um unmittelbar nach diesem Puncte zu steuern **).

Man braucht ja nur einen Vergleichungspunct zu nehmen, um zu wissen, wie viel Zeit und Anstrengung es neuern Seeleuten kostet, und wie vielen Gefahren sie ausgesetzt sind, wenn sie zum erstenmal an einem unbekannten Lande hinfahren. Auch zweifle ich, ob ein heutiger Seemann es unternehmen würde, Afrika ganz genau zu umsegeln, wie es hätten die Alten thun müssen, um nie das Land aus den Augen zu verlieren, die widrigen Winde zu bestehen, durch Ströme und Stürme seine Strasse zu verlieren, und die meisten Nächte beyzulegen oder Anker zu werfen; ich zweifle, sag' ich, daß einer unserer Seeleute mit dieser Reise in weniger, als drey Jahren,

*) Er verließ Europa im August 1486, und kam im December 1487 wieder zurück.

**) Er nannte es das Cabo tormentoso, oder de los Tormentos, das Vorgebirg der Stürme.

fertig werden würde. Nun ist es aber an sich unglaublich, daß Schiffer, wie die der Alten, hätten ausführen können, was den unsern unmöglich ist, da jenen alle Hulfsmittel fehlten, welche diese in den europäischen Niederlassungen längs der afrikanischen Küste fänden.

Nehmen wir noch zu solchen Betrachtungen, daß uns der Bau und die Leitung der Schiffe der Alten hinlänglich bekannt ist, um als Thatsache anzunehmen, daß sie länger, als auf einen Monat, Lebensmittel und Wasser laden konnten. Wie oft mußte Eudox also auf den unwirthlichen Küsten Afrika's anlegen, um sich, und oft mit Gewalt, beydes während einer dreyjährigen Fahrt zu verschaffen? Und welche Schwierigkeiten hatt' er zu überwinden, welchen Gefahren zu trotzen, wie viele Leute zu verlieren, welchen Widerstand von Wilden zu finden, wenn er Lebensmittel und Wasser einnehmen wollte, ohnedieß die schwierigste Operation des Seelebens?

Man hat eine, mehr als unwahrscheinliche, Thatsache mit der Wahrscheinlichkeit zu vereinigen gesucht, indem man annahm, daß zur Zeit, da die Alten diese Reise ausgeführt haben sollen, der ganze Süden von Afrika noch unter Wasser war *).

Da ich hier meinen eigenen Kräften nicht traue, so will ich die Hülfe eines modernen und gelehrten Seemanns entlehnen, und, wenn auch seine Autorität nicht hinreicht, um einen Irrthum, von dem hier die Rede ist, zu berichtigen, sagen, daß unter den Alten sogar Männer, die zu den besten Geographen gehören, Strabo und Ptolomäus, von dieser angeblichen Reise, als von Fabel sprechen.

„Zur Zeit, da die alten Seefahrer ihre Reisen machen konnten, bezeugen uns die Periplen, welche das Andenken derselben aufbewahrt haben, die Existenz der Landenge von Suez. Diese ist nicht so hochgelegen, als das übrige Africa. Africa konnte also nicht mehr unter Wasser stehen; die Argonauten konnten demnach nicht über die Ebenen dieses Welttheils wegschiffen, und das Cap der guten Hoffnung mußte

*) Unter den Neuern ist der Verfasser der Histoire du monde primitif ein eifriger Anhänger dieser ausschweifenden Meinung. S. den 6ten Band s. Werks.

umfahren werden, wenn diese Reisen Statt finden sollten."

„Bedenken wir nun der Alten wenige Kenntniß in der Schiffahrt, ihre Unkunde im Compasse, und daß sie in dieser Hemisphäre die Nord-Sterne, die sie leiteten, aus dem Auge verlieren, und ihnen unbekannte dafür finden mußten; berücksichtigen wir den Bau ihrer Schiffe ohne Verdecke, und gar nicht geeignet, die Wellen des Ozeans, die in diesen Gewässern so hoch gehen, zu bekämpfen, daß selbst im Sommer die Süd-Ost-Winde hier Stürme sind, die nicht jedes Schiff bestehen kann, und nehmen wir noch die Meinung der bereits angeführten Schriftsteller dazu, so meyn' ich, daß wir immer annehmen können, daß diese Reise nicht früher gemacht wurde, als bis uns die Portugiesen die neue Strasse gezeigt haben *)."

Ich möchte noch bestimmter urtheilen, als der französische Seemann, und, ohne eine Autorität, mich auf die blosse Erfahrung berufen.

*) Voyage de la côte d'Afrique, par L. Degrandpré. Tom. 2.

Niemand wird läugnen, daß die modernen Seeleute weit geschicktere Schiffer sind, als die Karthager, Phönizier u. a. waren.

Ich wette daher Eins gegen Hundert, daß man in ganz Europa keinen Seemann finden wird, der es unternehmen möchte, das Vorgebirg der guten Hoffnung auf einem Schiff, wie die der Alten waren, selbst nicht auf der Argo, oder auf der ägyptischen Galeere, von der uns Plutarch erzählt *), zu umsegeln; fände sich aber auch ein solcher Thor, so wett' ich Zweyhundert gegen Eins, daß man nie mehr etwas von ihm hören wird.

*) Sie hatte 300 Fuß Länge im Kiel, 40 Reihen Ruder, 400 Matrosen, 4000 Ruderer und 3000 Soldaten. Siehe das Leben von Demetrius.

Sechszehnter Brief.

Auf der See.

Wissen Sie, mein Herr, wo man den Ursprung aller Mährchen über die angebliche Kenntniß der Alten von Amerika suchen muß?

In derselben Quelle, aus welcher zu jeder Zeit alle Verläumdungen gegen Genie und Tugend geflossen sind. In demselben Geist, in dem sich Lactanz und der heilige Augustin im vierten und fünften Jahrhundert gegen die Existenz der Antipoden erhoben haben; in demselben Geist, der das niedrige Echo von Ferdinands und Isabellens Undankbarkeit, und der Feigheit eines Bovadilla und Orando, der würdigen Diener solcher Herren, war, welche die Art von Ungnade, den ersten Lohn von Colon's Anstrengungen und Diensten, dazu benutzten, um ihm die Ehre der Entdeckung streitig zu machen.

Nachdem die neidische Mittelmässigkeit über seine Meinung wegen der Existenz von Amerika gelacht, nachdem sie die Abgeschmacktheit derselben (5) bewiesen hatte, oder bewiesen zu haben glaubte, und ihm den Ruhm, daß er dasselbe gefunden, nicht mehr streitig machen konnte, wollte sie ihm wenigstens die Ehre, daß er es errathen, rauben.

Nie machte sie vielleicht grössere Anstrengungen für ihre theure, unzertrennliche Gefahrtin, die Unwissenheit.

Nachdem sie sich vergebens auf die Alten zu stützen gesucht hatte, rief sie die Neuern zu Hülfe, und so wollte man die Ehre von Amerika's Entdeckung zuwenden:

1.) den Norwegern, Biarn und Lief, welche 1003 eine Kolonie auf der Küste errichtet haben sollten, die man später Labrador oder New-Foundland genannt hat;

2.) einem gewissen Madoc, oder Madox, Fürsten von Wallis, im Jahr 1170;

3.) den Brüdern Anton und Nikolaus Zeni, beyde im Dienste eines Königs von Finnland, welche 1390 Labrader sollen gefunden haben;

4.) dem Alonzo, oder Alphons von Huelva, der 1478 dem Colon Denkschriften über seine angebliche Entdeckung von Amerika, und unter andern über die Insel St. Domingo, auf einer Fahrt von den Canarischen Inseln nach Madera, mitgetheilt haben soll;

5.) einigen Schiffern vom Cap Breton, bey Bayonne, welche auf westlicher Fahrt, in Verfolgung eines Wallfisches, zu gleicher Zeit Canada entdeckten, das 1534 durch Jacob Cartier, welcher im folgenden Jahr im Nahmen Franz I. die Luisiana in Besitz nahm, wirklich entdeckt wurde.

Marcus Escarbot, welcher geschrieben hat, wie das Thier geschrieben haben würde, dessen Nahmen er führte, sagte im Jahr 1608: „daß seit Menschengedenken und von mehreren Jahrhunderten her, die Seeleute von Dieppe, St. Malo, Rochelle, Havre de Grace, Honfleur u. a. Orten gewöhnliche Reisen wegen des Stockfischfanges nach diesem Lande gemacht haben;" *) woraus der Verfasser der Geschichte und

*) Histoire de la nouvelle France.

des Handels der englischen Colonieen schloß: „daß das nördliche Amerika lange vor Colon bekannt gewesen sey.“ *) Dabey stützte er sich noch auf die Autorität von Wilhelm Postel, der weiter geht, und will, daß die Franzosen, von Alters her, wahrscheinlich noch vor der Sündfluth, diesen Theil von Amerika **) besucht, den Verazzani 1523, und Cartier, wie schon gesagt, 1534 und 1540 berührt haben; um welche Zeit er, zu seinem großen Erstaunen, einen Theil der Vorgebirge mit französischen oder boskischen Nahmen versehen fand; als ob sie diese Nahmen, nicht einige Jahrhunderte, sondern dreyssig bis vierzig Jahre vor Ankunft dieses Seemanns erhalten hätten! Dieß war aber allerdings der Fall; indem die Bretagner und Normannen von 1504 an, das heißt, nicht vor, sondern zwölf Jahre nach der Zeit, da Colon Amerika entdeckte ***), die erste

*) Histoire de la nouvelle France. Kap. 2.

**) ebendas in dems. Kap.

***) Er fuhr am 3ten August, 1492, etwas vor Sonnen-Untergang, aus.

Fischer-Unternehmung auf New-Foundland angelegt haben.

Noch findet man in den Chroniken der Normandie und in einigen Werken über den französischen Handel Traditionen, welche den Bewohnern von Dieppe die, im Jahre 1390 gemachte, Entdeckung des Gambia-Flusses in Africa zuschreiben, wo sie wirklich einen Posten anlegten. Wenn nun die Annalen der Schiffahrt diese Thatsache aufbewahrt, wie ist zu glauben, daß sie die Entdeckung einer neuen Welt verschwiegen haben sollten?

Ausserdem stützen sich Herr Escarbot und Postel auf keinen Beweis, keine Autorität, welche geeignet wäre, das allgemeine Zeugniß zu balanciren, das die Entdeckung von Amerika dem Colon beymißt. Auch ist um so gerechterer Verdacht gegen Marcus Escarbot und Wilhelm Postel, daß sie aus Leichtsinn oder Absicht die ersten, von den Franzosen auf New-Foundland gemachten, Fischerey-Niederlassungen um ein oder zwey Jahrhunderte zurückgeschoben haben, weil sie daraus ihr ausschliessendes Recht an diesen Besitz beweisen wollten; indem Cornelius Wytfliet und andere glaubwürdigere Schriftsteller als beyde sind, ausdrücklich das Jahr 1504 als jene Epoche nennen.

Sogar die Deutschen haben die Ehre von Amerika's Entdeckung ihrem Nürnberger Landsmann, Martin Behaim von Schwarzbach, (6.) zumessen wollen; darum auch einer unsrer besten Geschichtschreiber gesagt hat: „Als Colon Europa zu versprechen wagte, daß er durch unbekannte Meere hindurch neue Länder entdecken wolle, so hielt ihn beynah ganz Europa für wahnsinnig. Allein nachdem er sein Versprechen erfüllt hatte, machten die Spanier, weil er kein Spanier war, die Entdeckung, daß ihm einer ihrer Piloten den Weg nach der neuen Welt vorgezeichnet habe. Die Gelehrten entdeckten diese Welt dann sogleich auch in den Schriften der Alten, und besonders in einer Prophezeihung des Tragikers Seneka. Die Theologen blieben auch nicht zurück, und fanden die Bekehrung ihrer Einwohner in einer Prophezeihung des Abdias." *)

*) Histoire générale de l'Asie, de l'Afrique et de l'Amerique. Tom. 13.

Was mich betrifft, so setz' ich nur noch das Wenige hinzu:

Wenn man vor Colons Muthmaßungen so viele Beweise für die Existenz von America hatte; wie konnt' es ihm so schwer werden, nicht die Gewißheit, sondern nur die Wahrscheinlichkeit derselben zu begründen? (7.)

Warum sah man ihn so lang für einen Träumer an, weil er statt Thatsachen und Documenten, nur die Ahnungen des Genie's geben konnte?

Wie kam es, daß Colon, nachdem er so wiederholte Beweise, so viele glaubwürdige Zeugen seinen Feinden entgegen setzen konnte, ausser der abergläubischen Unwissenheit, noch zwanzig Jahre lang das Mißtrauen und den Unglauben zu bekämpfen hatte?

Die Europäer hatten schon seit mehr als einem Jahrhundert Fischerey-Niederlassungen in America, und Colon galt für einen Abenteurer, für einen Narren, für einen Ketzer, für einen Betrüger, für einen Gottlosen, weil er behauptete, daß diese vierte Welt existirte?

Wie konnte endlich die Entdeckung von America, diese Entdeckung, zu welcher blos die Hartnäckigkeit von Colons Genie Europa gezwungen hat, wie konnte sie ein so ungeheures, so gerechtes Aufsehen erregen, wenn dieser Welttheil in Norwegen schon durch Biam und Lief, in England durch den Wallifer Madoc, in Finnland durch die Brüder Jeni, in Spanien durch Huelva, in Frankreich durch die Seeleute von Bayonne, Dieppe und St. Malo, und in Deutschland durch den Nürenberger Behaim bekannt war?

Ich fürchte, mein Herr, daß ich in diesem Brief Ihre Geduld und die Freyheit gemißbraucht habe, die sich die Reisenden zuweilen nehmen, um über alles zu reden, was ihnen einiger Aufmerksamkeit werth scheint. Allein da ich mir dieses Recht vorbehalten habe, so muß ich mir seinen Genuß doch von Zeit zu Zeit durch den Gebrauch desselben versichern.

Wohl möcht' ich Sie für die Mühe, das Bisherige gelesen zu haben, durch eine hübsche Beschreibung des Piks von Teneriffa entschädigen, in welchem wir, so wie wir Lust dazu haben, den wahren Atlas der Fabel und der Geschichte finden können, wenn wir nur einigen sehr gelehrten Reisenden glauben wollen. Aber zu meinem

Verdruß glich die Atmosphäre ganz den Untersuchungen dieser Herren, — sahen wir nicht klar genug, um den Pik bestimmt zu erblicken. —)

Statt Ihnen also von dem Eindruck zu sagen, den dieser Anblick unfehlbar auf mich gemacht haben würde, geb' ich Ihnen ein Beyspiel von der Unmacht des menschlichen Geistes, einen gewissen Grad von Genauigkeit selbst in Wissenschaften, die er am meisten verpollkommnet hat, und die der Vervollkommnung am fähigsten sind, zu erreichen, und führe Ihnen einige Höhenbestimmungen des Piks an.

Oft findet man in der Gesellschaft Leute, welche kühn über dergleichen Fragen absprechen. Aber ich will Sie in den Stand setzen, denselben zu beweisen, daß man viel lesen und begreifen muß, um sich von der einzigen Wahrheit zu versichern, welche ein Weiser als am genügendsten bewiesen angesehen hat; die Wahrheit nemlich: zu wissen, daß er nichts wußte.

Der Pater Fevillé gibt dem Pik von Teneriffa 2213 Toisen Höhe.

Der Verfasser des Tagebuchs einer Reise nach Ostindien 2730.

Cassini 2743;

Bouguer, 2082;

Die Herren von Pingre und Borda, 1994;

Colberg, 2000;

Cook, 2346 englische Klafter;

Heberden, 15,396 Fuß. *)

Über den Handel dieser Inseln hab' ich nur unvollkommene Nachrichten, unerachtet sie eines sehr vortheilhaften fähig wären, wenn sie gehörig angebaut und administrirt würden. Man versichert, daß England an denselben für über vierzig tausend Pfund Sterling Produkte seiner Industrie und seiner Manufakturen verkauft, und von ihren Artikeln nur Wein, Zucker, Gummi und Früchte, zum Werth von 10,000 Pf. ausführt, wodurch sein Bilanz 33,263 Pf. St. gewinnt.

Womit bezahlen die Canarier den Engländern diese Summe? Unmöglich anders, als mit dem Gewinn von den Artikeln, welche sie den, bey ihnen einsprechenden, Seefahrern liefern, von ihrem Handel mit den übrigen Nationen, und und besonders mit ihrem Mutterstaate, der ihnen

*) Der Verfasser des Account of the english settlements in new South-Wales hat 15,371 Fuß.

höchstens für 500,000 Franken seiner Produkte bringt, und für den sie ein lästiger Besitz seyn müssen, indem der sogenannte Almoxarifazgo-Zoll von sechs Prozent, welcher auf allen ein- und ausgeführten Waaren liegt, nicht für ihre Administrations-Kosten hinreicht. Wenn diese Inseln daher nicht einst ganz zu Grunde gerichtet werden sollen, so müssen sie sonstwo den Gewinn finden, den England von ihnen zieht, wenn er so groß ist, als man ihn angibt.

Warum vereinigen sich die sämmtlichen Seemächte, welche die Canarischen Inseln alle nöthig haben, nicht zu einer Maßregel, die sie wirklich zu dem machen würde, was sie nur dem Namen nach sind, und erklären sie nicht für immer zu neutralen Häfen, während aller Kriege, die sie führen, und die sie noch lange zu führen thöricht genug seyn werden? Diese Maßregel kann keiner von ihnen schädlich seyn; und der Vortheil hiervon wäre für eine Macht, die selbst unbedeutend ist, so unbedeutend, daß diese Rücksicht den allgemeinen Nutzen unmöglich aufwiegen könnte.

Siebenzehnter Brief.

Auf der See.

Die Begierde, mit der ich von meiner frühsten Jugend an alle Reisebeschreibungen verschlungen habe, mein Herr; dieser Instinkt in mir, welcher ohne Zweifel ein Vorgefuhl war, hat mich doch nie so sehr beherrscht, um gewissen Reisenden die kalten und kleinlichen Details, die unbedeutenden Erzählungen verzeihen zu können, die von der Genauigkeit, mit welcher uns der ehrwürdige Pater Labat alle Messen, die er gelesen, berichtet, bis zu der Pünctlichkeit, mit der der Herr Marquis von Chastelux dem Leser selbst jedes seiner Mittagessen auftischt, ein Mißbrauch sind, welcher dem Interesse, das jeder Reisende anspricht, weit schädlicher ist, als der Mißbrauch, den Schmuck einer glänzenden Einbildungskraft, oder die Unterstützung einer scharfsinnigen Eigenliebe oft der Wahrheit selbst zu leihen.

Da ich denn bis jetzt vermieden habe, das Tagebuch, in das ich die Materialien zu meinen Briefen aufzeichne, mit allen Details, welche mir immer abgeschmackt schienen, zu beladen, so find' ich in demselben auch gar nichts, als einen Sonnen-Untergang, eine schöne Nacht und eine Anspielung aufgezeichnet.

Sie begreifen wohl, daß Letztere nicht von der Classe derjenigen seyn kann, die eine strenge Vernunft der menschlichen Gebrechlichkeit so ungerecht vorwirft. Ach! In dem Leben, das wir führen, sind nur unsre physischen Organe einer solchen Schwachheit fähig! Sie werden im Durchschnitt durch alle Gegenstände, mit denen sie sich gewöhnlich beschäftigen, zu unangenehm afficirt, als daß man ihnen nicht verzeihen müßte.

Entweder ist es Unwissenheit, oder Aberglauben, oder vorsätzlicher Betrug, mein Herr, daß wir in den Berichten der alten Reisenden die ungereimtesten Visionen und selbst Gespen-

Ursachen für dieses sonderbare Phänomen gar nicht fehlen liessen.

Einige Reisebeschreiber haben uns Schilderungen von Sturmen gegeben, welche, wenn auch nicht durch die Kunst, mit der sie entworfen wurden, doch durch die Natur des Gegenstands, grosse Wirkung machten.

Die Dichter, die das Meer nie anders, als auf Gemälden gesehen, übertrieben solche Schilderungen, verstärkten die Schatten und die Züge dieser grossen und finstern Scenen. Aber beyden begegnete auch, wie allen, welche ausdrücken und mahlen wollen, was sie nie gefühlt und nie gesehen. Von einer Einbildungskraft beherrscht, deren Bewegungen die Erfahrung nicht leitet, deren Verirrungen sie nicht berichtiget, entwerfen sie fantastische Gemählde, welche in der Aeneide, in der Henriade, in Crebillons Idomeneus, wo alles hinaufgeschraubt ist, an ihrer Stelle sind, in denen der Reisende aber vergebens die Natur sucht.

Unter den Neuern haben Thomson und Saint-Lambert, deren Genie und Erfahrung tiefes Studium und getreue Darstellung der Natur erlaubten, Stürme geschildert. Auch Vernet hat in seinen unsterblichen Gemählden einige Züge aus diesen Scenen des Jammers und Schreckens gegeben, deren Schauplatz unsre Küsten nur zu oft sind.

Herr Bernardin von Saint-Pierre hat mit festem und finsterm Pinsel einige dieser furchtbaren Aufregungen der Natur in den stürmischen Gewässern de los Tormentos. gemahlt. Aber was, soviel mir bekannt ist, noch kein Reisender zu schildern versucht hat, und was ich auch Keinem zu schildern rathen möchte, ist ein Sonnen-Untergang unter der heissen Zone, hinter einem jener Wolken-Vorhänge, den sie zuweilen als eine Scheidewand aufzustellen scheint, welche für das Auge undurchdringlich ist, das in die Geheimnisse des Hochzeitbettes eindringen wollte, in welchem Thetis den Apollo empfängt.

Keine Kunst, mein Herr, keine Einbildungskraft, kein Genie ist vermögend, diese ununterbrochene Folge von Feuer, diese unaufhörliche Degradation von Nüancen, vom reinsten Silber bis zum glänzendsten, braunsten Golde darzustellen; von der bleichsten Rosenfarbe, bis zum dunkelsten Purpur; vom klarsten Gelb, bis zum herrlichsten Azur; alles dieses, nach dem Grade des

Widerstandes, welchen die Durchsichtigkeit oder Dichtheit der Wolken den Strahlen entgegengesetzt, mit denen sie das Gestirn des Tages färbt.

Hier ergiessen sich, fluthen, verbreiten sich Lichtströme, wie flussiges Metall. Dort scheint die Hand des Allmächtigen selbst ungeheure Netze des schönsten Blau's auf einen von Gold und Rubinen glänzenden Grund geworfen zu haben.

Was aber diesem Gemahlde einen Karakter von Majestät gibt, den nichts zu schildern vermag, — ist die langsame, magische Bewegung, diese unmerkliche Entwicklung, diese nie rastende Beweglichkeit, deren Urheber man nicht sieht, und die, durch die unaufhörliche Mischung von Tinten Nüançen hervorbringt, von denen das Prisma des gewandtesten Lichtbrechers nur die bleiche Karikatur geben kann.

Ach, möchte solche Scene von Macht und Glanze sehen, wer keine andere Vorsehung anerkennt, als seine Weisheit, keine Zukunft, als das Loch, in welchem er h o f f t, daß seine Seele einst mit seinem Körper verwesen werde! Hieher muß er kommen, nicht um über die Elemente zu vernünfteln, welche zur Arbeit dieses erhabenen und geheimnißvollen Gemähldes wirken, sondern um Zeuge zu seyn von dem religiösen Schweigen, um es zu belachen dieses Schweigen, womit wir es betrachteten, und das wir alle, so viel unsrer da waren, mit einer so unwillkührlichen Bewegung von Bewunderung theilten, daß ich meinen Hut abnahm, und daß alle meinem Beyspiel folgten, ohne daß auf ein, unsrem Prediger *) gemachtes und wohlverstandenes Zeichen, daß er das Abendgebet anstimmen sollte, einer die Veränderung der Stunde bemerkte; so wahr, so einstimmig, so tief war der Eindruck!

Vielleicht halten Sie das für eine Übertreibung, mein Herr; aber ich kann Sie versichern, daß hier nur mein Unvermögen eine Schuld hat; indem ich das, was ich gesehn und gefühlt, nicht wieder geben kann.

Alle Menschen sind des Enthusiasmus fähig, besonders wenn ein grosses Natur-Schauspiel sich auf grosse religiöse Ideen zurückführt. Nie wird es vergessen werden, wie Bourdaloue einst auf der Kanzel ausgerufen hat: „wo seyd ihr, Israels

*) Auf Kauffartheyschiffen versieht der Wundarzt die Stelle des Predigers.

Bouguer, 2082;

Die Herren von Pingre und Borda, 1994;

Colberg, 2000;

Cook, 2346 englische Klafter;

Heberden, 15,396 Fuß. *)

Über den Handel dieser Inseln hab' ich nur unvollkommene Nachrichten, ungeachtet sie eines sehr vortheilhaften fähig wären, wenn sie gehörig angebaut und administrirt würden. Man versichert, daß England an denselben für über vierzig tausend Pfund Sterling Produkte seiner Industrie und seiner Manufakturen verkauft, und von ihren Artikeln nur Wein, Zucker, Gummi und Früchte, zum Werth von 10,000 Pf. ausführt, wodurch sein Bilanz 33,263 Pf. St. gewinnt.

Womit bezahlen die Canarier den Engländern diese Summe? Unmöglich anders, als mit dem Gewinn von den Artikeln, welche sie den, bey ihnen einsprechenden, Seefahrern liefern, von ihrem Handel mit den übrigen Nationen, und und besonders mit ihrem Mutterstaate, der ihnen

*) Der Verfasser des Account of the english settlements in new South-Wales hat 15,371 Fuß.

höchstens für 500,000 Franken seiner Produkte bringt, und für den sie ein lästiger Besitz seyn müssen, indem der sogenannte Almoxarifazgo-Zoll von sechs Prozent, welcher auf allen ein- und ausgeführten Waaren liegt, nicht für ihre Administrations-Kosten hinreicht. Wenn diese Inseln daher nicht einst ganz zu Grunde gerichtet werden sollen, so müssen sie sonstwo den Gewinn finden, den England von ihnen zieht, wenn er so groß ist, als man ihn angibt.

Warum vereinigen sich die sämmtlichen Seemächte, welche die Canarischen Inseln alle nöthig haben, nicht zu einer Maßregel, die sie wirklich zu dem machen würde, was sie nur dem Namen nach sind, und erklären sie nicht für immer zu neutralen Häfen, während aller Kriege, die sie führen, und die sie noch lange zu führen thöricht genug seyn werden? Diese Maßregel kann keiner von ihnen schädlich seyn; und der Vortheil hiervon wäre für eine Macht, die selbst unbedeutend ist, so unbedeutend, daß diese Rücksicht den allgemeinen Nutzen unmöglich aufwiegen könnte.

Siebenzehnter Brief.

Auf der See.

Die Begierde, mit der ich von meiner frühsten Jugend an alle Reisebeschreibungen verschlungen habe, mein Herr; dieser Instinkt in mir, welcher ohne Zweifel ein Vorgefuhl war, hat mich doch nie so sehr beherrscht, um gewissen Reisenden die kalten und kleinlichen Details, die unbedeutenden Erzählungen verzeihen zu können, die von der Genauigkeit, mit welcher uns der ehrwürdige Pater Labat alle Messen, die er gelesen, berichtet, bis zu der Pünctlichkeit, mit der der Herr Marquis von Chastelux dem Leser selbst jedes seiner Mittagessen auftischt, ein Mißbrauch sind, welcher dem Interesse, das jeder Reisende anspricht, weit schädlicher ist, als der Mißbrauch, den Schmuck einer glänzenden Einbildungskraft, oder die Unterstützung einer scharfsinnigen Eigenliebe oft der Wahrheit selbst zu leihen.

Da ich denn bis jetzt vermieden habe, das Tagebuch, in das ich die Materialien zu meinen Briefen aufzeichne, mit allen Details, welche mir immer abgeschmackt schienen, zu beladen, so find' ich in demselben auch gar nichts, als einen Sonnen-Untergang, eine schöne Nacht und eine Anspielung aufgezeichnet.

Sie begreifen wohl, daß Letztere nicht von der Classe derjenigen seyn kann, die eine strenge Vernunft der menschlichen Gebrechlichkeit so ungerecht vorwirft. Ach! In dem Leben, das wir führen, sind nur unsre physischen Organe einer solchen Schwachheit fähig! Sie werden im Durchschnitt durch alle Gegenstände, mit denen sie sich gewöhnlich beschäftigen, zu unangenehm afficirt, als daß man ihnen nicht verzeihen müßte.

Entweder ist es Unwissenheit, oder Aberglauben, oder vorsätzlicher Betrug, mein Herr, daß wir in den Berichten der alten Reisenden die ungereimtesten Visionen und selbst Gespenster *) auf der hohen See finden. Aber diese gute, alte Zeit ist nicht mehr, und es sind uns heutzutag nur noch einige optische Täuschungen übrig geblieben, deren wahrer Grund, so viel ich weiß, noch nicht aufgefunden ist, und welche eben darum durch Beyspiele bewiesen zu werden verdienen.

Vor wenigen Tagen segelten wir bey sehr schönem Wetter. Die Sonne war an einem völlig klaren Horizont untergegangen, als man durch den Ankerbalken vom Steuerbord, auf südlicher Fahrt, West viertels Südwest, Land zu entdekken glaubte.

Da uns unsre Breite, besonders in diesem Windstrich, auf mehr als dreyhundert Meilen, kein Land angab, so achtete man anfänglich nicht auf die Meldung des im Mastkorb wachenden Matrosen.

Eine zweyte Meldung machte uns aufmerksamer, und wirklich sahen wir, beym weitern Vorrücken, eine gebirgigte Küste emporsteigen,

*) S. d. Collection of original Voyages. Tom. 1. C. 6.

mit allen Karakteren, an welchen man das Land sonst erkennt. Alles war sichtbar: die Abnahme der Farbung in den Umrissen, die bestimmte Abtheilung der Höhen-Linien von der Küste bis auf die Spitze der Gebirge; stärkere Schatten der Massen, ohne bisarre und wechselnde Formen, welche die, am Horizont sich häufenden, Wolken bezeichnen.

Unsre Ferngläser sogar vollendeten die Täuschung, und setzten uns in den Stand, die angebauten Striche dieses Landes von den mit Gehölz und Felsen bedeckten zu unterscheiden. Kurz, mein Herr, der Betrug war so vollkommen, daß ein, durch sein gutes Gesicht berühmter, Matrose die Brandung des Meers an den Küsten bemerken wollte, und daß wir, bey aller Gewißheit, daß unter dieser Breite kein Land ist, unsre Richtung änderten, um diesem zuzusteuern.

Aber ob nur der Zauber blos in unsrer Strand-Stellung zu dem Gegenstand lag, oder ob der Irrthum von der Wirkung des Dämmerlichts auf die Dünste des Horizonts herrührte; das geheimnißvolle Land verschwand bald, und ließ uns nichts zurück, als Gespräche, die vielleicht nicht minder um Täuschung sich drehten; da wir es an

Ursachen für dieses sonderbare Phänomen gar nicht fehlen liessen.

Einige Reisebeschreiber haben uns Schilderungen von Sturmen gegeben, welche, wenn auch nicht durch die Kunst, mit der sie entworfen wurden, doch durch die Natur des Gegenstands, grosse Wirkung machten.

Die Dichter, die das Meer nie anders, als auf Gemälden gesehen, übertrieben solche Schilderungen, verstärkten die Schatten und die Züge dieser grossen und finstern Scenen. Aber beyden begegnete auch, wie allen, welche ausdrücken und mahlen wollen, was sie nie gefühlt und nie gesehen. Von einer Einbildungskraft beherrscht, deren Bewegungen die Erfahrung nicht leitet, deren Verirrungen sie nicht berichtiget, entwerfen sie fantastische Gemählde, welche in der Aeneide, in der Henriade, in Crebillons Idomeneus, wo alles hinaufgeschraubt ist, an ihrer Stelle sind, in denen der Reisende aber vergebens die Natur sucht.

Unter den Neuern haben Thomson und Saint-Lambert, deren Genie und Erfahrung tiefes Studium und getreue Darstellung der Natur erlaubten, Stürme geschildert. Auch Vernet hat in seinen unsterblichen Gemählden einige Züge aus diesen Scenen des Jammers und Schreckens gegeben, deren Schauplatz unsre Küsten nur zu oft sind.

Herr Bernardin von Saint-Pierre hat mit festem und finsterm Pinsel einige dieser furchtbaren Aufregungen der Natur in den stürmischen Gewässern de los Tormentos gemahlt. Aber was, soviel mir bekannt ist, noch kein Reisender zu schildern versucht hat, und was ich auch Keinem zu schildern rathen möchte, ist ein Sonnen-Untergang unter der heissen Zone, hinter einem jener Wolken-Vorhänge, den sie zuweilen als eine Scheidewand aufzustellen scheint, welche für das Auge undurchdringlich ist, das in die Geheimnisse des Hochzeitbettes eindringen wollte, in welchem Thetis den Apollo empfängt.

Keine Kunst, mein Herr, keine Einbildungskraft, kein Genie ist vermögend, diese ununterbrochene Folge von Feuer, diese unaufhörliche Degradation von Nüancen, vom reinsten Silber bis zum glänzendsten, braunsten Golde darzustellen; von der bleichsten Rosenfarbe, bis zum dunkelsten Purpur; vom klarsten Gelb, bis zum herrlichsten Azur; alles dieses, nach dem Grade des

Widerstandes, welchen die Durchsichtigkeit oder Dichtheit der Wolken den Strahlen entgegengesetzt, mit denen sie das Gestirn des Tages färbt.

Hier ergiessen sich, fluthen, verbreiten sich Lichtströme, wie flüssiges Metall. Dort scheint die Hand des Allmächtigen selbst ungeheure Netze des schönsten Blau's auf einen von Gold und Rubinen glänzenden Grund geworfen zu haben.

Was aber diesem Gemahlde einen Karakter von Majestät gibt, den nichts zu schildern vermag, — ist die langsame, magische Bewegung, diese unmerkliche Entwicklung, diese nie rastende Beweglichkeit, deren Urheber man nicht sieht, und die, durch die unaufhörliche Mischung von Tinten Nüançen hervorbringt, von denen das Prisma des gewandtesten Lichtbrechers nur die bleiche Karikatur geben kann.

Ach, möchte solche Scene von Macht und Glanze sehen, wer keine andere Vorsehung anerkennt, als seine Weisheit, keine Zukunft, als das Loch, in welchem er hofft, daß seine Seele einst mit seinem Körper verwesen werde! Hieher muß er kommen, nicht um über die Elemente zu vernünfteln, welche zur Arbeit dieses erhabenen und geheimnißvollen Gemähldes wirken, sondern, um Zeuge zu seyn von dem religiösen Schweigen, um es zu belachen dieses Schweigen, womit wir es betrachteten, und das wir alle, so viel unsrer da waren, mit einer so unwillkührlichen Bewegung von Bewunderung theilten, daß ich meinen Hut abnahm, und daß alle meinem Beyspiel folgten, ohne daß auf ein, unsrem Prediger *) gemachtes und wohlverstandenes Zeichen, daß er das Abendgebet anstimmen sollte, einer die Veränderung der Stunde bemerkte; so wahr, so einstimmig, so tief war der Eindruck!

Vielleicht halten Sie das für eine Übertreibung, mein Herr; aber ich kann Sie versichern, daß hier nur mein Unvermögen eine Schuld hat; indem ich das, was ich gesehn und gefühlt, nicht wieder geben kann.

Alle Menschen sind des Enthusiasmus fähig, besonders wenn ein grosses Natur-Schauspiel sich auf grosse religiöse Ideen zurückführt. Nie wird es vergessen werden, wie Bourdaloue einst auf der Kanzel ausgerufen hat: „wo seyd ihr, Israels

*) Auf Kauffarthеyschiffen versieht der Wundarzt die Stelle des Predigers.

Maste! Gehet zur Rechten!" Denn die Wirkung, welche er mit diesen wenigen Worten hervorbrachte, war so gewaltig, daß alle seine Zuhörer einstimmig und unwillkührlich aufstanden, um zur Rechten zu gehn!

Achtzehnter Brief.

Auf der See.

Wenn der Mensch die Vorsehung fragen dürfte, mein Herr, so wär' ihm wohl die Frage zu verzeihen, warum er die Menschheit, wenn er sie einmal schaffen wollte, nicht ausschliessend unter diese Breite, diesen Himmelsstrich gesetzt hat, wo eine mässige Temperatur so wesentlich zum Glück und zum Wohlseyn der Völker, die unter ihm wohnen, beytragen; statt zwey Drittheile derselben entweder unter die Gluten der heissen Zone, oder an das Polar-Eis zu stellen?

Allein die Vorsehung würde wohl dem, der eine so naseweise Frage machte, antworten: daß wir, weil diese Erde nicht unsre eigentliche Bestimmung ist, nicht über den Willen dessen vernünfteln sollen, welcher uns für einige Stunden auf dieselbe gesetzt hat.

In dem Clima, unter dem ich eigentlich nur so vorübergehe, ist die Hitze bey Tage freylich beschwerlich. Aber nie wird diese Beschwerlichkeit doch durch die angenehmen, regelmassigen Winde aufgewogen, welche hier so beständig sind, daß die regelmässige Unbeständigkeit unsrer Winde uns das kaum glauben laßt! Wie kühl sind die Morgen und die Abende! Wie besonders schön sind die Nächte durch die herrliche Reinheit des Himmels, an welchem das Auge diese ewig unzählbare Menge von Welten, von Sonnen, von Gestirnen, von Planeten durchlauft; wo ich, um mich eines erhabenen Ausdrucks von Lafontaine zu bedienen, lese:

> Sur le front des étoiles
> Ce que la nuit des temps enferme dans ses voiles.

Welch' Mutheinflössender Anblick für die unterdrückte Schwäche, welche all' ihre Hoffnung auf die gerechte Vorsicht eines Gottes baut, und für jene Empfindung eines edlen und gegründeten Stolzes, der zu den Freuden, wie zu den Schmerzen unsers kurzen Daseyns, lächelt, in der einen dieser Welten ein, für die Ungerechtigkeit unzugängliches Asyl, in einer andern den Thron der Tugend — in allen die glänzende Wohnung einer unbezweifelbaren, nahen Unsterblichkeit sieht *).

Ich begreife freylich wohl, mein Herr, daß der, welcher das Glück entweder in die Unabhängigkeit von jeder Pflicht, oder in das traurige Vermögen setzt, ungestraft Unglückliche machen zu können, auf eine Wonne verzichtet, die nichts für ihn seyn kann, da sie weder Opfer, noch Thränen kostet. Aber ich kenne noch besser seinen geheimen Haß gegen den Gerechten, dem die Hoffnung nichts anders ist, als der Anspruch

*) Die Meinung, daß der Mond und folglich auch die übrigen Planeten bewohnt seyen, ist nicht neu, wie Viele glauben, die sich durch Fontenelle's Angabe verführen liessen. Schon Orpheus, Pythagoras, Anaxagoras und Demokrit nahmen Gebirge, Thäler und Einwohner im Mond an.

an eine Unabhängigkeit, welche ihn früher oder später seiner Herrschaft entreißt. O sie sind häufiger, als man glaubt, die Menschen, welche nur darum nicht an die Unsterblichkeit glauben wollen, weil sie der Ausübung einer Gewalt, die keinen Reitz mehr für sie hat, sobald sie beschränkt ist, Grenzen setzt! Gern möchten sie von dem Gerechten sagen, wie Tiber einst von dem Mann, den ein freywilliger Tod seiner Wuth entzogen hatte: er entgeht mir! Sie glaubten morgen an die Unsterblichkeit, wenn man ihnen diese Macht zusicherte!

Leute, welche die Gestirne der Nacht nur durch den mehr oder weniger trüben Himmel nördlicher Gegenden gesehen haben, reden mit Enthusiasmus von Italiens Himmel während einer schönen Nacht.

Nun kann ich aber aus Erfahrung sagen, daß zwischen dem Himmels-Gewölbe der heissen Zone und dem des südlichen Europa's, in Rücksicht auf den Himmel, auf den glänzenden Schimmer der Sterne und ihrer Menge, eine noch weit grössere Verschiedenheit ist, als man sie zwischen dem mittäglichen und nördlichen Europa bemerkt.

Die Betrachtung dieses schönen Schauspiels hat so viel Anziehendes für mich, daß ich mich immer, wie spat es auch seyn mag, nur mit Gewalt von dem Verdeck losreisse, um mich in die Art von Gewölbe zu begraben, in welchem ich, weil der Schlaf einmal ein Bedürfniß ist, Nächte zubringen muß, die schöner und interessanter sind, als die herrlichsten Tage; Nächte, während denen ich mehr Welten über mir wegrollen sehe, als ich Körner in dem Sand der Kugel erblicken kann, über die ich hinwandle.

Es ist mir in solchem Fall beynahe leid, mein Herr, daß mein Stern in einem, an Atheisten so fruchtbaren, Zeitalter gewollt hat, daß wir keinen an Bord haben sollten. Nicht, als ob ich diese Art von Onanisten eben sehr empfänglich für das Schauspiel hielte, welches uns der Himmel hier zeigt; denn sie sind zu unredlich, um der Bewunderung fähig zu seyn. Aber ich möchte sie hier gar zu gerne durch ein Argument niederschlagen, welches mir immer das bündigste gegen den Atheismus geschienen hat, und möchte sie auffodern, mir zu sagen: warum dieselbe blinde Kraft, derselbe Zufall, dieß unbekannte Etwas, das die Alten Schicksal nannten, und für das wir gar keinen Nahmen haben, wenn wir den des Fatalismus nicht gelten lassen wollen; ich möchte sie auffodern, sag' ich, mir zu erklären: warum diese blinde Kraft, welche, nach ihrer Meinung, die Bildung des Weltalls beherrscht hat, nicht unaufhörlich die treue Harmonie, die wir in der Bewegung der Himmelskörper bemerken, stört, indem sie entweder eine Ordnung verwirrt, welche, so bald sie nicht mehr das Werk eines denkenden Wesens ist, keinem Gesetz unterthan seyn kann; oder indem sie durch dieselbe Schöpfungskraft, der wir weder Absicht, noch Grenzen, noch Regeln zutrauen durfen, wenn wir sie durch keinen Willen bewegt denken, Verwirrung in sie bringt?

Und dennoch erlauben unsre schwachen Augen, und unsre Fernrohre von Holz und Glas unsrem Blick nicht, die Gegenstände auf weiter, als auf ganz nahe Entfernung, zu erreichen. Was wär' es erst, wenn ein vollkommneres Werkzeug uns in den Stand setzte, bis dahin zu bringen was uns unsre Unmacht Raum, Leere, das heißt, Nichts nennen läßt! ....

Gestehen wir ehrlich, mein Herr, daß das Weltall ohne Gott, oder Alles, durch das

Nichts hervorgebracht, blos als Wirkung, ohne Ursache betrachtet, ein, so völlig abgeschmackter, Gedanke ist, daß man unmöglich an die Existenz eines aufrichtigen Atheisten glauben kann, wenn er anders so viel Verstand hat, um zu begreifen, daß Eins und Eins Zwey sind.

Ich dachte immer, und meine gegenwärtige Erfahrung beweiset mir mehr, als je, daß das sitzende und speculative Leben das Urtheil der Menschen am meisten verwischt. Jeder Gelehrte, der sich in sein Cabinet oder in eine Bibliothek einschließt, gewöhnt sich daran, blos zu denken, was er lieset, und blos zu fühlen, was ihm die vier Mauern, in die er sich verschlossen hat, einflössen, nemlich, nahezu Nichts. Alle Arbeiten der Gelehrten in diesem Punct riechen nach dem Oel, und sind daher jedem widerlich, welcher das Licht am hellen Tag, und Gott in der Natur sucht.

Wer sich denn nun mit seiner Existenz durchdringen will, ohne sein Cabinet oder sein Bibliothek zu verlassen, verliert unfehlbar die Spur des einzigen Wegs, welcher zu dieser Erkenntniß führt. Die Werke des Menschen, alle Anstrengen seines Genies zeigen ihm nie mehr, als den

Menschen. Nur die Natur beweiset uns Gottes Existenz, was wir daran erkennen mögen, daß seine Anbeter im Geist und in dem Herzen auf dem Lande, und die Atheisten in den Städten leben.

Diese sehen in dem Himmel nichts, als den Himmel ihres Bettes oder die Decke ihres Zimmers. Jene geniessen die Früchte ihrer Arbeit und ihres Vergnügens blos unter dem Gewölbe des Himmels, das sie für die Wohnung dessen ansehn, welcher das Gute belohnt, und das Böse bestraft. Diese erkennen blos die Meinung der Welt, welche sie verachten, für Richter und Entscheidung an; jene die ewige Gerechtigkeit eines Wesens, das für Irrthum und Leidenschaft unzugänglich ist. O wie schön ist die Maxime der persischen Gesetzgebung: „Fürchte die, welche Gott nicht fürchten!"

Die Erziehung, die die Jugend in den Schulen erhält, ist so unnatürlich, daß ich einst mit einem jungen Menschen reisete, der zum erstenmal aus einer Pariser Erziehungs-Anstalt getreten war, und viel gelernt hatte, und der mich in allem Ernste frug: auf welchem Baum das Getreide wachse?

Neunzehnter Brief.

Auf der See.

Es ist ein Glück für die Seeleute, mein Herr, daß der Raum, auf welchen sie beschränkt sind, ihrer Thätigkeit gewisse Schranken setzt, einer Thätigkeit, die ihnen noch weit natürlicher ist, als den übrigen Menschen; denn ich weiß gar nicht, wohin die Mutter aller Laster, der Müssiggang, zu welchem sie bey schönem Wetter verurtheilt sind, sie führen könnte. — Sie sehen wenigstens aus diesem Brief, daß meine Muße mich gerade nicht dahin gebracht hat, Sie unnütz mit meinem Briefwechsel zu ermüden; denn seit den Canarischen Inseln konnt' ich es kaum viermal über mich gewinnen, meine Bemerkungen ein bischen in Ordnung zu bringen.

Die Einförmigkeit unsrer Fahrt und unsres Lebens, seitdem wir die Passat-Winde erreicht haben, erlaubte mir gar nicht, Ihnen etwas Neues zu sagen. Dabey fühl' ich doch mehr, als je, das Bedürfniß, der Langenweile zu entgehen, blicke um mich, und finde gar nichts zu beobachten, als uns selbst. Ich will daher, in Ermanglung von Ereignissen, mich mit einigen Details befassen, welche, wenigstens für Sie, das Verdienst der Neuheit haben werden.

Keine Menschen-Klasse setzt einen größern Werth auf die Details des Lebens, als die Seeleute; was wohl ganz natürlich ist. Überall sonst ist die Existenz jedes Einzelnen unvermeidlich von den allgemeinen Interessen der ganzen Gesellschaft abhängig. Man dreht sich um die gewöhnlich einförmigen Details des Privatlebens, und bleibt nur bey dem stehen, was die Leidenschaften anstößt, den Interessen Bewegung gibt, und mehr oder minder verschiedene Epochen bildet.

Ganz anders ist es auf der See. Hier scheint jede, dem Gefühl der Selbsterhaltung fremde, Empfindung für den Menschen aufgeschoben zu seyn. Alle Neigungen sind gewissermassen blosse Reminiscenzen. Alle persönlichen Intereſſen concentriren ſich zu Einer gemeinſchaftlichen Maſſe.

Mehr, als überall ſonſt, kettet ſich die Thätigkeit des Geiſtes an die taglichen Details einer Lebensweiſe, deren Ordnung die Anſtrengung des umfaſſendſten Genie's vergebens zu ändern ſtreben würde.

So tritt denn auch hier der Auf- und Niedergang der Sonne und des Monds, ihr Einfluß auf die Temperatur und die Winde, die Beobachtungen am Himmel und in der Nautik, die Vorzeichen, welche die Erfahrung auf die Gattung und den Strich der Fiſche, beſonders der Delphine, die Gattung und den Flug der Vögel, die Begegnung des Fucus natans, und der See-Pflanzen überhaupt, unter welchen die ſogenannte tropiſche Traube manchmal unüberſehbare grüne Flächen bildet — ſo tritt alles dieß hier an die Stelle von politiſchen Conjecturen, von Berechnungen des Ehrgeitzes und der Habſucht, der Thätigkeit der Intrike oder des Bedürfniſſes, der Verläumdung, der Schauſpiele, der Moden, der Literatur, der wahren und falſchen Neuigkeiten, der ſcandalöſen Anekdoten u. dgl. . . .

Die angenehmste unsrer Erhohlungen ist die Erzählung von den Reisen, in welchen unsre Seeleute, so zu sagen von Kindheit auf, alle Wechsel ihres gefährlichen Standes erfahren haben. Keiner ist unter ihnen, der nicht Schiffbruch gelitten, oder in einigen Stürmen alle Leiden, alles Unglück versucht hätte, das diese zu häufigen Natur-Ereignisse auf das Haupt eines Menschen versammeln können. Und ihre Erzählungen sind um so anziehender, da sie ohne Kunst und ohne Ansprüche gemacht werden.

Man schlaft hier ein, mit der Hoffnung, denselben Wind zu behalten, wenn er gut, oder einen andern zu bekommen, wenn er widrig ist. Man erwacht, wie man eingeschlafen, und wie uns unsere Gedanken auf dem festen Land zuerst zu unsern Geschäften oder Vergnügungen treiben; wie der Höfling an das Lever seines Fürsten eilt, um in seiner Stellung, seinen Mienen, seinem Blick zu bemerken; auf welchen Punct in dem glänzenden Kreis, der ihn umgibt, der Strahl seiner Gunst fallen wird; so drängen wir uns hier zum Compasse, um in der Richtung der Magnet-Nadel die unsichtbare Kraft zu suchen, welche unsre Schicksale lenkt.

Bedenkt man die Revolution, welche eine sonderbare Eigenschaft des Magnets bey allen seefahrenden Völkern hervorgebracht hat, und von Hand zu Hand, bey allen Nationen der Erde; überlegt man, wie viel Gutes und Schlimmes, wie viele Reichthümer und wie viel Elend wir der Erfindung des Compasses verdanken; so wird dieses kleine Instrument dem Beobachter doppelt merkwürdig.

Im Anfang bediente man sich desselben, indem man die Magnetnadel auf einem, mit Wasser gefüllten Gefäß, welches in Schnüren hing, treiben ließ; daher man sie auch den Frosch nannte.

Wem verdanken wir nun diese, in unsern Tagen so sehr vervollkommnete, Erfindung? — Das weiß niemand; und so kennt man denn von der wichtigsten Erfindung der Neuern weder den Urheber, noch die Zeit; was uns indeß nicht hindern kann, sie der Natur selbst beyzumessen *).

*) Anspielung auf des berühmten Buffons Epoques de la nature, ein Werk, das den literarischen Ruhm dieses Mannes etwas beeinträchtiget hat.

Der alte französische Dichter Fauchet führt die Verse eines andern Dichters, Namens Guiot de Provins *) an, welcher 1200 des Compasses erwähnt, dessen man sich zu seiner Zeit bediente.

Der Pater Lafitau sagt: unerachtet man behauptet, daß Vasquez im Jahr 1498 zu Mehinde von einigen Bonianen den ersten Compaß erhalten habe; so schreiben doch andre, glaubwürdige Männer dessen Erfindung dem Flavius von Melfi, einem Neapolitaner, zu, welcher zweyhundert Jahr vor Vasquez gelebt hat **).

Ist dieser Flavius von Melfi dieselbe Person mit dem Flavio Gioja, einem Bürger von Amalfi, im Königreich Neapel, welchem Robertson die Ehre dieser Erfindung im Jahre 1302 beymißt? ***).

*) Er lebte im zwölften Jahrhundert, und schrieb ein Gedicht, la Bible, in welchem er von dem Kompasse redet.

**) S. die Histoire des découvertes et des conquêtes des portugais dans le nouveau monde.

***) Geschichte von Amerika. Erstes Buch.

Die Nahmen Flavius und Flavio sind gleichbedeutend. Beyde waren Neapolitaner, und beyde lebten zu derselben Zeit. Wie soll man sich nun in dieser Ungewißheit helfen? . des berühmten Cassini's Meinung beytreten, welcher in einem astronomischen Memoire sagt, daß man weder den Erfinder des Compasses, noch die Zeit seiner Erfindung kennt?

Die einzige, erwiesene Thatsache ist, daß der Reisende, Marco Polo, bey seiner Rückkehr von China den ersten Compaß nach Frankreich gebracht hat.

Seit der Breite, unter welcher ich Ihnen meinen letzten Brief geschrieben, bis unter die Linie, hatten wir beynahe immer widrige Winde, so daß wir sie erst seit zwey Tagen passirten; indem wir beynah drey Wochen bey völliger Stille unter ihr gelegen haben.

Das Wort Stille weckt ein Bild von sowohl moralischem, als physischem Wohlseyn. Sie werden aus dem vollkommen wahren, obgleich etwas poetischen Gemahlde der Windstillen unter dem Aequator sehen, ob man sich diesen Begriff davon machen kann.

„Der Wind schweigt, und eine tiefe Stille folgt ihm. Die, zuvor heftig bewegten, Wellen schwanken noch lange, nachdem er verstummt ist.

„Allmählig aber ebnen sich ihre Furchen, und das Schiff sucht, auf dem bewegungslosen Meer wie angefesselt, umsonst nach einem Hauch in den Lüften, der es erschüttern möchte:

„Hundertmal wird das Segel aufgesteckt, und hundertmal fällt es auf die Maste zurück.

„Wasser, Himmel, ein unbestimmter Horizont, wo das Aug' umsonst in den Abgrund des Raums dringt, tiefe, grenzenlose Leere und todtes Schweigen ist alles, was diese traurige Halbkugel darstellt.

„Der niedergeschlagene Matrose fleht den Himmel um Sturme und Orkane, der Himmel wird zu Erz, wie das Meer, und zeigt ihm nichts, als eine schauerliche Heiterkeit.

Tout est morne, brulant, tranquille, et la lumière
Est seule en mouvement dans la nature entière. *)

*) Diese beyden Verse sind aus Saint-Lamberts Saisons.

„In so schauerlicher Ruhe verstreichen die Tage und die Nächte. Die Sonne, deren Glanz die Erde belebt und erfreut; die Sterne, deren funkelndes Feuer der Steuermann so gerne sieht; die ungeheure Wasserfläche, die wir vom Ufer aus mit so viel Vergnügen ansehen; — Alles dieß ist zum traurigen Anblick geworden, und was in der Natur Frieden und Freude verkündiget, bringt hier nur Schrecken, und weissagt Tod." *)

*) Ich habe in dieser Beschreibung einige kleine Veränderungen gemacht; indem das glacé d'effroi, wofür ich niedergeschlagen gesetzt habe, für Leute, welche durch die Aequator-Hitze ganz niedergedrugt sind, widersinnig ist. So hab' ich auch den Christal des eaux weiter unten weggelassen; weil das grünliche, schmutzige Blau des Meers nur gar nichts Chrystallisches hat. Behauptet man, daß ein Dichter weiter nichts, als das Genie der Poesie brauche, so irrt man sich. Auch darf man die Natur nie mit Zügen mahlen, die sie unkenntlich machen. Vor allen Andern bedarf der Dichter am meisten persönliche Erfahrung und positive Kenntnisse, sonst ist er in Gefahr, eine Menge Abgeschmacktheiten zu sagen.

Da der Verfasser der Incas zu seinem Glück nie eine Windstille unter der Linie durchgemacht hat, und somit die Einzelnheiten nicht geben konnte, die nur die Erfahrung sammelt, und welche doch einmal zum vollständigen Gemählde des Elends der Seereisen gehören, so halt' ich es für Pflicht, ihn zu ergänzen.

Man darf sich nicht durch das Wort verführen lassen, und folglich glauben, daß die Windstillen unter dem Aequator wie an den Küsten, wo das Meer gewöhnlich nicht tief ist, eine ruhige Masse, eine vollkommen ebene Fläche darstellen.

Was nun die Ursache seyn mag, so ist der Ocean auf dieser Halbkugel nie in völliger Ruhe. Er wirft zwar, während der Stille, freylich keine Wellen; aber er hat denn doch eine langsame, anhaltende Bewegung aus der Tiefe herauf, welche die Schiffe und die Seeleute hart mitnimmt. Verbinden Sie damit die erstickende Dicke einer Luft ohne Schnellkraft, die schnelle Fäulniß aller Lebensmittel und des Wassers, die erste Quelle des schnell um sich greifenden Scorbuts; denken Sie sich dabey eine völlige Erschlaffung des physischen Vermögens, eine Erschöpfung aller Kräfte, die mürrische Stimmung der Geister, welche ein

Stillschweigen nährt, das nur hie und da die Einsylbigkeit einer erloschenen Stimme, oder die Seufzer des Schmerzes unterbrechen. Stellen Sie sich die Traurigkeit, die Muthlosigkeit und die üble Laune vor, wie sie von einer Existenz, für welche es gar keinen Ausdruck gibt, unzertrennlich sind; so werden Sie begreifen, daß der Verfasser der Incas nicht übertrieben hat, indem er sagte: daß der Matrose in dieser abscheulichen Lage den Himmel um Stürme fleht.

Und wirklich, mein Herr, wie oft haben wir während dieser langen Tage des Elends und der Leiden, während dieser noch längern schlaflosen Nächte, wie oft haben wir nicht mit Ausbrüchen der lebhaftesten Freude gesehn und gehört, was uns zu jeder andern Zeit Unruh und Entsetzen verursacht hätte, das Rollen des Donners und das Leuchten des Blitzes am Horizonte!

O wie gern hätten wir in dieser Lage, um mich eines Ausdrucks des Propheten Hoseas zu bedienen, „Winde gehört, um Stürme zu erndten!"

Wir haben nun etwa zwey Drittheile unsers Wegs gemacht, und schon fangen Wasser und Lebensmittel an, uns zu mangeln. Sie fühlen selbst; wie grausam besonders der Mangel an Wasser in einer Lage seyn muß, welche eine so sonderbare und traurige Aehnlichkeit mit Tantalus Strafe hat, und urtheilen wohl, was es heissen will, Wasser zu trinken, bey dem man sich die Nase zuhalten und die Augen schliessen muß, um sich nicht mit seinem Gestank zu verpesten, und die blutigen Atome nicht zu sehen, welche in diesem abscheulichen Tranke wimmeln.

In unsrer gefährlichen Lage erblick' ich kein anderes Mittel, als Geduld und Hofnung:

> Patience et longueur de tems
> Font plus, que force ni que rage,

sagt mein guter Lafontaine, und es ist nicht das erstemal, daß mich sein gesunder und richtiger Verstand lehrt, die Resignation als eines der ersten Attribute der Weisheit anzusehen.

Es ist davon die Rede, Brasilien zu erreichen. Vielleicht bleibt uns nichts anders übrig. Was mich betrifft, obgleich diese Verwirrung von unsrer vorgeschriebenen Strasse uns weit von unserem Ziel entfernt, so würd ich mich doch gerne dazu entschliessen, wenn der Mangel, den wir leiden, mir die Hoffnung liesse, dadurch unsre

Kranken zu retten, deren Anzahl sich furchtbar mehrt.

Zwanzigster Brief.

* * *

Ich geb' ihnen auf, mein Herr, zu errathen, woher ich Ihnen schreibe. Ich lasse Ihnen die Wahl auf der ganzen Welt, und dennoch bin ich nicht mehr auf dem Wasser.

Ein Granitblock ist mein Sitz, ein Granitblock mein Tisch. Ein Gießbach stürzt vor meinen Füssen herab. Ein sanfter Wind belebt das Grün, welches mich überschattet, und doch bin ich weder in Brasilien, noch auf dem Vorgebirg der guten Hoffnung.

Allein eh' ich Ihnen das Räthsel löse, muß ich Ihnen etwas anders erzählen.

Sie haben mir oft gesagt, daß Sie das Vergnügen, das Original von dem schönen

Sturm in Crebillon's Idomeneus zu sehen, sehr theuer bezahlen würden. Dieses Vergnügen genoß ich, ich genoß es umsonst, und ich rathe Ihnen nicht, mich um dasselbe zu beneiden.

Unsre Wünsche, uns, was es auch kosten möchte, aus der Windstille unter der Linie zu befreyen, waren so brunstig, daß der Himmel sie am Ende erhörte. Aber wir waren nahe daran, diese langerwartete und heiß gewünschte Wohlthat theuer zu bezahlen.

Am 23sten vorigen Monats gewann ein ziemlich schwacher Wind in wenigen Stunden alle nöthigen Eigenschaften zu der Benennung einer brise carabinée.

Wär's dabey geblieben, so konnten wir nichts besseres wünschen; denn alles ist relativ, und es gibt Umstände, unter denen wir das, was uns zu jeder andern Zeit ein Unglück geschienen hätte, für ein Glück ansehen lernen. Dieß war unser Fall!

Allein am 24sten gegen Abend wurde der Wind ganz wüthend. Lange Blitze funkelten in allen Richtungen am Horizonte hin, und das tiefe Murmeln des Donners, der in dunkler Ferne rollte, die allmählig steigende Bewegung der

Wellen, und das Zischen der Winde bereitete uns das imposanteste Schauspiel vor, das sich der menschliche Geist nur immer denken kann.

Ich muß gestehen: das Lachen verging uns über diesen Wind, den wir mit lärmender Freude empfangen hatten.

Die finstern Wolken, welche sich schnell um uns häuften, verbreiteten bald eine solche Finsterniß, daß man sich, obgleich die Sonne noch am Himmel war, kaum von einem Rand des Schiffs zum andern sehen konnte. Die Blitze zerrissen freylich von Zeit zu Zeit den dichten Schleyer, in welchen wir gehüllt waren, und warfen in diese finstern Massen wahre Abgründe von Feuer und Licht, welche sich in der Ferne auf der weissen, schäumenden Fläche der Wellen spiegelten, so daß

d'un déluge de feu l'onde comme allumée,
semblait rouler sur nous une mer enflammée.

Kurz, um alles, was dieses fürchterlich schöne Schauspiel Schreckliches hatte, zu vollenden, so brachte der Wind, durch die Art von Hinderniß, das er in unserm Thauwerk fand, von Zeit zu Zeit Töne hervor, welche dem schneidenden Geschrey oder den Seufzern der menschlichen Stimme glichen, und mich mehr, als einmal, zusammenschaudern machten.

Zwischen dem Menschen und den Elementen ist ein direkter Verkehr, welcher fühlbar genug ist, um jenen in einen unwillkührlichen Zustand von Angst und Leiden zu versetzen, so oft das Gleichgewicht, welches die Harmonie seiner Gesetze beherrscht, in der Natur gebrochen ist, oder scheint *). Vergebens strebt alsdann unser moralischer Muth, der nothwendigen Wirkung der Elemente zu widerstehen. Die Bewegung, die sie in uns hervorbringt, mißt uns sie, zermalmt uns unter ihrer Gewalt; wir müssen dulden, und schweigendes Dulden ist alsdann das Einzige, was dem muthigen Manne übrig bleibt, die Re-

*) Herr von Saint-Pierre bemerkt in seinen Etudes de la nature sehr richtig, daß wir beym Anblick der Verwirrung leiden, selbst von empfindungslosen Gegenständen, wie von welken Pflanzen, von verstümmelten Bäumen, von schlecht gebauten Häusern; wie muß es uns erst zu Muthe seyn, wenn wir so zu sagen die ganze Natur in Zuckungen sehen!

signation die einzige Art von Kraft und Weisheit, welche uns noch gelassen ist.

Ermüdet von dem Schauspiel, das Himmel und Meer darstellten, war ich in das Zimmer des Hintertheils gegangen, und hatte mich, in meinen Mantel gehüllt, auf den Boden niedergelegt.

Plötzlich, unter entsetzlichem Geräusch, neigt sich das Schiff langsam, und ich fühle mich ohne einen andern Gedanken, ein anderes Gefühl, als daß ich zu Grund gehen mußte, hingerissen. Ein halblauter Schreckensschrey von der einen, ein langer Seufzer von der andern Seite belehrte mich, daß ich nicht allein zu Grund ging; als ein Schiffs-Offizier hereintrat, und uns sagte, daß der Fockmast gebrochen, niemand aber durch seinen Sturz verletzt worden sey; unerachtet man einen Augenblick geglaubt habe, daß er das Schiff so umstürzen würde, um sich nicht mehr aufrichten zu können.

Während dieser Erzählung erhob ich mich allmählig, wie Lazarus, aus dem Grab, und mit nicht geringerer Zufriedenheit, als die seinige war, einmal in meinem Leben so wohlfeilen Kaufs gestorben zu seyn.

Indeß dauerte der Sturm mit gleicher Wuth fort. Von allen Seiten drang das Wasser ein, und man fing an, für den großen Mast zu fürchten.

Schon hatte man, um ihn zu erleichtern, seinen großen Mars abgenommen. Die Stückpforten und die große Lucke waren vernagelt, und man beschloß, auch noch das grosse Raa herabzuhohlen, dessen Gewicht den großen Mast sehr beschwerte.

Bey solchem Wetter war dieß keine leichte Unternehmung. Aber was erreicht die verwegene Industrie der Menschen nicht!

Ich wollte Zeuge von dieser Operation seyn. Sie ward mit unsäglicher Müh, Gefahr und Anstrengung vollendet. Zwanzigmal mußte man die Arbeit stehen lassen und wieder anfangen. Niemand verstand den andern, selbst mit dem Sprachrohre. Die Arbeiter sahen einander nur beym Leuchten des Blitzes, der sich in langen Feuerschlangen um uns schlängelte. Ich wähnte eine Gruppe von Teufeln zu sehen, welche einen Feuerbrand aus der Hölle zu ziehen bemüht sind!

Die übrige Nacht ereignete sich nichts Neues. So lang sie dauerte, blieb das Wetter sich gleich. Am meisten waren wir um unser Steuerruder beunruhigt, das mit solcher Gewalt an das Schiff anprellte, daß es dasselbe hätte durchschlagen sollen.

Endlich, gegen Tag, legten sich Sturm und Winde. Wir kosteten die Art von Ruhe, welche die Hoffnung gibt, und man beschäftigte sich, unsern zerbrochenen Mast loszumachen, der noch in sein Tauwerk verwickelt war.

So wie es Tag war, daß man ein bischen sehen konnte, ging ich auf das Verdeck.

Der Wind war nur noch mässig; aber das Meer, welches sich, gleich unsern Leidenschaften, nicht immer durch die Entfernung der Ursachen, die es bewegten, beruhiget, sah abscheulich aus. Der Stürz des Mastes hatte das Verdeck mit Blöcken, Holzsplittern und Seil-Stücken bedeckt. Die traurigste und schmutzigste Verwirrung herrschte überall. Bleich, mager, durchnäßt, und mit dem ganzen Ausdruck der Muthlosigkeit und des Schmerzes schleppten sich die Matrosen und Soldaten mit ihren übernächtigen Gesichtern durch diese Trümmer.

Aber schon verwischen sich diese Eindrücke des Jammers. Schon ist sogar der Frohsinn mit der ungewöhnlichen Portion von Branntwein wiedergekehrt, den man herkömmlich austheilt, und Bacchus spottet Neptuns. Man pumpt, man bessert aus, was beschädigt ist, man kehrt die Trümmer weg, man macht Spaß, und mancher, der vor wenigen Stunden geflucht, geweint, oder sich allen Heiligen empfohlen hat, singt, und fodert Winde und Glück heraus! ....

O ihr, die ihr im Lauf eines stürmischen Lebens das schwache Fahrzeug, das eure Hoffnungen trug, im Begriff gesehen, in den Abgrund des Mißgeschickes zu versinken, nur ihr könnet den Werth fühlen, den die Seestille nach einem Sturme hat!

Es ist etwas ausserordentliches um diesen Menschenschlag, mein Herr, mit dem man so große Dinge unternimmt und ausführt, und der doch so wenig in der Gesellschaft gilt, nemlich um die Matrosen.

Wer nie mit ihnen gelebt hat, kann sich keine Vorstellung von ihnen machen. Man muß dazu recht eigentlich alle Wechsel ihrer sonderbaren Existenz getheilt haben.

Der Verfasser der Geschichte der brittischen Marine entwirft ein Gemahlde von diesen Menschen, welches zwar nur skizzirt ist, von dem ich aber glaube, daß Sie es mir Dank wissen werden, wenn ich meinen Brief mit demselben schliesse. Es ist von einem Schriftsteller, dessen Landsleute für gute Beobachter gelten.

„Ein Menschenschlag, arbeitsam, von Kindheit an gewöhnt, die Gefahr ohne Furcht anzuschauen, ruhig zu bleiben, mitten im Kampfe der Elemente, und die Reitze eines weichlichen, wollüstigen Lebens zu verachten. Weder die äusserste Kälte, noch die äusserste Hitze; weder Mangel an Schlaf, noch Arbeit den Tag hindurch; weder grimmiger Hunger, noch brennender Durst; weder die Drohungen der Zukunft, noch die Gefahren des Augenblicks, noch die mancherley Gestalten, unter welchen der Tod sie umgibt — nichts kann dem Eifer des Matrosen Einhalt thun, nichts seine Kuhnheit bändigen: per mare pauperiem fugiens, per saxa, per ignes.“ *)

*) The naval history of Great-Britain. Vol. I. book I. chap. I.

Ich habe manchmal Menschen, die an die Annehmlichkeiten eines gleichmässigen und stillen Lebens vom ruhigen Bürger gewöhnt, über den beständigen Zwang, das Elend und die Gefahren erstaunen sehen, welchen man im Militärstand ausgesetzt ist, und sie es unbegreiflich finden hören, daß es Menschen gibt, die sich freywillig demselben widmen.

Allein das Elend und die Gefahren, welche jeden Augenblick das Leben des Matrosen bedrohen, sind für den Soldaten nur im Kriegsstand vorhanden. Dieser ist beynah immer im Frieden mit Seinesgleichen; jener beynah' immer im Krieg mit den Elementen, und Climaten, die er wechselt, wie die Herzogin von Chevreuse, nach der Behauptung des Cardinals von Retz, ihre Liebhaber wechselte, „nemlich, wie ihre Hemden." Und welche sonstige Verschiedenheit zwischen der Existenz der Soldaten und der des Matrosen! Ich habe forcirte Märsche mit den Armeen gemacht, habe mit ihnen alle Beschwerden und Entbehrungen des Kriegs, und alle Unannehmlichkeiten der Jahrszeiten getheilt. Ich sah Belagerungen und Schlachten, und kann versichern, daß all das blos Kinderspiel in Vergleichung mit den Leiden einer beschwerlichen Schiffahrt und der abscheulichen Verwicklung von Gefahr und Unglück auf einem Punct ist, welcher immer sehr, und durch alles beschränkt ist, was den entscheidendsten Muth, das unzerstörbarste kalte Blut während eines Sturmes aus dem Gleichgewicht bringen kann.

Ein und zwanzigster Brief.

Insel Annobon.

Kaum hatten wir uns von der Ermüdung und Verwirrung, in welche uns der Sturm geworfen hatte, etwas erhohlt, so waren wir einen Augenblick einer andern Gefahr ausgesetzt.

Ich saß in der Cajüte und war beschäftigt, mein Tagebuch in Ordnung zu bringen, als ein ausserordentlicher Lärmen, der plötzlich auf dem Verdeck entstand, mich bewegte, die Feder wegzulegen, und dem Geräusch nachzulaufen.

Kaum war ich aus der Thüre, als der Marquis von L...., unser Anführer, auf mich zustürzte, und aus allen Leibeskräften mir zuschrie: „Es ist Feuer ausgebrochen! Es ist Feuer ausgebrochen! Baron!"

„Nun denn," antwortete ich ruhig, aber laut genug, um von Allen, die auf dem Verdeck waren, gehört zu werden, „so muß man es löschen!"

Er erstaunte über meinen Laconismus, und ich versammelte sogleich alle Offiziere und Sergeanten. Mit dem Säbel in der Hand stellte ich sie an die große Lucke, und befahl ihnen in gleichem Ton, dem ersten, der auf das Verdeck herauf wollte, wo ein kleiner Regen alle, ausser die Matrosen und die wachhabenden Soldaten, verjagt hatte, den Kopf zu spalten. Ihre Anzahl schien mir für unsere Umstände hinlänglich, und ich wollte besonders die Aufhäufung von Menschen und die Verwirrung vermeiden, welche ein, durch den Schrecken entstandener Zusammenlauf veranlassen konnte.

Es war Mittag. Der Wind hatte einen Feuerfunken aus der Küche nach dem großen Segel getrieben, welcher in Flammen stand. Wir hatten eine Pompe und Wassereimer. Rotten von Soldaten und Matrosen, die vom Rand des Schiffs bis zum großen Mastkorb emporreichten, lieferten bald hinlänglich Wasser, um die Fortschritte des Feuers im Takelwerk aufzuhalten, und nach einer halben Stunde war von unsrer Gefahr keine Spur mehr übrig, als ein Loch in dem großen Segel, und Herrn von L... Erstaunen über mein: „so muß man es löschen" das ihm immer noch nicht aus dem Kopf wollte, wenn ich ihn auch gleich fragte, was er denn meine, daß man anders hätte thun sollen? Aber ein solcher Grad von Unbekümmertheit wird ihm immer unbegreiflich bleiben.

Das schönste Wetter und der günstigste Wind folgte dem Sturm, der uns von der Seestille unter der Linie befreyt hatte. Wir steuerten mit vollen Segeln mildern Climaten zu, als ein wachhabender Soldat am 5ten dieses, Morgens zwey Uhr: Land! rief.

Seine Kameraden und die Offiziere liefen zusammen. Wirklich unterschied man bereits, jedoch noch etwas dunkel, ein sehr hohes Land, von dem wir kaum drey bis vier Meilen entfernt waren.

Man weckte den Kapitän: dieser ließ gleich das Schiff wenden und mit vollen Segeln der hohen See zusteuern.

Nachdem es Tag war, stiegen wir auf das Verdeck, und sahen eine ziemlich beträchtliche, hohe, mit Gehölz bedeckte Insel. Auf derselben ragte ein Pik empor, und sie war um so zuverlässiger bewohnt, da der Wundarzt und einer der Matrosen Feuer darauf gesehen haben wollten.

Die Wirkung, welche dieses Land auf uns Alle machte, vermag' ich Ihnen unmöglich zu beschreiben. In Augen, welche nichts mehr ausdrückten, als einen unruhigen, verschlossenen Schmerz, ging der sanfte Blick des Wohlwollens wieder auf. Das Lächeln erschien auf Lippen, von denen es der strengste Egoismus auf immer verbannt zu haben schien. Die offene, lebhafte Miene der Freude, der frische leichte Gang der Hoffnung trat an die Stelle des bedächtlichen, schwerfälligen Schrittes, der finstern, verschlossenen Haltung des nachdenkenden Schmerzes.

In unsrer Lage mußten wir den Fund jedes Landes für eine Wohlthat der Vorsicht ansehen. Schon seit vier Monaten hatten wir Europa verlassen; kaum besassen wir noch auf sechs Wochen

Lebensmittel, und der Scorbut wüthete dermassen unter unsern Soldaten, daß wir nahe an zweyhundert derselben auf der Krankenliste hatten, von denen mehrere ihrem Ende nahe waren.

Wir beriethen uns mit den Wundärzten, welche einstimmig auf der Nothwendigkeit, ans Land zu gehen, beharrten, und so beschlossen wir, den Kapitän dazu zu nöthigen. Dieser war ein gerechter, menschlicher, in jeder Rücksicht achtungswerther Mann; aber er schien wegen des Interesse's seiner Ausrüster unsre Foderung abschlagen zu wollen. — So gut ist es dem Egoismus gelungen, den Menschen von der Menschlichkeit zu trennen — ein Wort, das am Ende bey jeder Handlungs-Speculation gleich Null ist!

Da ich nur der Zweyte unter unsrer Parthie war, so fand ich an einem Mann, der meinen Rath mit Eifer angenommen hätte, wenn ihn ein andrer gegeben, einen Widerstand, den ich nur dadurch überwand, daß ich ihn überzeugte, wie ich blos den Wunsch ausdrückte, welchen er in unsrer Noth selbst mehr, als einmal, geäussert hatte. Allein da ich die Folgen unsers Schrittes kannte, so glaubte ich, sie ihm nicht verbergen zu dürfen, indem ich ein Mittel vorschlug, welches alles vereinigte.

Nach langer Unschlüssigkeit, in welcher nichts geschieht, nachdem ich ihm hundertmal wiederholt hatte, daß die schlimmste Parthie sey, keine zu ergreifen, kam man endlich überein, einen Schiffsrath zusammenzurufen.

Der Kapitan erstattete den Bericht über den Zustand seiner Lebensmittel, und ich den über unsre Lage. Da ward einstimmig beschlossen, daß wir, rucksichtlich unsers verdorbenen Wassers, so wie unsres meisten Pöckelfleisches, und somit der Unmöglichkeit, unsern Kranken die nöthige Hülfe zu leisten, anlegen wollten. Dem Kapitän gaben wir, zu seiner persönlichen Rechtfertigung, das Resultat unsrer Berathschlagung von allen Gliedern des Schiffraths unterzeichnet. Aber vielleicht wär' uns dieß nicht einmal gelungen, wenn ich nicht überzeugt gewesen wäre, und hätte beweisen können, daß wir uns in zu östlicher Breite befanden, als wo wir hätten die Linie durchschneiden sollen *). Diese Verirrung von der bekann-

*) Unsre Seeleute maßen diese Verirrung den Strö-

ten, und von allen Seeleuten angenommenen, Strasse konnte ein sehr ernsthafter Vorwurf von Unwissenheit, oder von gleich unverzeihlicher Nachlässigkeit werden; aber ich hatte von dieser Bemerkung keinen andern Gebrauch gemacht, als den die Umstände erfoderten.

Indeß waren drey Tage darüber hingegangen, bis wir so weit gekommen waren. Während derselben suchten wir bald die hohe See, bald trieben wir am Lande hin, je nachdem die Meinungen für oder gegen das Anhalten lauteten.

Endlich, Morgens am 8ten, steuerten wir ernstlich auf die Insel zu, die wir aus dem Gesicht verloren, aber deren Breite wir am Tag zuvor zu 1° 30′, und deren Oestl. Länge zu 4° 40′ aufgenommen hatten.

Am 9ten Nachmittags bekamen wir sie wieder zu Gesicht, und mit ihr einen Dreyum-

men bey. Allein, da diese Stürme heutzutag so bekannt sind, als die der übrigen Theile des Oceans, so sieht man wohl, daß diese Entschuldigung nur einen Grad von Unwissenheit bewies, den man kaum als Rechtfertigungsmittel gebrauchen konnte.

ker, der in derselben Richtung segelte, wie wir.

Man nahm die Segel ein, um während der Nacht nicht an das Land zu stoßen.

Am 10ten segelten wir gerade auf die Insel zu, steckten drey Meilen vom Lande die Flagge auf, und thaten einige Kanonenschüsse, um einen Lootsen zu rufen, wenn es welche auf der Insel gab.

Wir sondirten eine Tiefe von zwölf Klaftern, und legten bey; indem wir bey unsrer Unkunde der Küste, und bey der Ueberzeugung, daß die Insel bewohnt war, hoffen konnten, daß die Eingebohrnen kommen, und uns einen Ankerplatz zeigen würden.

Unsre Hoffnung wurde auch wirklich erfüllt. Bald erblickten wir ein Kanot, das um eine niedrige, nach Nord-Osten sich erstreckende, Spitze herum kam, und da es gerade auf uns zuruderte, so segelten wir ihm mit schwachem Wind entgegen.

Dieses Kanot war nichts anders, als ein, nach der Weise der meisten Wilden ausgehöhlter, Baum. Da es aber doch dreyzehn Personen enthielt, so können Sie sich einen Begriff von der Vegetation in Afrika machen, wo man zu dieser Art von Fahrzeugen den Boabab anwendet, dessen Stamm die Reisenden ungefähr hundert Fuß Höhe und vier und dreyssig Fuß Durchmesser geben, und den sie dreissig Jahrhunderte fortwachsen lassen — ein vegetabilisches Produkt also, das ganz der animalischen Production würdig ist, welche Americn liefert, die die grosse, unter dem Nahmen Serpens constrictor bekannte, Schlange lebendig auffressen, während diese den Ochsen verdaut, den sie so eben verschlungen hat.

Der Bau dieses Kanots erweckte uns indeß keine grosse Vorstellung von der Marine des Volkes, mit dem wir in Verkehr traten. Seine Bemannung war so nackt, als eine Hand, mit Ausnahme einer Art von vornehmerer Person, welche ganz bisarr gekleidet war, und über die andern einiges Ansehn zu haben schien.

Dieser Umstand bestärkte uns in der Idee, daß wir entweder die Sanct-Matthäus-Insel, oder eine der Sanct-Thomas-Inseln vor uns hatten.

Während wir uns hierüber stritten, — wie man denn über alles streitet, was man nicht recht weiß, — ließ ich die Polizey-Wache unter das

Gewehr treten, um aller Unordnung vorzubeugen, und dem Anführer der Insel-Bewohner, welchen wir am Bord empfingen, Ehre anzuthun. Zutrauungsvoll stieg er herauf. Wir nahmen ihn mit allen Bezeugungen europäischer Höflichkeit auf, und führten ihn alle mit einander in das Raths-Zimmer.

Freylich verstand er kein Wort von dem, was wir ihm sagten, und wir sagten ihm gar mancherley. Aber er hatte eine Art von Dollmetscher bey sich, der uns mit Hülfe von einigen Worten Englisch belehrte, daß die sonderbare Figur, welche wir vor uns hätten, der Herr Gubernador der Insel wär.

Diejenigen von uns, welche behauptet hatten, daß es die Sanct Matthäus-Insel sey, fragten ihn eiligst, ob dieß nicht ihr Name wäre?

Der Dollmetscher schüttelte den Kopf, und die Anhänger von St. Thomas triumphirten.

Allein nachdem sie von dem Neger dieselbe Antwort für ihren Heiligen erhalten hatten, lachten alle zusammen. Er berichtete uns, daß die Insel Anno-bon heisse, und setzte hinzu, daß die Einwohner alle gute Christen und noch bessere

Lebensmittel, und der Scorbut wüthete dermassen unter unsern Soldaten, daß wir nahe an zweyhundert derselben auf der Krankenliste hatten, von denen mehrere ihrem Ende nahe waren.

Wir beriethen uns mit den Wundärzten, welche einstimmig auf der Nothwendigkeit, ans Land zu gehen, beharrten, und so beschlossen wir, den Kapitän dazu zu nöthigen. Dieser war ein gerechter, menschlicher, in jeder Rücksicht achtungswerther Mann; aber er schien wegen des Interesse's seiner Ausrüster unsre Foderung abschlagen zu wollen. — So gut ist es dem Egoismus gelungen, den Menschen von der Menschlichkeit zu trennen — ein Wort, das am Ende bey jeder Handlungs-Speculation gleich Null ist!

Da ich nur der Zweyte unter unsrer Parthie war, so fand ich an einem Mann, der meinen Rath mit Eifer angenommen hätte, wenn ihn ein andrer gegeben, einen Widerstand, den ich nur dadurch überwand, daß ich ihn überzeugte, wie ich blos den Wunsch ausdrückte, welchen er in unsrer Noth selbst mehr, als einmal, geäussert hatte. Allein da ich die Folgen unsers Schrittes

Indeß übergab uns der Gouverneur — denn ich weiß nicht, wie ich ihn anders nennen soll — sein Geschenk, welches in drey Hühnern und einem Schwein bestand, das immer noch reinlicher aussah, als er selbst, und ließ uns durch den Dollmetscher sagen, daß er, nachdem er das Vergnügen gehabt habe, uns wohl zu sehen, kein grösseres haben könne, als mit uns zu frühstükken. Von nun an wurden unser schmutziger Haushofmeister, und unser noch schmutzigerer Küchenjunge, der hier Koch heißt, die einzigen Gegenstände seiner Aufmerksamkeit und seiner Höflichkeit.

Man fing an, ihm Thee und Caffee anzubieten. Allein seine Nase hatte den Wohlgeruch eines, etwas ranzigen, Schinkens gewittert. Diese Entdeckung versprach seinem afrikanischen Gaumen einen seines Geschmacks würdigern Genuß. Er zog ihn solchen matten Brühen vor, und erlaubte, daß man demselben eine Bouteille Bordeaux und einige Pfund Käse beyfügte.

In weniger, als einer halben Stunde, war alles dieses vor dem Appetit unsrer schwarzen Excellenz verschwunden. Durch unsern Empfang, und das Geschenk, welches der Kapitän auf das

Frühstück folgen ließ, befriedigt, glaubte sie, uns auch ihre Dienste anbieten zu müssen.

Dieß war es aber auch, was wir erwarteten. Der Bordeaux hatte Wunder gethan. Man fing also an, zu unterhandeln, und da wir von den Grundsätzen der Oeconomisten über die völlige Freyheit des Handels, besonders mit Lebensmitteln, durchdrungen waren, so wurde endlich unter den hohen Contrahenten beschlossen, daß die Insulaner ihrer Seits die Freyheit haben sollten, alle Lebensmittel und andre Gegenstände, die wir nöthig haben könnten, an Bord zu bringen; und wir unsrer Seits, uns wegen der Bezahlung, wie wir für gut hielten, mit ihnen abzufinden.

Jeder Geschichtschreiber ist das Bild seines Helden schuldig, und so will auch ich, mein Herr, eh' ich weiter gehe, das des unsrigen entwerfen.

Der Herr Gouverneur von Annobon, das würdige Gegenstück von demjenigen, welchen Dampier auf der Insel Salè angetroffen hat, ist ein grosser, magerer, einäugiger Neger.

Sein Haupt ist in ein Tuch gewickelt, dessen Farb' ich nicht bestimmen kann, und mit einem runden, mit einer Borde von gelber Wolle eingefaßten, Huts bedeckt. Sein Kleid ist von braunem Tuch, für einen kürzern und weit rundern Körper geschnitten; die Weste von schwarzem Utrechter Sammet; die Hose von grünem Plüsch. Strümpfe hat er keine; aber seine Schuhe sind ganz rund, wie Birons seine *). Welch' ein Anzug unter dem zweyten Grad' der Südbreite!

Als Unterscheidungszeichen seiner Würde trägt er, wie mir geschienen hat, ausser einem blauen, sehr abgenutzten Taschentuch, das im Knopfloch seines Rocks hängt, einen dicken Stock, mit einem kupfernen Knopf, auf den er einen grossen Werth zu setzen scheint.

Nachdem er es sich wohl hatte schmecken lassen, ging er auf dem Verdeck umher. Ich folgte ihm, um ihm die Honneurs zu machen.

Während ich nun versuchte, mit ihm zu reden, und viel Französisch und Deutsch unter etwas Italienisch und Englisch mischte, wodurch ich eine, für einen Barbaren der heissen Zone erträgliche, Sprache zu gewinnen dachte; während dieser Zeit beschäftigte sich die linke Hand Sr. Ex-

*) Anspielung auf ein französisches Lied, das viel mit den Souliers de Biron zu schaffen hat.

cellenz, aus lauter Dankbarkeit für die Mühe, welche ich mir gab, mich ihr verständlich zu machen, damit, mich meines Sacktuches zu entledigen, das aus meiner rechten Rocktasche hing. Auch arbeit te sie so glücklich, daß sie dasselbe in ihre Tasche brachte, ohne daß es schien, daß die doppelte Aufmerksamkeit, welche ihr Manöver und mein Gespräch erfoderten, sie im geringsten verwirrte.

Nach dieser Operation, die nicht mich allein unterhielt, kam man dahin überein, daß eine gewisse Anzahl von uns am andern Tag ans Land gehen sollte, um die Unterstützung, die wir noch besonders bedurften, zu unterhandeln. Auf dieses schiffte sich unser Gast wieder ein; zwar etwas betrunken, aber sehr vergnügt, und so zufrieden mit mir und der Artigkeit, mit welcher ich mich hatte bestehlen lassen, daß er mir aufs liebreichste die Hand drückte, und uns versprach, uns vor unsrer Abreise noch einmal mit seiner Gegenwart zu beehren.

Zwey und zwanzigster Brief.

Insel Annobon.

Da uns die Nothwendigkeit, frisches Wasser einzunehmen, einige Tage hier hinhalten mußte, so schlug ich vor, mich ans Land zu begeben, um einen Ort ausfindig zu machen, wo man unsre Kranken hinbringen könnte. Die Wundärzte hielten dieß für das Geeignetste zu ihrer schnellen Wiederherstellung.

Es wurden einige Einwürfe gemacht wegen der Gefahr, sich auf diese Weise einem Volke auszusetzen, dessen Gesinnungen und Karakter man nicht kannte. Man kam sogar mit gelehrten Gründen, um zu beweisen, daß alle Wilden treulos, grausam, und Menschenfresser seyen. Man führte Cook's, Marion's und mancher Andrer Ermordung an. Kurz man sprach so viel

Kreutz und in die Quere, daß ich am Ende dermassen die Geduld verlor, um durch eben so viele Citationen zu beweisen, daß sich die Europäer unter den Wilden ihr Unglück nur zugezogen haben, indem sie durch ihre Unverschämtheit und Ungerechtigkeit den Haß derselben reitzten. Aber alle Einwürfe beantwortete ich damit, daß ich kluge Maßregeln ergriff, um beyden zu begegnen.

Mein Rath ging durch. Nachdem man sich über die zu nehmenden Vorsichtsmaßregeln verstanden hatte, und der Herr Gouverneur, durch das brillante Frühstück gelockt, wieder an Bord gekommen war, so beschloß man, daß er, zu grösserer Sicherheit, als Geisel bey uns bleiben sollte, bis ich wieder zurück wäre; wobey man indeß doch alles vermied, was ihn mißtrauisch machen konnte.

Die Schaluppe wurde bewaffnet, und ich schiffte mich mit zween Offizieren, dem Wundarzt, zween Sergeanten und zween Korporalen, alle mit Flinten und Säbeln versehen, auf derselben ein.

So wie wir ans Ufer kamen, bedeckte es sich mit einer Menge von Negern; allein da ich keine feindliche Gesinnung von ihrer Seite bemerkte, so befahl ich, die Feuergewehre unter Bedeckung von zween Matrosen in der Schaluppe zu lassen, und ging mit den übrigen ans Land.

Die erste Bewegung der Insulaner war, nach ihren Hütten zu fliehen, welche in gerader Linie gebaut zwey Parallel-Strassen von der Küste aus bildeten.

Diese Bewegung der Africaner war nichts, als Folge der Heftigkeit der unsrigen, welche dadurch entstand, daß unsre Schaluppe zu viel Tiefe foderte, um bis ans Land zu gehen, darum wir alle ins Meer sprangen; indem wir uns nicht einfallen liessen, daß die Unbequemlichkeit, nasse Beine zu machen, die, uns, wie die Kinder oder Gichtbrüchigen, auf dem Rücken tragen zu lassen, aufwiegen könnte. Wir können und müssen selbst unsre Schwachheit erkennen, und uns unsre Unmacht gestehen; allein diese Tugend der christlichen Demuth und Philosophie darf uns nicht in schwierigen Augenblicken begleiten, in welchen wir alles verlieren, wenn wir die Art von Kuhnheit aufgeben, welche uns für den Moment über unsre Natur erhebt.

Ich hatte den Neger bey mir, der etwas Englisch spricht. Ich trug ihm auf, seinen Landsleuten Muth einzusprechen; und wirklich hatte er ihnen auch kaum einige Worte gesagt, so sahen wir uns von der ganzen Inwohnerschaft umgeben, die uns mit grossen und lärmenden Freudensbezeugungen nach der Kirche folgte.

Unerachtet diese Kirche blos eine lange, mit Palmblättern bedeckte, Barrake von Erde war, wie die der ersten Christen im Orient, eh' das Christenthum eine herrschende Religion und die Kirche eine Macht geworden; so war doch das Innere ziemlich reinlich, und besser verziert, als unsre Dorfkirchen gewöhnlich sind.

Dieses Volk, mein Herr, ist nicht das einzige, das einen Tempel, einen Cultus, Altäre und keine Religion hat. Auch rath' ich ihm, ohne Priester zu bleiben; weil es nicht gewiß ist, einen guten zu erhalten.

Nahe dabey war die Hütte, welche der verstorbene Missionnaire bewohnt hatte.

Auf alle meine Fragen konnt' ich nicht genau erfahren, von welchem Orden er gewesen war. Aber nach seinen Neophyten zu urtheilen, arbeitete er mit geringem Erfolg an dem Weinberg des Herrn. Auch scheitern unglücklicher Weise die meisten Geistlichen, welche man auf apostolische

Arbeiten jenseits der Meere sendet, mit den ehrwürdigsten Gesinnungen, und einer Ergebung, welche man ohne Enthusiasmus erhaben nennen kann, beynah' in allen ihren Unternehmungen; weil ihre Erfahrung gewöhnlich nicht ihrem Eifer angemessen ist, und die Reinheit des Zweckes nicht immer den schwachen Mitteln genügen will.

Der große Fehler der gewöhnlichen Bekehrer war immer, daß sie auf die Einbildungskraft wirken wollten, statt zum Herzen zu reden; daß sie Erstaunen erregen wollten, ehe sie unterrichteten; daß sie das Unerklärbare erklären wollten und die Aufmerksamkeit von dem blossen Apparat nicht auf die Moral hinleiteten, was sie gleich, und vielleicht allein hätten thun sollen. Während der geübteste Verstand vor dem ungeheuern Begriff eines unendlichen Wesens zernichtet wird, wollten sie denselben vor einfältigen, rohen und unwissenden Geschöpfen mit Händen greifen machen und redeten ihnen nur von seiner Unermeßlichkei, und seinem Ruhme. (8.)

Was ist aber auch das gewöhnliche Resultat dieser falschen Unterrichtsmethode? — Kein andres, als daß die meisten Missionnäre, statt Christen zu bilden, nur Ungläubige, Heuchler, oder

Götzendiener bilden; daß diese, unfähig, ihre Gedanken zu den erhabenen Betrachtungen des Unendlichen zu erheben, ihn nach vergeblichen Anstrengungen auf das, was unmittelbar ihre Sinne trifft, zurücke fallen lassen; daß unter allen Gegenden, wohin die katholischen Missionen das Licht des Evangeliums verbreitet haben, viele sind, wo dieses unter dem dicksten Aberglauben begraben ist; daß wir, statt diese ungebildeten Menschen über ihre alten Irrthümer zu belehren, ihnen blos neue zugebracht, und ihnen die Gebote einer göttlichen Moral dermaßen mit kleinlichen Übungen und dem devoten Geschwätz des Aberglaubens beladen haben, daß die Christen in Ost-Indien nur unter dem Nahmen der Götzendiener von Europa bekannt sind; und daß wir sie endlich, statt sie aufzuklären, und besser und glücklicher zu machen, etwas blinder, viel unglücklicher und beynah so schlimm gemacht haben, als wir selbst sind.

Da dieser Stand der Dinge leider durch die Zeugnisse der achtungswerthesten Reisenden bestätiget ist, so weiß ich nicht, ob es nicht besser wäre, den Talapoin glauben zu lassen, daß er eine Todsünde begeht, wenn er seinen Kinnbakken krachen macht, oder ins Feuer pißt, als daß wir an die Stelle dieser Dummheiten nur andere setzen. Der Grund, warum die Jesuiten mit so vielem Erfolg in diesem Fach arbeiteten, ist kein anderer, als daß sie die Wilden civilisirten, eh' sie sie bekehrten, und erst Menschen aus ihnen bildeten, bevor sie sie zu Heiligen machen wollten.

Ich habe in der Muße unsrer langen Schiffahrt viele Bemerkungen über diesen Punct gemacht, die ich ihnen noch in einem meiner Briefe mittheilen werde, eh' wir an das Vorgebirg der guten Hoffnung kommen, und den Sie die Güte haben werden, unsrem Freund, dem Pater General für die auswärtigen Missionen, mitzutheilen. Er ist, so gut als ein andrer, durch die vortheilhaften Berichte derjenigen getäuscht, welche sich selbst gern ihre Erfolge übertreiben mögen, und Sie wissen so gut, als er, daß ich weder ein starker Geist bin, noch dasjenige, was die schwachen Geister einen Philosophen nennen. Allein bey meiner Ueberzeugung von dem Nutzen, den es stiften könnte, thut es mir wehe, sehen zu müssen, wie dieses ehrwürdige Institut, dem er

cellenz, aus lauter Dankbarkeit für die Mühe, welche ich mir gab, mich ihr verständlich zu machen, damit, mich meines Sacktuches zu entledigen, das aus meiner rechten Rocktasche hing. Auch arbeit te sie so glücklich, daß sie dasselbe in ihre Tasche brachte, ohne daß es schien, daß die doppelte Aufmerksamkeit, welche ihr Manöver und mein Gespräch erfoderten, sie im geringsten verwirrte.

Nach dieser Operation, die nicht mich allein unterhielt, kam man dahin überein, daß eine gewisse Anzahl von uns am andern Tag ans Land gehen sollte, um die Unterstützung, die wir noch besonders bedurften, zu unterhandeln. Auf dieses schiffte sich unser Gast wieder ein; zwar etwas betrunken, aber sehr vergnügt, und so zufrieden mit mir und der Artigkeit, mit welcher ich mich hatte bestehlen lassen, daß er mir aufs liebreichste die Hand drückte, und uns versprach, uns vor unsrer Abreise noch einmal mit seiner Gegenwart zu beehren.

Zwey und zwanzigster Brief.

Insel Annobon.

Da uns die Nothwendigkeit, frisches Wasser einzunehmen, einige Tage hier hinhalten mußte, so schlug ich vor, mich ans Land zu begeben, um einen Ort ausfindig zu machen, wo man unsre Kranken hinbringen könnte. Die Wundärzte hielten dieß für das Geeignetste zu ihrer schnellen Wiederherstellung.

Es wurden einige Einwürfe gemacht wegen der Gefahr, sich auf diese Weise einem Volke auszusetzen, dessen Gesinnungen und Karakter man nicht kannte. Man kam sogar mit gelehrten Gründen, um zu beweisen, daß alle Wilden treulos, grausam, und Menschenfresser seyen. Man führte Cook's, Marion's und mancher Andrer Ermordung an. Kurz man sprach so viel

Kreutz und in die Quere, daß ich am Ende dermassen die Geduld verlor, um durch eben so viele Citationen zu beweisen, daß sich die Europäer unter den Wilden ihr Unglück nur zugezogen haben, indem sie durch ihre Unverschämtheit und Ungerechtigkeit den Haß derselben reitzten. Aber alle Einwürfe beantwortete ich damit, daß ich kluge Maßregeln ergriff, um beyden zu begegnen.

Mein Rath ging durch. Nachdem man sich über die zu nehmenden Vorsichtsmaßregeln verstanden hatte, und der Herr Gouverneur, durch das brillante Frühstück gelockt, wieder an Bord gekommen war, so beschloß man, daß er, zu grösserer Sicherheit, als Geisel bey uns bleiben sollte, bis ich wieder zurück wäre; wobey man indeß doch alles vermied, was ihn mißtrauisch machen konnte.

Die Schaluppe wurde bewaffnet, und ich schiffte mich mit zween Offizieren, dem Wundarzt, zween Sergeanten und zween Korporalen, alle mit Flinten und Säbeln versehen, auf derselben ein.

So wie wir ans Ufer kamen, bedeckte es sich mit einer Menge von Negern; allein da ich keine feindliche Gesinnung von ihrer Seite bemerkte, so befahl ich, die Feuergewehre unter Bedeckung von zween Matrosen in der Schaluppe zu lassen, und ging mit den übrigen ans Land.

Die erste Bewegung der Insulaner war, nach ihren Hütten zu fliehen, welche in gerader Linie gebaut zwey Parallel-Strassen von der Küste aus bildeten.

Diese Bewegung der Africaner war nichts, als Folge der Heftigkeit der unsrigen, welche dadurch entstand, daß unsre Schaluppe zu viel Tiefe foderte, um bis ans Land zu gehen, darum wir alle ins Meer sprangen; indem wir uns nicht einfallen liessen, daß die Unbequemlichkeit, nasse Beine zu machen, die, uns, wie die Kinder oder Gichtbrüchigen, auf dem Rücken tragen zu lassen, aufwiegen könnte. Wir können und müssen selbst unsre Schwachheit erkennen, und uns unsre Unmacht gestehen; allein diese Tugend der christlichen Demuth und Philosophie darf uns nicht in schwierigen Augenblicken begleiten, in welchen wir alles verlieren, wenn wir die Art von Kühnheit aufgeben, welche uns für den Moment über unsre Natur erhebt.

Ich hatte den Neger bey mir, der etwas Englisch spricht. Ich trug ihm auf, seinen Landsteuten Muth einzusprechen; und wirklich hatte er ihnen auch kaum einige Worte gesagt, so sahen wir uns von der ganzen Inwohnerschaft umgeben, die uns mit grossen und lärmenden Freudensbezeugungen nach der Kirche folgte.

Unerachtet diese Kirche blos eine lange, mit Palmblättern bedeckte, Barrake von Erde war, wie die der ersten Christen im Orient, eh' das Christenthum eine herrschende Religion und die Kirche eine Macht geworden; so war doch das Innere ziemlich reinlich, und besser verziert, als unsre Dorfkirchen gewöhnlich sind.

Dieses Volk, mein Herr, ist nicht das einzige, das einen Tempel, einen Cultus, Altäre und keine Religion hat. Auch rath' ich ihm, ohne Priester zu bleiben; weil es nicht gewiß ist, einen guten zu erhalten.

Nahe dabey war die Hütte, welche der verstorbene Missionnaire bewohnt hatte.

Auf alle meine Fragen konnt' ich nicht genau erfahren, von welchem Orden er gewesen war. Aber nach seinen Neophyten zu urtheilen, arbeitete er mit geringem Erfolg an dem Weinberg des Herrn. Auch scheitern unglücklicher Weise die meisten Geistlichen, welche man auf apostolische

Arbeiten jenseits der Meere sendet, mit den ehrwürdigsten Gesinnungen, und einer Ergebung, welche man ohne Enthusiasmus erhaben nennen kann, beynah' in allen ihren Unternehmungen; weil ihre Erfahrung gewöhnlich nicht ihrem Eifer angemessen ist, und die Reinheit des Zweckes nicht immer den schwachen Mitteln genügen will.

Der große Fehler der gewöhnlichen Bekehrer war immer, daß sie auf die Einbildungskraft wirken wollten, statt zum Herzen zu reden; daß sie Erstaunen erregen wollten, ehe sie unterrichteten; daß sie das Unerklärbare erklären wollten und die Aufmerksamkeit von dem blossen Apparat nicht auf die Moral hinleiteten, was sie gleich, und vielleicht allein hätten thun sollen. Während der geübteste Verstand vor dem ungeheuern Begriff eines unendlichen Wesens zernichtet wird, wollten sie denselben vor einfältigen, rohen und unwissenden Geschöpfen mit Händen greifen machen und redeten ihnen nur von seiner Unermeßlichkei, und seinem Ruhme. (8.)

Was ist aber auch das gewöhnliche Resultat dieser falschen Unterrichtsmethode? — Kein andres, als daß die meisten Missionäre, statt Christen zu bilden, nur Ungläubige, Heuchler, oder

Götzendiener bilden; daß diese, unfähig, ihre Gedanken zu den erhabenen Betrachtungen des Unendlichen zu erheben, ihn nach vergeblichen Anstrengungen auf das, was unmittelbar ihre Sinne trifft, zurücke fallen lassen; daß unter allen Gegenden, wohin die katholischen Missionen das Licht des Evangeliums verbreitet haben, viele sind, wo dieses unter dem dicksten Aberglauben begraben ist; daß wir, statt diese ungebildeten Menschen über ihre alten Irrthümer zu belehren, ihnen blos neue zugebracht, und ihnen die Gebote einer göttlichen Moral dermaßen mit kleinlichen Übungen und dem devoten Geschwätz des Aberglaubens beladen haben, daß die Christen in Ost-Indien nur unter dem Nahmen der G ö t z e n d i e n e r v o n E u r o p a bekannt sind; und daß wir sie endlich, statt sie aufzuklären, und besser und glücklicher zu machen, etwas blinder, viel unglücklicher und beynah so schlimm gemacht haben, als wir selbst sind.

Da dieser Stand der Dinge leider durch die Zeugnisse der achtungswerthesten Reisenden bestätiget ist, so weiß ich nicht, ob es nicht besser wäre, den Talapoin glauben zu lassen, daß er eine Todsünde begeht, wenn er seinen Kinnbakken krachen macht, oder ins Feuer pißt, als daß wir an die Stelle dieser Dummheiten nur andere setzen. Der Grund, warum die Jesuiten mit so vielem Erfolg in diesem Fach arbeiteten, ist kein anderer, als daß sie die Wilden civilisirten, eh' sie sie bekehrten, und erst Menschen aus ihnen bildeten, bevor sie sie zu Heiligen machen wollten.

Ich habe in der Muße unsrer langen Schiffahrt viele Bemerkungen über diesen Punct gemacht, die ich ihnen noch in einem meiner Briefe mittheilen werde, eh' wir an das Vorgebirg der guten Hoffnung kommen, und den Sie die Güte haben werden, unsrem Freund, dem Pater General für die auswärtigen Missionen, mitzutheilen. Er ist, so gut als ein andrer, durch die vortheilhaften Berichte derjenigen getäuscht, welche sich selbst gern ihre Erfolge übertreiben mögen, und Sie wissen so gut, als er, daß ich weder ein starker Geist bin, noch dasjenige, was die schwachen Geister einen Philosophen nennen. Allein bey meiner Ueberzeugung von dem Nutzen, den es stiften könnte, thut es mir wehe, sehen zu müssen, wie dieses ehrwürdige Institut, dem er angehört, durch seine niedrigern Agenten so schlecht unterstützt wird.

Die erste Pflicht ist Gerechtigkeit, und so muß man denn den französischen Missionnären ihr Recht widerfahren lassen, und sagen, daß sie, in vielen Rücksichten, denen der übrigen katholischen Nationen zu Mustern dienen könnten, und gewiß verdankt man diesen Vortheil blos den Einsichten der Häupter der französischen Missionen.

Ein gründlicherer Unterricht und mildere Sitten machen sie unstreitig viel geeigneter, der Religion, welche sie in den fernen Ländern predigen, Proselyten zu gewinnen. Aber vielleicht zeigt ihnen auch ein wenig zuviel Selbstvertrauen, und jener Leichtsinn des Geistes und Characters, der selten unter die Oberfläche dringt, als vollständige Siege über den Irrthum, was nur nothwendige Wirkung einer Sorglosigkeit ist, mit welcher der Wilde zu wenig an den religiösen Meinungen hängt, in denen er erzogen ist, um eifriger an denjenigen zu hängen, welche man an ihre Stelle setzt.

Drey und zwanzigster Brief.

Insel Annobon.

Ich nehme den abgerissenen Faden meiner Erzählung wieder auf, mein Herr.

Nachdem wir mit unsrem ganzen, schwarzen und weissen Gefolge vor dem Altar angekommen waren, knieten wir nieder. Unser sogenannter Prediger stimmte das Salve Regina an, das wir mit ihm sangen; und dieß zur größten Erbauung der Insulaner, und mit einem Ausdruck, welcher der der Dankbarkeit war, wie sie uns die Erinnerung der letzten Gefahr einflößte, der wir entronnen waren.

Indeß bekenn' ich, daß eine gewisse Figur, welche sich mit vielem Eifer um uns bewegte, mehreremale beynah die fromme Gravität gestört hätte, die uns die Umstände zur Pflicht machten. Es war die einzige Person, welche noch von dem alten Clerus der Kirche übrig geblieben: der Sacristan, ein alter, hinkender Neger, der ein Chorkleid ohne Aermel und von einem, ins Roth spielenden, Schwarz übergeworfen hatte. Diese priesterliche Kleidung war an der Stelle, auf die er sich am häufigsten gesetzt hatte, symmetrisch durchlöchert. Auf seinem breiten, wolligen Schädel saß eine viereckige Mütze in völligem Gleichgewicht schwebend.

Nachdem wir unsre Andacht verrichtet hatten, verliessen wir die Kirche. Das Volk folgte uns nach, und so durchliefen wir die Strassen des Dorfs, während ich unsern Dollmetscher ausfrug. Dieser belehrte mich, daß es ihn einst versucht, Europa zu sehen, daß er die Gelegenheit eines, nach London zurückkehrenden, Schiffs benützt, und sich sechs Monate lang in dieser Stadt, mehr betäubt, als beglückt durch die Genüsse, welche durch ihre Neuheit beynah ihren einzigen Werth erhielten, aufgehalten habe. Ueberzeugt endlich, daß das Vergnügen, sich im Bier oder in Ginn zu berauschen, nicht zum Glück führe, und nachdem er sich vom Feuer stinkender

Steinkohlen, das ihn röstete, ohne ihn zu erwärmen, lange genug nach der natürlichen Wärme seines Vaterlandes gesehnt, habe er vom ersten, nach der afrikanischen Küste gehenden, Schiff Gebrauch gemacht, um in dasselbe zurück zu kehren.

Als wir an seine Hütte kamen, lud er mich ein, hineinzutreten. Ich fand in derselben zwey junge Neger mit ihrer Mutter, die so schön war, als eine Negerin nur immer seyn kann. Wenn je eine Frau, wie die im Hohenlied, sagen konnte: schwarz bin ich, aber schön, so war es diese. Bey aller Vollkommenheit ihrer Züge drückte ihr Gesicht so viel Sanftmuth, Unschuld und Herzens-Reinheit aus, daß man sie in Vesta's Tempel selbst für die Fleckenloseste ihrer Jungfrauen genommen hätte.

Ein Tisch, einiges Haushaltungs-Geschirr, eine, auf acht Pfählen gespannte, Matte, welche der ganzen Familie zum Bette diente, und ein Paar Flaschenkürbisse, in Vasen-Form, machten die sämtlichen Geräthschaften aus.

„Das ist recht einfach,“ sagt' ich zu dem Neger, „für einen Mann, der den Luxus von Europa gesehen hat — ja, aber auch mit weni-

die Stunde bestimmt hatte, da sich jeder wieder an der Schalüppe einfinden sollte, und nachdem wir für alle Fälle ein Vereinigungszeichen verabredet hatten.

Ich behielt nur einen Offizier, den Wundarzt und einen Sergeanten bey mir.

Wir besuchten mehrere Hutten, welche alle eher stinkende Höhlen, als menschliche Wohnungen waren. Greise, Männer, Weiber, Kinder, alles wimmelte durch einander, und diese Könige der Natur sassen in dem Staub, und blickten einen ihres Gleichen mit dummem Erstaunen an. Vergebens suchte ich auf ihren schwarzen Stirnen entweder den Zug von Majestät des jüngern Racine's *), oder Miltons **) nackte Majestät, welche noch die königliche Abstammung des Sclaven so vieler Leidenschaften und Bedürfnisse bezeugen soll.

Dieser Anblick war zu beschwerlich, um ihn lang auszuhalten. Wir entfernten uns von dem Dorfe, als einer der Einwohner kam, um die Hülfe unseres Aesculaps für einen seiner Freunde

*) In seinem Gedicht: la Religion.

**) Naked Majesty, im verlornen Paradies.

spital stellen wollte. Allein da ich die Ungerechtigkeit fühlte, uns mit Gewalt unter Menschen niederzulassen und festzuhalten, an die wir kein anderes Recht hatten, als das der Gastfreundschaft, und da ich überdieß der Ueberzeugung war, daß es genug sey, wenn wir unsere Kranken nur den Tag über am Lande lassen könnten, so beruhigte ich unsre Wirthe, und sagte ihnen, es solle davon nicht mehr die Rede seyn, wenn es ihnen nicht anstände; ich hoffe aber, sie würden sich beeifern, uns alle nöthige Unterstützung zu reichen, indem wir sonst genöthigt seyn würden, Gewalt anzuwenden.

Diese Erklärung wirkte. Ein Greis, der unter diesen Leuten einiges Ansehn zu haben schien, unterstützte sie durch eine Rede, welche mit einem Grade von Aufmerksamkeit angehört wurde, wie sie die Frucht der Ehrfurcht ist, welche die wilden Völker noch vor dem Alter haben. Er beruhigte alle Köpfe, und

Chacun fut de l'avis de Monsieur le Doyen.

Nun war das Zutrauen unter uns wieder hergestellt. Um die Insulaner davon zu überzeugen, zerstreuten wir uns alle, nachdem ich erst die Stunde bestimmt hatte, da sich jeder wieder an der Schaluppe einfinden sollte, und nachdem wir für alle Fälle ein Vereinigungszeichen verabredet hatten.

Ich behielt nur einen Offizier, den Wundarzt und einen Sergeanten bey mir.

Wir besuchten mehrere Hütten, welche alle eher stinkende Höhlen, als menschliche Wohnungen waren. Greise, Männer, Weiber, Kinder, alles wimmelte durch einander, und diese Könige der Natur sassen in dem Staub, und blickten einen ihres Gleichen mit dummem Erstaunen an. Vergebens suchte ich auf ihren schwarzen Stirnen entweder den Zug von Majestät des jüngern Racine's *), oder Miltons **) nackte Majestät, welche noch die königliche Abstammung des Sclaven so vieler Leidenschaften und Bedürfnisse bezeugen soll.

Dieser Anblick war zu beschwerlich, um ihn lang auszuhalten. Wir entfernten uns von dem Dorfe, als einer der Einwohner kam, um die Hülfe unseres Aesculaps für einen seiner Freunde

*) In seinem Gedicht: la Religion.

**) Naked Majesty, im verlornen Paradies.

anzuflehn. Wir begaben uns also nach einer einsam stehenden Hütte, wohin man diesen Unglücklichen zurückgewiesen hatte.

Welch ein Anblick! Ein Leichnam, der nur Eine Wunde war! Ein Gestank, um zu Boden zu stürzen. „Geben Sie diesem afrikanischen Hiob schnell Ihren Segen“ sprach ich zu unserm Arzt; „dieß ist alles, was Sie für ihn thun können!“

„Wirklich befindet er sich auch in einem solchen Zustand der Auflösung,“ antwortete dieser, „daß es leichter wäre, einen Todten zu erwecken, als die Fortschritte derselben zu hemmen.“

Wir beeilten uns, herauszukommen, bemerkten aber doch, daß wenn einer unsrer Philosophen von diesem Schauspiel Zeuge seyn könnte, er sich wohl besinnen würde, den Fortschritten der Civilisation alle Uebel beyzumessen, welche auf der Menschheit lasten.

Um diese traurigen Gedanken zu verscheuchen, ließ ich mich in den Umgegenden des Dorfs herumführen, wo der Reitz einer völlig fremden Natur, und die Schönheit einer, für mich ganz neuen, Vegetation bald alle Eindrücke verlöscht hatten.

Herr von Bougainville sagt: „mag nun die Natur das andere Geschlecht überall mit einer unschuldigen Furchtsamkeit verschönert haben, oder mögen die Frauen, selbst in Ländern, wo noch die Freymüthigkeit des goldenen Zeitalters herrscht, das, was sie am meisten wünschen, nicht zu wollen scheinen;" *) — oft sah' ich, wenn ich an einer Baumgruppe vorüberging, junge Negressen, die der sanfte Instinct der Schaam vor mir verjagte, mich mit neugierigem Auge betrachten, und ich lachte bey dem Gedanken, daß die Natur, die überall dieselbe ist, auch überall denselben Ausdruck hat; und daß diese Anziehungskraft, welche das eine Geschlecht für das andere hat — Montesquieu nennt sie das natürliche Gebet — in Afrika so bekannt ist, als in Europa. Hier wirkt er hinter einem Gebüsch, in Spanien hinter einem Jalousie-Laden, und Candide und Kunigunde liessen ihn hinter einem Ofenschirm im Schloß von Tunderbentrunk wirken. Gewiß würden sich diese jungen Africa-

*) Voyage autour du monde. Tom. 2. chap. 1.

nerinnen gewaltig gewundert haben, wenn ich sie, aus Dankbarkeit für die Ehre, mich lorgnirt zu haben, mit dem Schöngeist Saint-Evremond versichert hätte, daß dieser Instinct von Schaam, dieser wahre Instinkt der Natur, in ihnen nichts sey, „als das scharfsinnigste Ding, was die zartfühlenden Menschen je ersonnen haben." *). Aber würden sie mich auch verstanden haben, wenn ich ihnen gesagt hätte, daß unsre Schaamhaftigkeit ein Geschenk der Natur sey, welches Montesquieu **) „die Schaam über unsre Unvollkommenheiten" nennt?

Aber verlassen wir diesen verführerischen Gegenstand und meine, mehr als halbnackten, afrikanischen Grazien. Ich will nicht untersuchen, ob sie sich blos versteckten, um besser gesehen zu werden, wie das zuweilen bey uns vorkömmt; aber ich freute mich, unter diesen Kindern der Natur ein Gefühl zu finden, auf das viele Weiber unter uns nur Verzicht leisten, weil sie es für unnatürlich halten.

*) Lettres de Ninon de l'Enclos au Marquis de Sevigné. lettre 67.

**) Esprit des lois. liv. XVI. chap. 12.

Nachdem ich einige Zeit, wie mich gerade der Weg führte, herumgeirrt war, ging ich nach unsrer Schaluppe, wo sich bereits alle eingefunden hatten. Ich stieß vom Lande, und wir kehrten an Bord zurück, begleitet von zwanzig Kanots, welche mit Lebensmitteln und besonders mit Wasser und vielen Früchten des Landes beladen waren — einem köstlichen Hülfsmittel, das uns vielleicht gefehlt hätte, wenn ich mich unter den Insulanern der europäischen Großsprecherey überlassen hätte.

Als ich mitten unter der kleinen Flotte, welche unsrem Schiff Ueberfluß und Gesundheit zuführte, ankam, ward ich hier empfangen, wie die Taube in der Arche Noah's, als sie den grünen Zweig in dieselbe zurück brachte.

Vier und zwanzigster Brief.

Insel Annobon.

So wie ich an Bord zurück war, mein Herr, entspann sich zwischen den Insulanern und uns ein Handel, der um so sonderbarer war, da unser Geld gar keinen Werth für sie hatte, und man ihnen einen Sack mit zwölf hundert Franken hätte bieten können, mit der Wahl, den Sack, oder das, was er enthält, zu nehmen, ohne daß sie sich anders, als für den Sack entschieden haben würden.

Wir mußten daher auf die ersten Elemente des Verkehrs, auf den Tauschhandel, zurückkommen, wie ihn der Geograph Pomponius den Seren, einem orientalischen Volke, beymißt. *)

*) Buch III. Kap. 7.

Teyth, nach den Egyptern, oder Toautus, nach den Phöniziern, oder Mercur, bey den Griechen, soll der erste gewesen seyn, welcher an Seefahrten dachte, die von Neptun und seinem Sohn Afles, der nach den Dichtern die erste Flotte ins Meer schickte, vervollkommnet würden. Mercur, sag' ich, war der erste, welchem es einfiel, die Schiffahrt zum Werkzeug des Handels zu machen, dessen Theorie Bacchus, wahrscheinlich ein Weinhändler, oder Osiris, der auch nichts anders gewesen seyn soll, vervollkommnete.

Wir haben nicht weniger, als diese großen Männer, für die Fortschritte einer Kunst gethan, welche, durch die Kunst der Schiffahrt und die Entdeckung der neuen Welt, aus Neptuns Dreyzack, oder vielmehr aus Mercurs Caduceus, den Scepter der Welt gemacht hat *). Man

*) Bekannt ist der Vers von Herrn Lemierre:
Le Trident de Neptun est le sceptre du monde.
Viele Kaufleute sind so naiv, einen Merkur, oder wenigstens seinen Schlangenstab, über die Thüre, oder auf die Mauer ihrer Magazine mahlen zu lassen. Wissen Sie denn nicht, daß Mercur auch der Schutzgott der Diebe war?

unsre Brüder, die Handelsleute von Nanty, Bordeaux, Havre und la Rochelle nicht unsre Brüder von der afrikanischen Küste zu Tausenden an unsre Brüder, die Pflanzer in den Colonien? Sehen wir nicht den phlegmatischen Holländer auf seine Grenzen und in seine Häfen Zeelevercoopers, Seelen-Verkäufer *) stellen, die durch Gewalt oder List junge Fremden entführen, welche sie wegschleppen und an die Bewohner von Surinam und Batavia verkaufen, wo sie in den Hospitälern sterben? Von 1714 bis 1776 sind in dem Hospital von Batavia allein 96,308 Europäer gestorben.

Der Landhandel, oder der Tausch des Überflüssigen gegen das Nothwendige, ist gewiß eine nützliche Sache, und scheint von dem goldenen Zeitalter an gewöhnlich gewesen zu seyn.

Aber der Handel des Luxus und des Geitzes, der Seehandel, entstand, nach dem Zeugniß der ältesten und ehrwürdigsten Schriftsteller, erst in dem eisernen Zeitalter.

*) Man sehe, was Thunberg hierüber im sechsten Kapitel seiner Reisen sagt.

Toyth, nach den Egyptern, oder Taautus, nach den Phöniziern, oder Mercur, bey den Griechen, soll der erste gewesen seyn, welcher an Seefahrten dachte, die von Neptun und seinem Sohn Astes, der nach den Dichtern die erste Flotte ins Meer schickte, vervollkommnet würden. Mercur, sag' ich, war der erste, welchem es einfiel, die Schiffahrt zum Werkzeug des Handels zu machen, dessen Theorie Bacchus, wahrscheinlich ein Weinhändler, oder Osiris, der auch nichts anders gewesen seyn soll, vervollkommnete.

Wir haben nicht weniger, als diese großen Männer, für die Fortschritte einer Kunst gethan, welche, durch die Kunst der Schiffahrt und die Entdeckung der neuen Welt, aus Neptuns Dreyzack, oder vielmehr aus Mercurs Caduceus, den Scepter der Welt gemacht hat *). Man

*) Bekannt ist der Vers von Herrn Lemierre:
Le Trident de Neptun est le sceptre du monde.
Viele Kaufleute sind so naiv, einen Merkur, oder wenigstens seinen Schlangenstab, über die Thüre, oder auf die Mauer ihrer Magazine mahlen zu lassen. Wissen Sie denn nicht, daß Mercur auch der Schutzgott der Diebe war?

darf aber nicht glauben, wie man häufig sagt, daß diese Idee ausschliessend den Einsichten angehört, welche die moderne Philosophie sogar über Gegenstände der Administration, der Finanzen und des Handel's verbreitet.

Große Männer des Alterthums, wie Philipp von Macedonien, Themistokles und Pompejus, dachten lang' vor unsern Philosophen, daß der Meister der Meere sonst überall Meister sey; denn da eine überwiegende Marine das erste Bedürfniß eines grossen Seehandels, dieser eine unerschöpfliche Quelle von Reichthum, und der Reichthum ein grosses Mittel der Macht ist; so war es für sie, wie für uns bewiesen, daß, wer Meister zur See, es überall ist *).

*) Die Veränderung, welche die Entdeckung von Amerika, die Erweiterung des Handels und die Gründung der Colonien in der besondern und respectiven Lage mehrerer europäischen Mächte bewirkte, hat auch in ihrem Staatsrecht eine wirkliche Revolution hervorgebracht, an die kein Publicist gedacht zu haben scheint, und die sie in See- und Land-Mächte theilt, welche unter einander ihr eigenes Staatsrecht und Ver-

die Stunde bestimmt hatte, da sich jeder wieder an der Schalüppe einfinden sollte, und nachdem wir für alle Fälle ein Vereinigungszeichen verabredet hatten.

Ich behielt nur einen Offizier, den Wundarzt und einen Sergeanten bey mir.

Wir besuchten mehrere Hütten, welche alle eher stinkende Höhlen, als menschliche Wohnungen waren. Greise, Männer, Weiber, Kinder, alles wimmelte durch einander, und diese Könige der Natur sassen in dem Staub, und blickten einen ihres Gleichen mit dummem Erstaunen an. Vergebens suchte ich auf ihren schwarzen Stirnen entweder den Zug von Majestät des jüngern Racine's *), oder Miltons **) nackte Majestät, welche noch die königliche Abstammung des Sclaven so vieler Leidenschaften und Bedürfnisse bezeugen soll.

Dieser Anblick war zu beschwerlich, um ihn lang auszuhalten. Wir entfernten uns von dem Dorfe, als einer der Einwohner kam, um die Hülfe unseres Aesculaps für einen seiner Freunde

*) In seinem Gedicht: la Religion.

**) Naked Majesty, im verlornen Paradies.

anzusehn. Wir begaben uns also nach einer einsam stehenden Hütte, wohin man diesen Unglücklichen zurückgewiesen hatte.

Welch ein Anblick! Ein Leichnam, der nur Eine Wunde war! Ein Gestank, um zu Boden zu stürzen. „Geben Sie diesem afrikanischen Hiob schnell Ihren Segen“ sprach ich zu unserm Arzt; „dieß ist alles, was Sie für ihn thun können!“

„Wirklich befindet er sich auch in einem solchen Zustand der Auflösung,“ antwortete dieser, „daß es leichter wäre, einen Todten zu erwecken, als die Fortschritte derselben zu hemmen.“

Wir beeilten uns, herauszukommen, bemerkten aber doch, daß wenn einer unsrer Philosophen von diesem Schauspiel Zeuge seyn könnte, er sich wohl besinnen würde, den Fortschritten der Civilisation alle Uebel beyzumessen, welche auf der Menschheit lasten.

Um diese traurigen Gedanken zu verscheuchen, ließ ich mich in den Umgegenden des Dorfs herumführen, wo der Reitz einer völlig fremden Natur, und die Schönheit einer, für mich ganz

Irrthum seh' ich den Ursprung alles Schlimmen, was die Europäer bey den wilden Völkern erfahren, und aller Verbrechen, die sie unter ihnen begangen haben. So ist es aber auch bey civilisirten Völkern, wo die Autorität, welche so gerne den Gebrauch der Gewalt übertreibt, den natürlichen Widerwillen, den der Gemeingeist gewissermassen maschinenmässig dieser Uebertreibung entgegensetzt, für Widerstand nimmt, und zum Extrem der Gewaltthätigkeit übergeht, um das der Schwäche zu vermeiden!

Die Gewalt gründet und hält die Ordnung aufrecht, und gewinnt vielleicht nie grössere Schnellkraft, als wenn ihr der Impuls von der Liebe, vom Vertrauen, und von der Gerechtigkeit gegeben wird.

Die Gewaltthätigkeit hingegen ist immer blind, und erreicht ihren Zweck nur, indem sie ihre Federn nachläßt, oder bricht.

Wer weiß ausserdem, ob der Diebstahl bey diesen Leuten nicht eine Folge ihrer Verhältnisse mit den Europäern ist? Fragen Sie den Caraiben: „was aus dem Geräthe geworden, das aus seiner Hütte verschwunden ist? etc. „Es muß

nerinnen gewaltig gewundert haben, wenn ich sie, aus Dankbarkeit für die Ehre, mich lorgnirt zu haben, mit dem Schöngeist Saint-Evremond versichert hätte, daß dieser Instinct von Schaam, dieser wahre Instinkt der Natur, in ihnen nichts sey, „als das scharfsinnigste Ding, was die zartfühlenden Menschen je ersonnen haben." *). Aber würden sie mich auch verstanden haben, wenn ich ihnen gesagt hätte, daß unsre Schaamhaftigkeit ein Geschenk der Natur sey, welches Montesquieu **) „die Schaam über unsre Unvollkommenheiten" nennt?

Aber verlassen wir diesen verführerischen Gegenstand und meine, mehr als halbnackten, afrikanischen Grazien. Ich will nicht untersuchen, ob sie sich blos versteckten, um besser gesehen zu werden, wie das zuweilen bey uns vorkömmt; aber ich freute mich, unter diesen Kindern der Natur ein Gefühl zu finden, auf das viele Weiber unter uns nur Verzicht leisten, weil sie es für unnatürlich halten.

*) Lettres de Ninon de l'Enclos au Marquis de Sevigné. lettre 67.

**) Esprit des lois. liv. XVI. chap. 12.

3.) Ihr Umfang und ihr Boden, so wie ich ihn gesehen habe, lassen mich glauben, daß sie leicht dermassen befestiget werden könnte, um gegen einen schnellen Ueberfall gesichert zu seyn; doch kann ich nicht sagen, ob sie eine Rhede oder Bai besitzt, welche eine gewisse Anzahl von Kriegsschiffen fassen kann, noch ob man Werften anlegen könnte.

4.) Wenn ein Schiff und seine Bemannung auch noch so sehr durch eine lange und beschwerliche Schiffahrt und durch den Durchgang unter der Linie gelitten hat, so finden beyde beym Anhalten auf Annobon, alle nöthigen Hülfsmittel, um das Vorgebirg der guten Hoffnung mit ausgebessertem Schiff und mit gesunder und ausgeruhter Mannschaft zu umsegeln.

Fünf und zwanzigster Brief.

Insel Annobon.

Ich sagte Ihnen, mein Herr, daß wir viele Kranke auf der Liste hatten, alle vom Scorbut angegriffen.

Ein Neger, den ihre Leiden rührten, versicherte uns, daß er ein unfehlbares Mittel gegen diese Geissel der Seeleute besitze; ein ganz einfaches Mittel, welches aus einer zerriebenen Erde bestehe, die in Palm-Öl aufgelöset würde.

Unsre Ärzte standen an, einem Mann, der keiner Facultät zugehörte, und ihnen keines der bekannten anti-scorbutischen Mittel nannte, zu trauen. Doch waren sie verständig genug, ihre Wissenschaft nicht blos auf das, was sie davon gelernt haben konnten, zu beschränken, und begnügten sich, der Kur des guten Negers beobachtend zu folgen.

3.) Ihr Umfang und ihr Boden, so weit ich ihn gesehen habe, lassen mich glauben, daß sie leicht dermassen befestiget werden könnte, um gegen einen schnellen Ueberfall gesichert zu seyn; doch kann ich nicht sagen, ob sie eine Rhede oder Bai besitzt, welche eine gewisse Anzahl von Kriegsschiffen fassen kann, noch ob man Werften anlegen könnte.

4.) Wenn ein Schiff und seine Bemannung auch noch so sehr durch eine lange und beschwerliche Schiffahrt und durch den Durchgang unter der Linie gelitten hat, so finden beyde beym Anhalten auf Annobon, alle nöthigen Hülfsmittel, um das Vorgebirg der guten Hoffnung mit ausgebessertem Schiff und mit gesunder und ausgeruhter Mannschaft zu umsegeln.

frohe Leute unter uns nahezu eine Unklugheit, die nicht vorauszusehen war, und gegen welche man jeden Reisenden verwahren sollte, sehr theuer.

Zwey von unsern jungen Männern waren ans Land gegangen. Durch die Aehnlichkeit der Form verfuhrt, hatten sie eine Art von Nüssen gepflückt und gegessen, die nichts mehr und nichts weniger, als die sogenannte Brechnuß, oder die indische Pinie, ein bekanntes Gift, war, und sie in einen solchen Zustand versetzte, daß man sie halbtodt an Bord brachte. Zwar wurden sie gerettet, aber sie werden lange die Folgen einer Unklugheit verspüren, welche sie warnen muß, den unbekannten Früchten der heißen Zone eben so zu mißtrauen, als den verbotenen Früchten der unsrigen.

Da das Wasser ein dringendes Bedürfniß für uns war, so erboten sich die Neger, immer in der Hoffnung, etwas zu erhalten, oder zu nehmen, uns einen Wasserplatz zu zeigen, und trugen dabei ihre Dienste an.

Man schickte also die Schalupe mit leeren Fässern aus.

Ich hatte einmal irgendwo gelesen, daß die Araber auf gleiche Weise in ihrer Arzneykunst, aus der wir so viel entlehnt haben, eine gewisse Erdart benützen *); überdieß foderte der Mann nur eine geringe Bezahlung für den Dienst, unsre Scorbut-Kranken zu heilen, und so glaubt' ich denn in dem Augenblick unsrer größten Noth einen wahren Schatz in ihm gefunden zu haben. Sie wurden mehreremale des Tags mit dieser Salbe eingerieben, und selbst diejenigen unter ihnen, welchen man bey unsrer Ankunft auf der Insel nicht vier und zwanzig Stunden Leben mehr zugetraut hatte, genasen mit der bewunderns würdigsten Schnelligkeit. Indeß muß man bemerken, daß die Landluft, das unfehlbarste Mittel gegen den See-Scorbut, die frischen Lebensmittel, der Genuß von sauren Früchten, wie der Zitronen und Tamarinden, und das gute Wasser viel zum Erfolg der Kur unsres afrikanischen Doktors gewirkt haben.

Während unsre Sterbenden wieder zum Leben zurückkehrten, zahlten einige äusserst lebens-

*) S. die Histoire du naufrage et de la captivité de Mr. de Brisson.

frohe Leute unter uns nahezu eine Unklugheit, die nicht vorauszusehen war, und gegen welche man jeden Reisenden verwahren sollte, sehr theuer.

Zwey von unsern jungen Männern waren ans Land gegangen. Durch die Aehnlichkeit der Form verfuhrt, hatten sie eine Art von Nüssen gepflückt und gegessen, die nichts mehr und nichts weniger, als die sogenannte Brechnuß, oder die indische Pinie, ein bekanntes Gift, war, und sie in einen solchen Zustand versetzte, daß man sie halbtodt an Bord brachte. Zwar wurden sie gerettet, aber sie werden lange die Folgen einer Unklugheit verspüren, welche sie warnen muß, den unbekannten Früchten der heißen Zone eben so zu mißtrauen, als den verbotenen Früchten der unsrigen.

Da das Wasser ein dringendes Bedürfniß für uns war, so erboten sich die Neger, immer in der Hoffnung, etwas zu erhalten, oder zu nehmen, uns einen Wasserplatz zu zeigen, und trugen dabei ihre Dienste an.

Man schickte also die Schalupe mit leeren Fässern aus.

Ich machte mir das Vergnügen, ihr in einem der Kanots zu folgen, welche Lahontan „wahre Post-Chaisen für die Reise nach der andern Welt" nennt *), eine Art von Monoxyd **), das durch zween Neger geführt wurde, und, weil es so schmal war, ein eben so wankendes, als unbequemes, Fuhrwerk war.

Ich fuhr an der Süd-Küste hin, und kam nach einer Viertelstunde Fahrt an eine Art von Krek, den die Mündung eines Waldstromes bildete, welcher durch ein enges Thal rollte.

Unerachtet die Brandung das Anlanden schwierig machte, so gewann ich doch ohne Mühe den festen Boden, während die Schalupe genöthigt war, zwey Taulängen vom Lande zu halten; indem die Klippen ihr nirgends eine so breite Durchfahrt gestatteten, als sie brauchte.

Dieses Hinderniß war für uns gelehrte und industriöse Europäer unüberwindlich. Unsre Kenntnisse, wie unser natürlicher Verstand, liessen uns hier völlig im Stiche.

*) S. s. Briefe. B. 1. Brief 6.

**) Eine Art sehr schmaler Kähne, welche auf der Küste von Guinea im Brauch sind.

Wir wendeten uns daher an unsre Freunde, deren mehrere der Schalupe gefolgt waren. Auch kam uns ihr Instinct, der mächtiger war, als unsre Kunst, trefflich zu statten.

Ich werd' es nie vergessen, daß unser Ober-Kanonier, ein alter sehr eitler, aber guter Kerl, es um alles nicht zugeben wollte, daß wir die Schande auf uns luden, zu diesen Spitzbuben von Negern unsre Zuflucht zu nehmen, „die uns" wie er sagte, „nur aus Eigennutzen hälfen...." als ob dieser ehrliche Alte seinen Ausrüstern gratis gedient hätte!

So wie die Schalupe vor Anker lag, warfen die Afrikaner die Fässer ins Meer, und folgten ihnen schwimmend; indem sie sie, bald mit dem Kopf, bald mit den Händen vor sich her schoben, und sie sehr geschickt durch ein Labyrinth von Felsen durchbrachten, an denen unsre Leute sie um so gewisser zerschmettert hatten, da die Brandung an denselben sehr stark war.

Als die Fässer gefüllt waren, brachten sie sie auf gleiche Weise nach der Schalupe zurück, wo die Matrosen nichts anders zu thun hatten, als sie an Bord heraufzuziehen. So ward, was uns ohne Gewißheit des Erfolgs, vielleicht drey bis vier Tage Arbeit gekostet haben würde, durch „diese Spitzbuben von Negern" in nicht vollen drey Stunden vollbracht.

Während diese Operation an dem Ufer vorging, und unsre Archimeden, wahrhaft ausser Fassung, mehr mit neidischem, als beobachtendem Auge den Triumph der Natur über die Kunst ansahen, wandelte ich allein an dem Rande des Baches aufwärts. Er war ganz mit schönen Bäumen eingefaßt, deren Spitzen sich über demselben zusammen neigten, und ein, für die Sonnenstrahlen undurchdringliches, Gewölbe bildeten. In demselben floß ein klares Wasser, bald in engem Kanale eingezwängt, bald in verschiedene Zweige getheilt, bald in silbernem Gusse herabstürzend, dahin und füllte mit seinem sanften Murmeln die einsamen Echo's.

Auf beyden Seiten war der Abhang der Hügel mit einem dichten Walde von Orangen- und Citronen-Bäumen, und mit Gesträuchen bedeckt, deren Blüthen die Luft mit ihrem Balsam durchdüfteten. Bäume, denen meine Unwissenheit — von der ich mich indeß noch zu heilen hoffe — ihren wahren Nahmen nicht geben kann, und deren schöne Formen und nachläßige Haltung, oder kraftvolle Vegetation bald grosse Massen von Dunkelgrün, bald von Hellgrün und überhaupt das feine Gewebe der zärtesten Zweige derselben; Bäume und Sträuche von der zahlreichen Palmen-Familie bildeten den schönsten Contrast mit den harten und schroffen Formen einiger wilden Felsen, deren kahle, drohende Scheitel, der Stirn eines alten Tyrannen gleich, stolz über die demüthigen Lianen walteten, die zu ihren Füssen krochen.

Ich hatte seit vier Monaten meine Beine so wenig gebraucht, daß ich vor Müdigkeit nicht mehr weiter konnte, und setzte mich also.

Der dichte Schatten, die Stille der Luft, die Wohlgerüche der aromatischen Pflanzen, diese Mischung von Gehölz und ungeheuren Felsstükken, Kühlung und Dunkelheit liessen mich bald in eine Art von Träumerey oder Extase versinken, zu der die Einsamkeit einladet, und welche das Schweigen nährt.

Die Ruhe der Natur war in mein Herz übergegangen. Allein, fern, sehr fern von allem, was mir theuer ist, dacht' ich an die glücklichen Tage meiner ersten Jugend, an diese süssen, so schnell im Schoß der Freundschaft, des Ver-

Preis von Fremden zu kaufen, denen Fran. damit einen, für seinen Handel sehr last Tribut bezahlt.

Macht man mir den Einwurf, daß Ann Portugal gehört, und ausser der Strasse welche man nehmen muß, um die Linie in Breite zu durchschneiden, in der man weit wärts die regelmässigen Winde suchen kann denen man das Vorgebirg der guten H umsegelt *); so antwort' ich: Portugal von einer Besitzung, die ihm durch Brasili nütz ist, keinen Gebrauch zu machen, und sie also leicht an Frankreich abtreten. Der welchen die Engländer auf den unfruchtba sen von St. Helene setzen, der weit una gelegen ist, als die Insel Annoben, und seiner Rhede, viel geringere Hülfsmittel könnte uns belehren, wie wichtig für letzterer Besitz wäre. Zwey oder drey Tage Winds bringen ein Schiff, das auf Annobon gelegen hat, wieder in die Bre gen Winde. Freylich wär' ... thar

*) Die Verschi

Abgrund des

…nn, den Ver-
… andern gestellt
…n und oberfläch-
sich durch Spott
…g' stellt er ihnen
…ann wirft er den
…nwillens auf sie,
…t und Einsamkeit
… die einzigen Wün-
…r, auf deren Erfül-

…e das See-Ungeheuer
…t umkehren, es leeren,
…ehmen, mit derselben
…am Ufer geschehen wäre.
…rtreiben also nicht, wenn
…ese Leute wie die Fische

… zuver … …acht,
… …en.
grünen … …ckt.
…gerichtet un… Der
… seine Ku… …gen.

auch schon ihre Hütten. Einige gingen nach den Gehölzen, um Früchte zu pflücken; andre rüsteten ihre Kanots zum Fischen.

Das Ufer ertönte von ihrem Geschrey. Aus den feuchten Gegenden der Insel erhoben sich Dünste, welche die kühle Atmosphäre bald verdickte, und aus denen sie leichte Wolken bildete, die in den Lüften verdünsteten, gleichwie die leichten Träume eines ruhigen Schlafs vor den ersten Gedanken des Erwachens entfliehen.

Endlich stieg die Sonn' empor, und kaum erschien ihr erster Strahl an den Thoren des Ostens, als der Pik von Annobon in all ihrem Feuer glänzte.

Die ganze Natur erwachte, alles belebte sich um uns. Das Land erscholl von den Stimmen der Thiere. Das Meer ward von den Piroguen, voll Africanern, bedeckt. Einige brachten uns Lebensmittel und Holz; andere fischten. Manche von ihnen wollten uns gern ihre Geschicklichkeit zeigen, umringten einen Wallfisch, den sie bemerkt hatten, und schleuderten auf einmal all' ihre leichten Wurfspieße auf ihn. Der Wallfisch ward getreffen, floh, schnellte empor, tauchte unter, das Meer kochte um ihn, und er entging seinen Feinden nur, indem er im Abgrund des Ozeans eine Zuflucht suchte.

So, mein Herr, ist der Mann, den Verstand und Karakterkraft über die andern gestellt hat, den Sarcasmen der schwachen und oberflächlichen Köpfe ausgesetzt, welche sich durch Spott für sein Verdienst rächen! Lang' stellt er ihnen blos Verachtung entgegen; dann wirft er den feurigen Blick des gerechten Unwillens auf sie, und sucht in Zurückgezogenheit und Einsamkeit die Unbemerktheit und Ruhe, die einzigen Wünsche der Tugend und Weisheit, auf deren Erfüllung sie hoffen können.

Ich sah Neger, welche das See-Ungeheuer verfolgte, schnell ihr Kanot umkehren, es leeren, und wieder darin Platz nehmen, mit derselben Leichtigkeit, als ob es am Ufer geschehen wäre. Die Reisebeschreiber übertreiben also nicht, wenn sie uns sagen, daß diese Leute wie die Fische schwimmen.

Wir hatten den Abend zuvor ausgemacht, diesen ganzen Tag dem Vergnügen zu widmen. Das Verdeck ward mit grünen Zweigen besteckt. Das Zelt wurde aufgerichtet und decorirt. Der Koch hatte Befehl, alle seine Kunst anzustrengen.

Jeder putzte sich heraus, so gut es immer gehen wollte, und wenn Sie uns gesehen hätten, so würden Sie aus den Fest-Anstalten, die unter uns waren, geschlossen haben, daß wir Götzendiener seyn müßten, welche ihren Idolen ein Opfer rüsten.

Ich sagte Ihnen, daß wir, bey unsrer Annäherung an diese Insel, einen Dreymaster gesehen hatten, der in gleicher Richtung mit uns segelte. Es war ein Schiff von Ostende, das nach Europa zurück kehrte, und dem ich alle meine Briefe mitgegeben habe. Da er nahezu gleicher Hülfe, wie wir, bedurfte, so warf er eine Stunde nach uns Anker.

Wir hatten uns die gewöhnlichen Besuche gemacht, und die gegenseitigen Dienste geleistet, die man sich zur See nur zu oft versagt. Wir luden die Offiziere zum Essen. Man trug blos frische Fische, Vegetabilien des Landes, Geflügel und Bananas in allen möglichen Brühen auf. Aber die Getränke flossen in grossen Strömen, und nie belebte lebhaftere Freude die kostbaren Mahle von Lukull *).

*) Man weiß, daß er 80,000 Franken in Einem

Ich habe Ihnen in einem meiner Briefe nur einen flüchtigen Umriß von dem eigentlichen Matrosen gegeben. Nun kann ich aber hinzufügen, was den Seemann im Ganzen, und besonders den der ersten Classe vollkommen schildert.

Drey Viertheile ihres Lebens allen Entbehrungen unterworfen, ertragen sie, so lang sie zur See sind, alles Mögliche. So wie sie sich aber auf dem Lande befinden, so werfen sie sich ohne Ueberlegung in alles, was ihnen nur einen Schein von Vergnügen anbietet.

Da sie ganze Jahre fort den vollen Wirbel von Gefahren und Arbeiten ihres Standes zu bestehen haben, so wird ihr Kopf durch ein trockenes und siedendes Blut aufgetrieben. Sie beginnen mit Berechnungen eines schnellen Reichthums-Erwerbs, und enden mit Wollustbildern, welche sie bey der ersten Gelegenheit zu realisiren suchen, und die sie all ihr Vermögen und Gesundheit kosten, eh sie einige kalte Kopien derselben nur im Umriß gewinnen konnten.

Abendessen aufgehen ließ, welches er dem Cicero und dem Pompejus im Vorbeygehn gab.

Daher kömmt es denn auch, daß sich die meisten Seeleute, und die französischen besonders, von einer lebhaften Einbildungskraft getrieben, verschwenderisch mit ihrer Kraft und Thätigkeit, allen Vergnügungen, wie allen Arbeiten ihres Handwerks, überlassen, den Verfall ihrer Gesundheit beschleunigen, und im vierzigsten Jahre schon in einem Zustand sind, welcher nur dem Alter angemessen ist.

Denselben Gründen muß man auch die Härte des Geistes und Körpers beymessen, welche man ihnen vorwirft — eine Ungerechtigkeit, die um so auffallender seyn muß, da dieser Fehler offenbar nur Folge ihrer Erziehung und der Umstände ist.

Alle Glieder dieses Standes, von denen ich rede, fangen beym Schiffsjungen an, und bleiben in dieser Lage, bis sie das Alter, die Dienste, die Protection und das nöthige Geld haben, um weiter zu kommen.

Wie soll daher ein Knabe, der sich in den Händen eines Schwarmes von harten, rohen Menschen befindet, in einer Schule, in welcher Flüche die einzige Sprache sind, sanfte Sitten gewinnen? In einer Schule, wo die Autorität des Anführers, welche nicht anders, als willkührlich seyn kann, ihren Willen in demselben Ton ausspricht? Wo Schläge und Ketten die einzigen gebräuchlichen Strafen sind? „Daher denn auch," wie der Reisende Le Gentil sagt, „diejenigen unter ihnen, welche die besten Lungen haben, immer den Preis der Beredtsamkeit davon tragen *)."

Fühlt sich aber der Mann, welcher einmal unter ihnen zu leben bestimmt ist, durch die Unfruchtbarkeit ihres Geistes, ihr brüskes Wesen und ihre rohen Formen zurückgestossen; so wird er durch die Dauer hinlänglich entschädigt; indem er unter dieser holperichten Rinde mehr Loyalität und Freymüthigkeit entdeckt, als ihre Gemeinschaft mit dem kaufmännischen Interesse zu versprechen scheint; dabey grosse Grundsätze von Ordnung und Gerechtigkeit, und einen Schlag von Naivetät und Originalität des Geistes, welcher durch ihr rauhes Wesen nur um so liebenswürdiger wird.

Der Tag, den wir der Freude gewidmet hatten, mußte auch mit einem Schauspiel enden,

*) Nouveau voyage autour du monde, Tom. III. Lettr. 14.

und wir bekamen auch eines, das die Kraft und Muth der Mitspieler, die Energie ihrer Leidenschaften, der Schauplatz der Scene und das Interesse und die Entwicklung der Handlung den Dramen vom ersten Range gleichstellte.

Der Wallfisch, von dem ich Ihnen früher gesprochen hatte, war wieder erschienen, und schwamm, als ob er eine Rache für die Schmach seiner Flucht vorhätte, mit einer Art von Unruhe um uns herum, die dieser Fisch-Gattung nicht natürlich ist. Auch entdeckten wir bald die Ursache in einem Schwertfische (10.), welcher ihn zum Streit herauszufodern das Ansehn hatte.

Der Wallfisch schien einige Zeit die Ausfoderungen seines schwachen Gegners zu verachten. Es war Goliath, der mit dem beleidigenden Gelächter der Verachtung die Herausfoderung des schwachen Kämpfers von Israel beantwortete. Endlich siegte der Unwille über den Stolz; und nun begann ein Kampf, der in den Augen eines Dichters ein schöner Vergleichungs-Gegenstand gewesen wäre.

Der Wallfisch, ganz wüthend, grub bald Abgründe um sich, bald hob er sich senkrecht auf seinem Schwanz empor, und schien mit seiner ungeheuern Masse seinen Feind zertrümmern zu müssen. Dann schlug er der ganzen Länge nach nieder, und das ganze Ufer erschallte von dem furchtbaren Geräusche seines Falls.

Der gewandtere Schwertfisch ersetzte die Stärke durch seine Schnelligkeit, ergriff seinen Vortheil, schoß wie ein Pfeil auf den Wallfisch los, und suchte ihn mit seinem Schwert zu durchbohren.

Daumale est plus ardent, plus fort, plus furieux;
Turenne est plus ardent, et moins imperieux.

Der Kampf war lang und hartnäckig; allein da der Wallfisch, um sich zu bewegen, mehr Tiefe nöthig hatte, so entfernte er sich allmählig, und wir verloren die Streiter aus dem Gesicht, ohne daß wir wußten, wie der Kampf sich endigte. Man erzählt, daß der Schwertfisch, wenn er den Wallfisch endlich durchbohrt hat, die Zähne seiner Waffe nicht mehr von ihm losmachen kann, und endlich mit ihm zu Grunde geht — ein Opfer des Instincts von Haß, der sie treibt, sich überall, wo sie sich begegnen, zu bekämpfen. Der Mensch ist also nicht das einzige unter den Thieren, das seine blinden Leidenschaften in das Verderben stürzen!

Am 13ten kehrte ich zu unserm Wasserplatz zurück, und machte dießmal den Weg ganz zu Fuße.

Man muß vier Monate lang, wie wir, in einem tännenen, mit Theer bedeckten Koffer eingesperrt gewesen seyn, mein Herr, um das Vergnügen zu begreifen, das ich fühlte, in dem ich ging, in dem ich die Düfte der aromatischen Blumen unter meinen Füssen einathmete. Gewiß kann nur ein Gefangener und ein Seemann den freyen Gebrauch der Beine ganz schätzen. Hätt' ich den Philosophen oder Narren *) bey mir gehabt, welcher die Existenz der Bewegung läugnete, so würd' ich mich nicht, wie sein Gegner, damit begnügt haben, vor ihm herzugehen; sondern ich hätte ihn vorausgehen lassen, um ihn zu überzeugen, daß die Bewegung für unser physisches Wohlseyn so nöthig ist, als für die Existenz des Weltalls.

Unter einer Menge, in unsern Climaten unbekannten, Vegetabilien, die ich auf meinem

*) Zeno von Elea.

Gange fand, sah' ich Baumwollensträuche und einige Tamarinden *).

Letzterer Baum treibt eine Frucht in Hülsen, welche säuerlich süß, und sehr angenehm und gesund ist, wenn sie frisch gegessen wird. Dieses herrliche Gewächs ist sowohl durch seine Höhe, als durch die Anmuth, mit welcher sich die hängenden Hülsen seiner Frucht mit den zierlichen Formen seiner Zweige und seiner ausgezackten Blätter gruppiren, eines der schönsten Erzeugnisse der Natur.

*) Man muß diesen Baum nicht mit dem Baum gleichen Nahmens, der auf den Antillen bekannt ist, verwechseln. Beyde sind sehr verschieden von einander; der, von welchem hier die Rede ist, heißt Tamarinda Indica.

Sieben und zwanzigster Brief.

Auf der hohen See.

Alle unsre Vorräthe waren gemacht, unser Verdeck mit vierfüssigen Thieren bedeckt, unsre Käfichte mit Geflügel, und unsre Netze mit Appelsinen, Ananas, Bananas, Kokosnüssen u. dgl. gefüllt, und so stachen wir am 14ten bey sehr schönem Wetter, und mit der Aussicht, in längstens sechs Wochen am Vorgebirg der guten Hoffnung zu seyn, in die See.

Wie manche müssige Stunde wird in diesen, noch so langen Zwischenraum, treten, und womit werd' ich sie ausfüllen, wenn Sie mir, aus Mangel an Erzählungswürdigen Ereignissen, nicht erlauben, den Bericht von Thatsachen durch Bemerkungen zu ersetzen, die, ohne gerade zu einer

Reisebeschreibung zu gehören, doch mehr oder weniger zu dem nöthig sind, was ein Reisender nie vernachlässigen darf?

Ich habe mich, als ich Ihnen von dem letztverstorbenen Missionnär von Annebon sprach, anheischig gemacht, Ihnen meine Gedanken sowohl über die Wahl derjenigen, welche man aussendet, um das Evangelium unter Völkern zu predigen, die wir nun einmal durcheinander Wilde nennen, über ihre Bekehrungs-Weise und ihre Kenntnisse, als über die moralischen und intellectuellen Anlagen, und über den wahren Karakter ihrer Neophyten mitzutheilen.

Indeß hoff' ich, daß die Details, in welche ich werde eingehen müssen, weder ohne Interesse, noch Annehmlichkeit seyn werden.

Die erste Bemerkung, die sich darbietet, ist offenbar die Neuheit, den Gegenstand der apostolischen Missionen zu behandeln, welche Christus und seine Schüler gegründet haben, und deren Errichtung wenigstens die zahllosen Übel aufgewogen haben würde, welche die Europäer in den drey Welttheilen verbreiteten, wenn die Mehrzahl der Missionnäre, statt der Laster und der Unwissenheit, welche sie im Anfang nur verhaßt

S

und lächerlich unter den Indianern gemacht haben, eben so viele Kenntnisse, als Eifer, und zwar einen gleich reinen und feurigen Eifer, besonders aber Menschlichkeit, Geduld, und Nachsicht zu ihnen gebracht hätten, welche die ursprüngliche christliche Liebe ausmachen, der die evangelische Moral ihre ersten und schnellen Eroberungen verdankte; „denn die geduldige, wohlthätige Liebe," sagt der heilige Paulus, „kennt weder Neid, noch Kühnheit, noch Übereiltheit. Sie bläht sich nicht auf in Stolz; sie hat keinen Ehrgeiz; sie strebt nicht nach ihrem eigenen Interesse; sie ist nicht eigensinnig, nicht mürrisch. Sie erträgt alles, sie glaubt, sie hofft, sie duldet alles." *)

In solchem Geist, mein Herr, hätte die Bekehrung dieser Völker unternommen werden sollen, welche einige Missionnäre um so uneigent-

*) In der ersten Epistel an die Korinther. Man hat einigen Schriftstellern ihre Vertheidigungen der Toleranz vorgeworfen. Aber man sieht, daß sie der Apostel neben Glauben und Hoffnung bestimmt zu den Tugenden der Liebe und den Pflichten des Christen zählt.

licher Ungläubige genannt haben, da sie, die Wohlthat der Offenbarung nicht geniessend, nur um so treuere Beobachter des Naturgesetzes waren, welches ihr vorangegangen ist. Ihre Verblendung ist nichts, als die nothwendige Folge einer unüberwindlichen Unwissenheit.

Ich überlasse denen, welche Stand und Pflicht zu Leitern und Richtern der Missions-Arbeiten machen, die Sorge, die Missionnäre zum wahren Geist ihrer Bestimmung zurückzuführen, und beschranke mich, nach meiner Gewohnheit, auf Bemerkungen, welche wenigstens die Spur der Mißbräuche angeben, denen man entweder durch bessere Wahl derselbigen vorbeugen sollte; oder indem man die, zu entfernten Missionen bestimmten, Männer einer Aufsicht unterwärfe, welche thätig genug wäre, um zu verhüten, daß sie nicht öfters Gegenstände des Spotts und des Aergernisses würden, als der Erbauung und der Ehrfurcht.

„Ich bezahle die Missionnäre sehr theuer," sagte Ludwig XIV., „und doch hab' ich nur viele Klagen und wenige Bekehrungen davon."

Wenn dieß bey denen der Fall war, die, so zu sagen, unter den Augen ihrer Obern arbeiteten, was sollen wir erst von den andern denken, welche die Entfernung jeder Art von Abhängigkeit und Aufsicht entzog.

Den Obern, unter welchen dieser Zweig der geistlichen Administration steht, fehlt es zuverlässig weder an gutem Willen, noch an Einsichten. Aber sie ermangeln der Erfahrung und desjenigen Grads von Philosophie, der sie belehren könnte, daß ein Seminarist sehr gewissenhaft in seinen Pflichterfüllungen, sehr massig in seinen Liebhabereyen, und fromm durch Gewohnheit, durch Ueberzeugung und durch Unwissenheit seyn kann, und dennoch zu oft aufhören wird, all' dieß zu seyn, wenn er, noch in früher Jugend, aus seinem Kloster heraus in die Bahn der Welt, der Reisen und der Abenteuer geworfen wird. Diese verlorenen Kinder der Religion, wie die des Kriegs, sollten mit einer kraftvollen Leibesbeschaffenheit einen gleichen Grad von Einsicht, von Muth und von Mässigung verbinden.

Denken wir uns den jungen Missionnär, wenn er mit Einemmal auf einen Schauplatz versetzt wird, wo, an die Stelle der wenigen und beschränkten Ideen seiner Erziehung, so viele neue Gegenstände mit den grossen Gedanken treten die der Anblick der umsichtigen Macht des Menschen und seiner unternehmenden Kühnheit in ihm erwecken muß. Plötzlich sieht er sich allein von seiner Gattung unter einem Haufen von Schauspielern, die weit geneigter sind, über seine strengen Grundsätze zu lachen, als sie zu ehren, und die schwache Seite seiner Gebote aufzusuchen, als sie zu befolgen. Unter Taugenichtsen, welche sich ein boshaftes Vergnügen und ein ernsthaftes Studium daraus machen, Liebhabereyen und Leidenschaften in ihm zu entwickeln, die er bisher noch nicht kannte, so zu sagen, zwischen dem Menschen und dem Priester, zwischen der Natur und dem Priester-Amt einen Kampf zu entspinnen, in welchem der neue Apostel, öfters besiegt, als siegend, am Ende seine Pflichten, die sich Jeder um ihn herum erläßt, als eine, seiner Unerfahrenheit auferlegte, beschwerliche Last ansieht. Alsdann ist es ein wahres Glück, wenn er denselben noch eine Art von verdienstlicher Huldigung damit erweisen will, daß er der Form wegen und öffentlich die Sprache, die Lebensweisen und den Anzug seines Standes beybehält. (11.)

Man darf sich daher nicht wundern, mein Herr, wenn die meisten Missionnare, als solche Schüler in der Kunst, die Menschen zu studiren, kennen zu lernen und folglich zu leiten, der Gleichgültigkeit, dem Leichtsinn und der natürlichen Unfähigkeit der Wilden die Schwierigkeit beymessen, die sie finden, um denselben Geschmack an den Geboten und der Ausübung der Pflichten des Christenthums beyzubringen; und wenn sie die Ungerechtigkeit in diesem Punkte so weit treiben, daß einer von ihnen, um seine Geschicklichkeit ausser Zweifel zu stellen, uns sagt: „Wenn man die Wilden nicht von Kindheit an unter ein sehr strenges Joch *) nehme, so überzeuge man sie nie von den Wahrheiten des Christenthu-

*) Ein sehr strenges Joch ist gewiß in jeder Rücksicht für den, der es auflegt, sehr bequem; weil es demselben die Sorge erläßt, welche immer etwas beschwerlich ist, das Freyheits-Opfer, das er von dem, dem es aufgelegt wird, fodert, auf die Gerechtigkeit zu gründen. Aber was haben Unterwerfung und Ueberzeugung mit einander zu schaffen? Kann man bekehrt seyn ohne Ueberzeugung?

mes *) (12.); man könne nie auf sie rechnen, sie seyen zu dem Licht des Glaubens wenig geneigt." **) Freylich versichern uns andre: „daß es diesen Barbaren gar nicht an Verstand fehlt; daß sie sogar einen bewundernswürdig gesunden Verstand haben ***); und daß man Menschen unter ihnen findet, deren richtiger Sinn und gründliche und tiefe Urtheilskraft, selbst in Frankreich, sie zu bewundernswürdigen Menschen machen würde." ****)

Glauben wir indeß ja nicht, daß diese irrigen Ansichten, die schon der Widerspruch zwischen ihnen in ihrem ganzen Lichte zeigt, blos dem Leichtsinn beyzumessen sind, den man den Landsleuten dieser beyden ehrwürdigen Väter vorwirft. Der erste Verläumder in diesem Punct ist der Spanier Quevedo, Bischof von Darien, der in einer, vor Karln V. gehaltenen, Rede aus sei-

*) Hennepin, nouvelles découvertes etc. chap. 15.
**) Ders. chap. 33.
***) Ders. chap. 65.
****) Voyage et naufrage du révérend père Crespet. S. auch Labat, nouveau voyage. Tom. II. chap. 5.

nen Beobachtungen über den Verstand der Amerikaner den Schluß zu ziehen wagte, daß es gerecht und nothwendig sey, sie zu Sklaven zu machen — eine Verlaumdung, welche diesen Monarchen zur Bestattigung solchen Satzes hätte bewegen können, wenn der berühmte Las Casas, der bey dieser Untersuchung zugegen war, ihn nicht mit solcher Wärme und Beredsamkeit widerlegt hatte, daß die entgegengesetzte Meynung das Übergewicht erhielt.

Es ist traurig, mein Herr, aber vielleicht nützlich, zu bemerken, daß die Geschichte unter allen Geistlichen, welche seit Entdeckung der neuen Welt in diese übergegangen sind, nur zween Männer anführt, die ihre Kenntnisse, ihr Eifer, ihr Muth, ihre Frömmigkeit und ihre Menschlichkeit gleichsehr empfehlen müssen; diese sind derselbe Las Casas, und Almedo, Cortez Beichtvater; denn Cortez war zu groß, um nicht gut zu seyn, und einige gute Menschen um sich zu haben.

Fragen wir, nicht die Berichte der Missionnäre, welche, wie wohl zu begreifen ist, alle sehr geneigt sind, in ihren erbaulichen

Briefen *) ihre Erfolge und das Verdienst ihrer Arbeiten zu übertreiben; sondern ehrwürdige, unpartheyische Augenzeugen, und glauben wir alsdann, wenn der Abbé von Choisi selbst bekennt: „daß die christliche Religion ohne die Mathematik nie Fortschritte in China gemacht haben würde;“ **) glauben wir auf dieses Bekenntniß, daß man die wenigen Erfolge der Missionnäre blos dem Neid, der sie zu Feinden unter einander machte, statt daß ein heiliger Wetteifer sie nur zu Nebenbuhlern hätte machen sollen, ihrem Geitz, ihrer Ehrsucht, ihrem liederlichen Leben und besonders ihrer Unwissenheit beymessen darf.

„Alle Bewohner von Yucatan,“ sagt der Spanier Franz Coreal, „haben größtentheils den Nahmen und den Ruf als Christen; so wie sich aber die Geistlichen, welche man unter sie sendet, entfernen, so spotten sie über die Taufe und ih-

*) Ein Werk, dem es nicht an Interesse und guten Ansichten fehlt, das aber, wie leicht zu begreifen, von den Obern, welche den Druck besorgten, übergearbeitet worden ist.

**) Tagebuch seiner Reise nach Siam.

nen Beobachtungen über den Verstand der Amerikaner den Schluß zu ziehen wagte, daß es gerecht und nothwendig sey, sie zu Sklaven zu machen — eine Verläumdung, welche diesen Monarchen zur Bestättigung solchen Satzes hätte bewegen können, wenn der berühmte Las Casas, der bey dieser Untersuchung zugegen war, ihn nicht mit solcher Wärme und Beredsamkeit widerlegt hätte, daß die entgegengesetzte Meynung das Übergewicht erhielt.

Es ist traurig, mein Herr, aber vielleicht nützlich, zu bemerken, daß die Geschichte unter allen Geistlichen, welche seit Entdeckung der neuen Welt in diese übergegangen sind, nur zween Männer anführt, die ihre Kenntnisse, ihr Eifer, ihr Muth, ihre Frömmigkeit und ihre Menschlichkeit gleichsehr empfehlen müssen; diese sind derselbe Las Casas, und Almedo, Cortes Beichtvater; denn Cortez war zu groß, um nicht gut zu seyn, und einige gute Menschen um sich zu haben.

Fragen wir, nicht die Berichte der Missionnäre, welche, wie wohl zu begreifen ist, alle sehr geneigt sind, in ihren erbaulichen

Briefen *) ihre Erfolge und das Verdienst ihrer Arbeiten zu übertreiben; sondern ehrwürdige, unpartheyische Augenzeugen, und glauben wir alsdann, wenn der Abbé von Choisi selbst bekennt: „daß die christliche Religion ohne die Mathematik nie Fortschritte in China gemacht haben würde;" **) glauben wir auf dieses Bekenntniß, daß man die wenigen Erfolge der Missionnäre blos dem Neid, der sie zu Feinden unter einander machte, statt daß ein heiliger Wetteifer sie nur zu Nebenbuhlern hätte machen sollen, ihrem Geitz, ihrer Ehrsucht, ihrem liederlichen Leben und besonders ihrer Unwissenheit beymessen darf.

„Alle Bewohner von Yucatan," sagt der Spanier Franz Coreal, „haben größtentheils den Nahmen und den Ruf als Christen; so wie sich aber die Geistlichen, welche man unter sie sendet, entfernen, so spotten sie über die Taufe und ih-

*) Ein Werk, dem es nicht an Interesse und guten Ansichten fehlt, das aber, wie leicht zu begreifen, von den Obern, welche den Druck besorgten, übergearbeitet worden ist.

**) Tagebuch seiner Reise nach Siam.

ten Unterricht als Christen. Der Haß, den sie, wegen der Ungerechtigkeiten und Grausamkeiten, welche man unter ihnen begangen hat, gegen uns hegen, trägt viel zu ihrem Widerwillen gegen unsre Religion bey *). Indeß sind sie aus Furcht vor Züchtigung oder Sclaverey sehr genau im äussern Dienst. Sie geben sich das Ansehn zu fasten, beichten sich und entrichten die Annaten so gut, als der beste spanische Christ. Bey alle dem sind aber die Stockprügel, welche ihnen die Mönche geben, oder aus Liebe zu Gott geben lassen, ohne Vergleichung wirksamer gewesen, als die Predigten und Katechisationen. Und dennoch fehlt es ihnen weder an gesundem Verstande, noch an Scharfsinn!" **)

Ob es nun gleich nicht leicht zu begreifen ist, daß Schüler, welche gesunden Verstand und Scharfsinn besitzen, blindlings an Lehrer glauben

*) Dieser Vorwurf trifft freylich die Missionnäre nicht zunächst; aber er macht es nur um so begreiflicher, daß sie mit der Bekehrung ihrer eigenen Landsleute die apostolische Laufbahn hätten eröffnen sollen.

**) Rélation des voyages etc. Tom. I. chap. 1.

sollten, denen weniger daran liegt, sie zu überzeugen, als zu unterjochen; und nimmt man auch das nöthige Maß von Stumpfsinnigkeit bey den Indianern an, um durch den Contrast zwischen dem Leben dieser Christen und der Vortrefflichkeit der christlichen Moral nicht empört zu werden; so läßt sich doch kaum denken, daß das Benehmen der Christen gegen einander selbst „diesen scharfsinnigen, richtig fühlenden, und tief und sicher urtheilenden Menschen" nicht stark genug aufgefallen seyn sollte, um ihnen die entschiedenste Verachtung und den gerechtesten Haß gegen sie einzuflößen.

Es ist leicht zu begreifen, daß die bürgerliche Autorität der Religion zuweilen die Sorge überlassen kann, die Opfer ihrer Ungerechtigkeit zu trösten; eben so leicht, daß die Diener der letzteren manchmal die Opfer, welche sie von den Gläubigen foderten, mit Wechseln, im Paradiese zu erheben, ausbezahlten; ja es ist sogar begreiflich, daß das abscheuwürdigste Einverständniß gestattete, daß die gebornen Wahrer der individuellen Freyheit der Völker sich mit ihren Feinden verstanden, um die Sclaverey diesen armen Sündern zur Busse für ihre Fehler zu machen. Die

Politik reichte hier dem Handels-Geitz *) die eine, und dem Mönchs-Despotismus die andere Hand; aber beyde sind weder leidenschaftlich, noch thörigt genug, um gutwillig alles Uebergewicht, welches Vertrauen und Ehrfurcht verschaffen, abzugeben, um sich eben so verächtlich, als verhaßt zu machen. — Und dennoch thaten sie das!

*) Lange genug wurden die Bewohner des americanischen Continents nach den Antillen und an andre Orte hin verhandelt, wo man später die Neger daselbst verkaufte. Man ist gewöhnlich der Meinung, und ich selbst habe es in meiner Reise nach St. Domingo gesagt, daß Las Casas sich zuerst gegen diesen Handel auflieẞ, und bewirkte, daß die Neger an die Stelle der Karaiben traten. Der erste Satz dieser Behauptung hat auch allerdings seine Richtigkeit; aber der zweyte ist nun als falsch anerkannt. S. d. Note S. 116 im ersten Band der Voyage aux isles de Trinidad et Tabago etc. par J. J. Dauxion Lavaysse. Der Senator Gregoire war der erste, welcher Las Casas von einer Beschuldigung rettete, die blos Herrera, ein eben so partheyischer, als unwahrer Geschichtschreiber gegen ihn erhoben hat.

Acht und zwanzigster Brief.

Auf der hohen See.

Man muß bey Coreal die Geschichte des mönchischen Bürgerkriegs lesen, der zwischen den Mönchen wegen eines Bildes von dem heiligen Dominikus geführt wurde, welchem man das von St. Ignatius untergeschoben hatte.

„Die Indianer," sagt der Reisende, „nahmen Parthie dafür und dagegen. Mehrere wurden tödtlich verwundet.", *) .... Und so ward die Verzichtleistung auf die Güter dieser Welt, die Demuth, die christliche Milde und Liebe, die Verzeihung von Beleidigungen unter denen geprediget, welche man mit Stockprügeln auf

*) Ders. ebendas.

den Weg des Heils leitete! „Allein diese Herrn Priester,“ sagt La Hontan, „lieben bey all ihrem heiligen und zerknirschten Aussehn die specifische Vervielfältigung der Arbeiter im Weinberg des Herrn nicht im geringsten. Der Eifer weckt eine fromme Eifersucht, und jeder Orden möchte gern alles bekehren.“ *) — Und dieß aus dem Grunde, weil die Bekehrten nutzliche Unterthanen wurden, und, wie wir bereits bemerkt haben, „die Annaten so gut lieferten, als die besten spanischen Christen.“

Beschränkten sich die Missionnäre wenigstens, statt der Tugenden, welche die Religion so sehr empfiehlt, entweder auf den gemeinen Menschen-Verstand, oder auf das Interesse des niedrigsten Eigennutzens zu wirken, so brauchten sie nur den bewundernswürdigen Menschen-Verstand, den tiefen Scharfsinn der Wilden aufzuopfern. Aber dann hätten sie freylich nur Dummköpfe bekehrt; und wie wär auch eine solche Anstrengung von Bescheidenheit und Vernunft von ihnen zu erwarten, wenn man, mit-

*) Voyages du Baron de la Hontan. Tom. I. lettre 4.

ten unter den abgeschmacktesten Verläumdungen und Urtheilen, die nur die offenbare Bosheit und die finsterste Unwissenheit gefällt hat, den Missionnär Merolla, den schwachköpfigen Nacheiferer des Betrügers, Apollonius von Tyana *), von einem afrikanischen Vogel versichern hört, daß er den Nahmen Jesus Christus deutlich ausspreche, und wenn er hinzusetzt: „ist es nicht zum Erstaunen, daß diese natürliche Ausrufung die Kraft hat, die Herzen der Bewohner zu erweichen?"

Ich gesteh' es, es ist traurig, „Sünder zu sehen, welche so wenig zum Glauben geneigt sind;" aber es scheint mir noch betrübender, seine Fackel in den Händen eines geistlichen Führers zu wissen, welcher darüber seufzt, daß die Beredsamkeit eines Vogels an derselben Klippe, wie die seinige, scheitert!

Dieß mag die Dummheit Eines Missionnärs bezeichnen! Aber man kann sie doch wenigstens mit der Ungleichheit entschuldigen, mit welcher

*) Er rühmte sich Orakel zu verstehen, welche die Vögel ertheilten. S. Bayles Dictionnäre in seinem Artikel.

die Natur die Gaben des Verstands vertheilt. Die Einfalt des Herzens mag der des Geistes Verzeihung gewinnen; aber wie soll man den Grund mißkennen, aus welchem ein Andrer Missionnär seine Meinung bestimmt, wenn man den Pater De Rhodes als Beweis für die Orthodoxie der Bewohner von Cochinchina die „grossen Perlen" anführen hört, die sie auf den Altar legen? — Nach seinen Werken zu urtheilen, ist dieß freylich ein vollkommener Glaube!

Was sollen wir aber erst von einem Dritten sagen, welcher sie überzeugt, daß der innere Werth dieser Geschenke in Gottes, wie in seinen Augen, das Maß ihres Glaubens ist? Von einem Geistlichen, der gottlos genug, das höchste Wesen an die Berechnungen seines Geitzes zu knüpfen, so unbegreiflich dumm ist, um es öffentlich zu bekennen?

Ich könnte unzählige Züge der Art anführen, mein Herr, wenn ich alle Beweise der unverzeihlichen Sorglosigkeit anführen wollte, mit welcher die Missionnäre gewählt werden, die die katholischen Staaten in ihre Colonien senden, und welche, zur Schande für ihre Geistlichkeit, den verächtlichsten Contrast mit den Missionnären der protestantischen Kirchen bilden.

Diese Behauptung scheint Ihnen vielleicht ein zu harter Vorwurf, um keiner Beweise zu bedürfen, mein Herr.

Ich will daher Zeugen reden lassen, die ich gewiß nicht aus den Declamatoren der modernen Philosophie wähle, und gehe, diesem Tadel vorzubeugen, ein Jahrhundert zurück, um Zeugen zu finden, gegen welche sich um so weniger sagen läßt, da unter achten, die ich anführe, die Hälfte zum katholischen Clerus, und der fünfte zu einer Classe von Menschen gehört, die durch ihren Stand der Ehre und Loyalität geweiht sind; „denn," sagt der Herausgeber von La Hontans Reisen, „ist es glaublich, daß ein Baron uns täuschen wollte?"

„Die reformirten Geistlichen," erklärt ein katholischer Reisender, dem es weder an Kenntnissen, noch an Frömmigkeit fehlte, „sind unendlich glücklicher, als die Missionnäre vom Prediger-Orden, von den Jesuiten, von den Franciskanern u. s. w. Woher kömmt dieß? Soll ich es sagen? — Ja; weil ihr Eifer rein, oder weil er wenigstens von dem Primatie- und

Herrsch-Geist, und besonders von Geitz und Schwelgerey frey ist — den Fehlern, in welchen die wahre Quelle des Hasses und der Verachtung der Asiaten gegen die Franzosen liegt. Die wenige Eintracht unter ihnen richtet den Ruf des französischen Nahmens in Ost-Indien vollends zu Grund, und macht ihn sogar verhaßt." *)

„Die Geistlichen von Brasilien," sagt Le Gentil, „und die Welt-Priester, haben, ausser ihrer, über allen Ausdruck schändlichen, Unwissenheit, öffentlich mit den Weibern zu thun, und man lernt sie früher durch den Nahmen ihrer Buhlerinnen, als durch ihren eigenen, kennen. Unbescheiden in den Kirchen, wenn sie einer Frau die Beichte abhören, scheinen sie ihr mehr zu schmeicheln, als ihr Gesinnungen der Reue und Frömmigkeit einzuflößen. Bey Nacht laufen sie bald als Weiber, bald als Sklaven verkleidet, mit Dolchen und noch gefährlichern Waffen herum, und selbst die Klöster, diese Gott geheiligten Häuser, dienen den lüderlichen Mädchen zum Asyl." **)

*) Journal d'un Voyage aux Indes orientales. T. 3.

**) Nouveau Voyage autour du monde. T. 3.

„Jedermann," sagt ein noch neuerer Reisender von der Sanftmuth und dem Eifer der dänischen Missionnäre, „Jedermann stimmt darin überein, den römischen Missionnären diese Eigenschaften abzusprechen; indem sie sich durch ihren Hochmuth, ihre Habsucht und ihren grenzenlosen Ehrgeitz allen Eingebornen verhaßt gemacht haben." *)

Ich will, um mich kurz zu fassen, mit einer Citation schliessen, die der französischen Geistlichkeit zur Ehre gereicht, und meiner Absicht um so besser entspricht, da sie keinen andern Zweck hat, als die Missionnäre zum wahren Geist ihres Berufs zurückzuführen. In diesem Bezug sagt der neueste Beobachter:

„Man klagt in der Luisiana, daß der spanische Mönch daselbst im Durchschnitt unwissend, lasterhaft und abergläubisch sey, und daß man Kenntnisse, Anstand und gute Sitten nur unter der kleinern Zahl von französischen Welt-Priestern finde, die zu dem Clerus dieser Colonie gehören." **)

*) Voyages au Japon, en Chine etc. Tom. 2. chap 4.

**) Vue de la Colonie espagnole du Missisipi. chap. 22.

ren Unterricht als Christen. Der Haß, den sie, wegen der Ungerechtigkeiten und Grausamkeiten, welche man unter ihnen begangen hat, gegen uns hegen, trägt viel zu ihrem Widerwillen gegen unsre Religion bey *). Indeß sind sie aus Furcht vor Züchtigung oder Sclaverey sehr genau im äussern Dienst. Sie geben sich das Ansehn zu fasten, beichten sich und entrichten die Annaten so gut, als der beste spanische Christ. Bey alle dem sind aber die Stockprügel, welche ihnen die Mönche geben, oder aus Liebe zu Gott geben lassen, ohne Vergleichung wirksamer gewesen, als die Predigten und Katechisationen. Und dennoch fehlt es ihnen weder an gesundem Verstande, noch an Scharfsinn!" **)

Ob es nun gleich nicht leicht zu begreifen ist, daß Schüler, welche gesunden Verstand und Scharfsinn besitzen, blindlings an Lehrer glauben

*) Dieser Vorwurf trifft freylich die Missionnäre nicht zunächst; aber er macht es nur um so begreiflicher, daß sie mit der Bekehrung ihrer eigenen Landsleute die apostolische Laufbahn hätten eröffnen sollen.

**) Relation des voyages etc. Tom. I. chap. 1.

sollten, denen weniger daran liegt, sie zu überzeugen, als zu unterjochen; und nimmt man auch das nöthige Maß von Stumpfsinnigkeit bey den Indianern an, um durch den Contrast zwischen dem Leben dieser Christen und der Vortrefflichkeit der christlichen Moral nicht empört zu werden; so läßt sich doch kaum denken, daß das Benehmen der Christen gegen einander selbst „diesen scharfsinnigen, richtig fühlenden, und tief und sicher urtheilenden Menschen" nicht stark genug aufgefallen seyn sollte, um ihnen die entschiedenste Verachtung und den gerechtesten Haß gegen sie einzuflößen.

Es ist leicht zu begreifen, daß die bürgerliche Autorität der Religion zuweilen die Sorge überlassen kann, die Opfer ihrer Ungerechtigkeit zu trösten; eben so leicht, daß die Diener der letzteren manchmal die Opfer, welche sie von den Gläubigen foderten, mit Wechseln, im Paradiese zu erheben, ausbezahlten; ja es ist sogar begreiflich, daß das abscheuwürdigste Einverständniß gestattete, daß die gebornen Wahrer der individuellen Freyheit der Völker sich mit ihren Feinden verstanden, um die Sclaverey diesen armen Sündern zur Busse für ihre Fehler zu machen. Die

Politik reichte hier dem Handels-Geitz *) die eine, und dem Mönchs-Despotismus die andere Hand; aber beyde sind weder leidenschaftlich, noch thörigt genug, um gutwillig alles Uebergewicht, welches Vertrauen und Ehrfurcht verschaffen, abzugeben, um sich eben so verächtlich, als verhaßt zu machen. — Und dennoch thaten sie das!

*) Lange genug wurden die Bewohner des amerikanischen Continents nach den Antillen und an andre Orte hin verhandelt, wo man später die Neger daselbst verkaufte. Man ist gewöhnlich der Meinung, und ich selbst habe es in meiner Reise nach St. Domingo gesagt, daß Las Casas sich zuerst gegen diesen Handel auflieſs, und bewirkte, daß die Neger an die Stelle der Karaiben traten. Der erste Satz dieser Behauptung hat auch allerdings seine Richtigkeit; aber der zweyte ist nun als falsch anerkannt. S. d. Note S. 116 im ersten Band der Voyage aux isles de Trinidad et Tabago etc. par J. J. Dauxion Lavaysse. Der Senator Gregoire war der erste, welcher Las Casas von einer Beschuldigung rettete, die blos Herrera, ein eben so partheyischer, als unwahrer Geschichtschreiber gegen ihn erhoben hat.

neuen Welt zum Signal so vieler Verbrechen und so vielen Jammers machten, an den Küsten dieser Länder die Adler, die sie zum Siege führten, aufgesteckt, und Mexiko und Peru, wie Deutschland, Spanien, Gallien und Großbrittannien, ihre Gesetze, ihre Sitten, und ihre Religion gelassen haben; statt den überwundenen Caziken und den tributären Inca auf das Schaffot zu schleppen, oder auf glühenden Kohlen zu rösten: — und Rom hätte den guten Atahualpa*), den wilden Huascar, und den unglücklichen Guatimozin im Triumph eines Cortez und Pizarro prangen gesehen.

Aus welchem Gesichtspunct man auch das Benehmen der Europäer ansehen mag, so muß man selbst aus der rohen Naivetät, mit der sie

*) Dieser König wars, der, auf dem glühenden Roste liegend, seinem Freund, welchem gleiche Qual laute Schreye auspreßte, sagte: lieg' ich denn auf Rosen? — Gewiß gab es damals in der ganzen alten Welt nicht Einen Mann, der dieses erhabenen und rührenden Zugs von Resignation und Muth fähig gewesen wäre!

den Weg des Heils leitete! „Allein diese Herrn Priester," sagt La Hontan, „lieben bey all ihrem heiligen und zerknirschten Aussehn die specifische Vervielfältigung der Arbeiter im Weinberg des Herrn nicht im geringsten. Der Eifer weckt eine fromme Eifersucht, und jeder Orden möchte gern alles bekehren." *) — Und dieß aus dem Grunde, weil die Bekehrten nutzliche Unterthanen wurden, und, wie wir bereits bemerkt haben, „die Annaten so gut lieferten, als die besten spanischen Christen."

Beschränkten sich die Missionnäre wenigstens, statt der Tugenden, welche die Religion so sehr empfiehlt, entweder auf den gemeinen Menschen-Verstand, oder auf das Interesse des niedrigsten Eigennutzens zu wirken, so brauchten sie nur den bewundernswürdigen Menschen-Verstand, den tiefen Scharfsinn der Wilden aufzuopfern. Aber dann hätten sie freylich nur Dummköpfe bekehrt; und wie wär auch eine solche Anstrengung von Bescheidenheit und Vernunft von ihnen zu erwarten, wenn man, mit-

*) Voyages du Baron de la Hontan. Tom. I. lettre 4.

ten unter den abgeschmacktesten Verläumdungen und Urtheilen, die nur die offenbare Bosheit und die finsterste Unwissenheit gefällt hat, den Missionnär Merolla, den schwachköpfigen Nacheiferer des Betrügers, Apollonius von Tyana *), von einem afrikanischen Vogel versichern hört, daß er den Nahmen Jesus Christus deutlich ausspreche, und wenn er hinzusetzt: „ist es nicht zum Erstaunen, daß diese natürliche Ausrufung die Kraft hat, die Herzen der Bewohner zu erweichen?"

Ich gesteh' es, es ist traurig, „Sünder zu sehen, welche so wenig zum Glauben geneigt sind;" aber es scheint mir noch betrübender, seine Fackel in den Händen eines geistlichen Führers zu wissen, welcher darüber seufzt, daß die Beredsamkeit eines Vogels an derselben Klippe, wie die seinige, scheitert!

Dieß mag die Dummheit Eines Missionnärs bezeichnen! Aber man kann sie doch wenigstens mit der Ungleichheit entschuldigen, mit welcher

*) Er rühmte sich Orakel zu verstehen, welche die Vögel ertheilten. S. Bayles Dictionnäre in seinem Artikel.

die Natur die Gaben des Verstands vertheilt. Die Einfalt des Herzens mag der des Geistes Verzeihung gewinnen; aber wie soll man den Grund mißkennen, aus welchem ein Andrer Missionnär seine Meinung bestimmt, wenn man den Pater De Rhodes als Beweis für die Orthodoxie der Bewohner von Cochinchina die „grossen Perlen" anführen hört, die sie auf den Altar legen? — Nach seinen Werken zu urtheilen, ist dieß freylich ein vollkommener Glaube!

Was sollen wir aber erst von einem Dritten sagen, welcher sie überzeugt, daß der innere Werth dieser Geschenke in Gottes, wie in seinen Augen, das Maß ihres Glaubens ist? Von einem Geistlichen, der gottlos genug, das höchste Wesen an die Berechnungen seines Geitzes zu knüpfen, so unbegreiflich dumm ist, um es öffentlich zu bekennen?

Ich könnte unzählige Züge der Art anführen, mein Herr, wenn ich alle Beweise der unverzeihlichen Sorglosigkeit anführen wollte, mit welcher die Missionnäre gewählt werden, die die katholischen Staaten in ihre Colonien senden, und welche, zur Schande für ihre Geistlichkeit, den verächtlichsten Contrast mit den Missionnären der protestantischen Kirchen bilden.

Diese Behauptung scheint Ihnen vielleicht ein zu harter Vorwurf, um keiner Beweise zu bedürfen, mein Herr.

Ich will daher Zeugen reden lassen, die ich gewiß nicht aus den Declamatoren der modernen Philosophie wähle, und gehe, diesem Tadel vorzubeugen, ein Jahrhundert zurück, um Zeugen zu finden, gegen welche sich um so weniger sagen läßt, da unter achten, die ich anführe, die Hälfte zum katholischen Clerus, und der fünfte zu einer Classe von Menschen gehört, die durch ihren Stand der Ehre und Loyalität geweiht sind; „denn," sagt der Herausgeber von La Hontans Reisen, „ist es glaublich, daß ein Baron uns täuschen wollte?"

„Die reformirten Geistlichen," erklärt ein katholischer Reisender, dem es weder an Kenntnissen, noch an Frömmigkeit fehlte, „sind unendlich glücklicher, als die Missionnäre vom Prediger-Orden, von den Jesuiten, von den Franciskanern u. s. w. Woher kömmt dieß? Soll ich es sagen? — Ja; weil ihr Eifer rein, oder weil er wenigstens von dem Primatie- und

Herrsch-Geist, und besonders von Geitz und Schwelgerey frey ist — den Fehlern, in welchen die wahre Quelle des Hasses und der Verachtung der Asiaten gegen die Franzosen liegt. Die wenige Eintracht unter ihnen richtet den Ruf des französischen Nahmens in Ost-Indien vollends zu Grund, und macht ihn sogar verhaßt." *)

„Die Geistlichen von Brasilien," sagt Le Gentil, „und die Welt-Priester, haben, ausser ihrer, über allen Ausdruck schändlichen, Unwissenheit, öffentlich mit den Weibern zu thun, und man lernt sie früher durch den Nahmen ihrer Buhlerinnen, als durch ihren eigenen, kennen. Unbescheiden in den Kirchen, wenn sie einer Frau die Beichte abhören, scheinen sie ihr mehr zu schmeicheln, als ihr Gesinnungen der Reue und Frömmigkeit einzuflößen. Bey Nacht laufen sie bald als Weiber, bald als Sklaven verkleidet, mit Dolchen und noch gefährlichern Waffen herum, und selbst die Klöster, diese Gott geheiligten Häuser, dienen den lüderlichen Mädchen zum Asyl." **)

*) Journal d'un Voyage aux Indes orientales. T. 3.

**) Nouveau Voyage autour du monde. T. 3.

„Jedermann," sagt ein noch neuerer Reisender von der Sanftmuth und dem Eifer der dänischen Missionnäre, „Jedermann stimmt darin überein, den römischen Missionnären diese Eigenschaften abzusprechen; indem sie sich durch ihren Hochmuth, ihre Habsucht und ihren grenzenlosen Ehrgeitz allen Eingebornen verhaßt gemacht haben." *)

Ich will, um mich kurz zu fassen, mit einer Citation schliessen, die der französischen Geistlichkeit zur Ehre gereicht, und meiner Absicht um so besser entspricht, da sie keinen andern Zweck hat, als die Missionnäre zum wahren Geist ihres Berufs zurückzuführen. In diesem Bezug sagt der neueste Beobachter:

„Man klagt in der Luisiana, daß der spanische Mönch daselbst im Durchschnitt unwissend, lasterhaft und abergläubisch sey, und daß man Kenntnisse, Anstand und gute Sitten nur unter der kleinern Zahl von französischen Welt-Priestern finde, die zu dem Clerus dieser Colonie gehören." **)

*) Voyages au Japon, en Chine etc. Tom. 2. chap 4.

**) Vue de la Colonie espagnole du Mississipi. chap. 22.

Wer einige Aufmerksamkeit auf die Cultur, die Industrie, die Bevölkerung, den Handel und die Administration der Colonien geworfen hat, für den ist es eine Thatsache, daß die Spanier gegen die übrigen Mächte in jeder Hinsicht zurückstehen; und ich gebe ohne Schwierigkeit zu, daß dieser Nachtheil grossentheils aus dem Mißverhältniß, in welchem die sogenannten Pfaffen zu den Colonisten stehn, aus dem unwissenden und frommen Müssiggang, in welchem beyde einander erhalten, und aus einem Mangel von guten Sitten und Einsichten entsteht, welcher überall unvermeidlich ist, wo zahlreiche Corporationen müssiger Cölibatäre über die Menge, von deren Arbeit sie leben, eine Herrschaft in der That und Meinung ausüben, mit welcher ihre ganze fehlervolle Existenz zusammenhängt.

Ich kann mich nicht von dem Gedanken losmachen, mein Herr, daß ein gezwungener Cölibatär, der entweder jung oder in der ganzen Kraft seines Alters ist — denn die Missionnäre erfodern sowohl in physischer, als in moralischer Rücksicht einen bereits gemachten, oder nahezu fertigen Mann; ich kann mich, sag' ich, nicht von dem

Gedanken losmachen, daß ein solcher, allen Leidenschaften zugänglicher, Mann, dem sein Beruf selbst eine Unabhängigkeit gibt, deren Verantwortlichkeit nur in einer blos dem Nahmen nach vorhandenen, Aufsicht, und in einer Zukunft besteht, welche noch eine abstracte Idee für ihn ist, — kurz ich kann die Meinung nicht los werden, daß ein solcher Mann nicht dazu geeignet ist, eine strenge Moral und abstracte Wahrheiten unter Völkern zu predigen, welche keinen sittlichen Sinn haben, als den, welcher aus dem Gebrauch oder Mißbrauch ihrer physischen Sinne entspringt. Man wird mich überhaupt schwer überzeugen, daß wir mit aller unserer Geschicklichkeit wilde Völker andre Wahrheiten lehren können, als solche, von deren Nützlichkeit sie sehr schwer zu überzeugen sind.

Einen verkehrten Kopf zu bekehren, ist nicht zu schwer, um an dem Erfolg zu verzweifeln. Die Folgen der Verkehrung selbst führen in den meisten Fällen die Bekehrung herbey. Aber Leute bekehren, die man unmöglich für verkehrt annehmen darf, und deren größter Irrthum blos in Unkenntniß von etwas besteht, das sie nie wissen konnten, scheint mir eine äusserst schwere Unternehmung, welche mehr, als die Urtheilskraft eines gewöhnlichen Menschen erfodert.

Neun und zwanzigster Brief.

Auf der hohen See.

Nehmen wir an, mein Herr, daß der Zufall den Römern gestattet hätte, uns in der Entdeckung von Amerika voranzugehen, so lassen uns zwey Betrachtungen mit aller Sicherheit annehmen, daß das Volk von Königen nach ganz verschiedenen Grundsätzen gehandelt haben würde, als die sind, welche die Nachfolger des Volks Gottes geleitet haben. Da die Römer weder die Wuth der Proselytenmacherey, noch unsre übertriebene Meinung von den, mit einer großen Ausdehnung, des Handels verbundenen, Vortheilen (13) hatten, so würden sie wahrscheinlich, an die Stelle des Zeichens der Erlösung, welches wir in der neuen Welt zum Signal so vieler Verbrechen und so vielen Jammers machten, an den Küsten dieser Länder die Adler, die sie zum Siege führten, aufgesteckt, und Mexiko und Peru, wie Deutschland, Spanien, Gallien und Großbrittannien, ihre Gesetze, ihre Sitten, und ihre Religion gelassen haben; statt den überwundenen Caziken und den tributären Inca auf das Schaffot zu schleppen, oder auf glühenden Kohlen zu rösten: — und Rom hätte den guten Atahualpa *), den wilden Huascar, und den unglücklichen Guatimozin im Triumph eines Cortez und Pizarro prangen gesehen.

Aus welchem Gesichtspunct man auch das Benehmen der Europäer ansehen mag, so muß man selbst aus der rohen Naivetät, mit der sie

*) Dieser König wars, der, auf dem glühenden Roste liegend, seinem Freund, welchem gleiche Qual laute Schreye auspreßte, sagte: lieg' ich denn auf Rosen? — Gewiß gab es damals in der ganzen alten Welt nicht Einen Mann, der dieses erhabenen und rührenden Zugs von Resignation und Muth fähig gewesen wäre!

zuweilen der Wahrheit Gerechtigkeit widerfahren lassen, schliessen, daß die beyden Gewalten der der Kraft und der Ueberzeugung, das Evangelium und das Schwert, in den Händen der Unwissenheit, des Fanatismus und des Geitzes, in beyden Welten anfänglich die ganz entgegengesetzte Wirkung hervorgebracht haben, als man von dieser schönen und großen Entdeckung erwarten konnte.

Es hat immer, und besonders in unsrer Zeit, eine Menschen-Classe gegeben, welche sich darin gefällt, jeden neuen Gedanken, eigentlich aber die allmähligen und nothwendigen Resultate des, auf die Erfahrung angewendeten, Beobachtungsgeistes, anzugreifen. Natürlich mußte der alles anschwarzende Eifer dieser unzufriedenen Köpfe in dem Maß zunehmen, da ein häufigerer und ausgedehnterer Verkehr zwischen den Gliedern der großen Familie des Menschengeschlechts den schlimmen Willen und die Unwissenheit seiner vorigen Lehrmeister entlarvte.

In dem Mangel an Beobachtungs- und Prüfungs-Geist, der, unter dem Nahmen von moderner Philosophie *), der Kobold des, durch

*) Ich läugne gar nicht, daß das vorige Jahr-

die Fortschritte einer Wissenschaft gedemüthigten, Pedantismus geworden ist, einer Wissenschaft, die er nicht lehrt, und durch die seine Schulen leer wurden; in dem völligen Mangel dieser Wissenschaft muß man die Grundursache alles Bösen suchen, was die Europäer in der neuen Welt angerichtet haben. Denn wahrlich, nicht dadurch, daß man auf dem Buen Giesù, oder auf dem Madre de Dios, oder in andern Schiffen, welche die üppigen Mönche ausrüsteten, Ladungen von Agnus oder von Rosenkränzen (14) versandte, dadurch konnte man doch nicht hoffen, zwischen Europa und Amerika einen Verkehr zu gründen, der auf gegenseitigem Vortheil beruhte.

Wie stark man indeß auch gegen den Fanatismus declamirt haben mag, den die Europäer nach der neuen Halbkugel brachten, so hat dieß vielleicht nur so viel Uebertreibung, als beynah' nicht zu vermeiden ist, wenn man gewiß ist, daß

hundert in Politik und Moral sehr gefährliche und verächtliche Schriftsteller hervorgebracht hat. Aber was haben diese Sophisten und ihr Geschwätze mit den Philosophen und der Philosophie gemein?

niemand vermittelt, wo man die Verbrechen, die er begehen machte, aufzählt.

Anders jedoch ist es mit dem Vorwurf der Habsucht, welcher wenigstens in dem persönlichen Interesse, als einer moralischen Triebfeder, eine Art von Entschädigung findet, und als politisches Wirkungsmittel für einen Vortheil angesehen werden könnte; indem nicht zu läugnen ist, daß ohne die Thätigkeit dieses mächtigen Hebels weder Amerika den Grad von Civilisation und Cultur, noch der europäische Handel, die Höhe erreicht haben würde, zu dem beyde gestiegen sind.

„Es war nöthig," sagt ein brittischer Schriftsteller, „daß ein unmittelbares, kräftiges Interesse, das im Stande war, mächtig auf die Einbildungskraft zu wirken, die Europäer für so kühne Unternehmungen entschied. Weder eine entfernte Handels-Aussicht, noch die Rücksicht auf das Aufblühn und die Vervielfältigung der Manufaktur-Industrie durch die Colonien, würden je dieselbe Wirkung hervorgebracht haben. Dergleichen Vortheile sind nur Sache der Vernunft und der Berechnung, und haben folglich nicht denselben Reitz. Aber arm sein Vaterland verlassen, und mit einer Ladung Goldes wieder zurückkehren, ist eine Speculation, die Jedermachen kann, und welche von allen, die dabey interessirt sind, mit allem Nachdruck durchgeführt wird." *)

Uebrigens kommt es heutzutag nicht mehr so sehr darauf an, mein Herr, zu wissen, in welchem Grade die Aufführung der ersten Europäer in der neuen Welt tadelnswürdig, unpolitisch und gehässig war; sondern wir müssen uns von der Nothwendigkeit und Gerechtigkeit überzeugen; gegen die zerstreuten Trümmer der eingebornen Völker, welche noch übrig sind, die Verbrechen der Eroberung, der Intoleranz, und des Raubs wieder gut zu machen; indem wir mit ihnen die einzigen Güter theilen, durch welche wir sie für das Böse, das wir ihnen angethan haben, entschädigen können. Und unter diesen Gütern ist gewiß die Religion, welche sie lehrt, uns ihr Unglück zu verzeihen, das erste. (15.)

Allein um diesen Zweck zu erreichen, ist am nöthigsten die Kenntniß des wahren Karakters dieser Völker; des Grads ihrer Intelligenz; der

*) An account of the european settlements in America. Vol, I. pag. 6.

moralischen Neigungen, welcher sie fähig sind, und der religiösen Begriffe, die sie haben. Aber gerade das ists, was wir, nach dem Bericht der Missionnäre selbst, am wenigsten kennen.

Ich habe in meinem vorigen Brief schon auf die Inconsequenz aufmerksam gemacht, welche das Urtheil der Europäer über die intellectuellen Fähigkeiten, und über den eigentlichen Karakter der Wilden bezeichnet. Aber man braucht das menschliche Herz eben nicht besonders tief zu ergründen, um in demselben den Grund dieser Inconsequenz zu finden. Denn wenn man sich einer Seits „nur," wie bemerkt worden ist, „zu erinnern braucht, daß die Henker der Amerikaner auch ihre Ankläger sind;" *) so muß man andrer Seits nicht vergessen, daß diejenigen, welche ihren Verstand herabsetzen, zur Classe derer gehören, die es einmal übernommen, durch die Kraft der Ueberzeugung zu wirken, was andre durch der Waffen Macht thaten, und daher aus ihrer Eigenliebe den heilsamen Rath geschöpft haben, auf die

*) Histoire générale de l'Asie, de l'Afrique et de l'Amerique. Tom. 13.

Unfähigkeit ihrer Neophyten das ganze Unrecht ihrer eigenen zu wälzen.

Indem wir über die Wilden urtheilen, begehen wir den Fehler der Alten, wenn sie alle Völker Griechenlands entweder nach den dummen Bewohnern von Böotien, oder nach den scharfsinnigen Athenern beurtheilt hätten.

Wenn die Nüancen, welche die, auf dem ungeheuern amerikanischen Continent zerstreuten, Nationen unterscheiden, nicht so stark hervortreten, wie bey den Völkern Europa's; so sind sie darum doch, wie diese, dem Einfluß der climatischen Lage, der politischen und religiösen Institutionen, und den Verhältnissen, welche mehr oder weniger unter ihnen, oder zwischen ihnen und uns Statt finden, unterworfen.

Von den Antillen bis zur magellanischen Meerenge, von der Südspitze Afrika's bis zur Hudsons-Bay faßten die Europäer den Huronen, den Caraiben, den Neger, den Samojeden, den O-Tahitier u. s. w. von einem Pol zum andern, ohne Unterschied, mit gleichem Grade von Inconsequenz, von Leichtsinn, von Eitelkeit, von Unwissenheit und Ungerechtigkeit unter dem allgemeinen Namen von Wilden zusammen; und Leute, die in Europa kaum ihren Nachbar kennen, Leute, deren Scharfsinn und Gerechtigkeit jeden Augenblick, selbst in Schätzung derer irren, mit welchen sie in täglichem und vertrautem Umgang stehen; diese Leute urtheilen ohne Bedenken in Masse, und oft blos nach einigen Individuen, über Völker, an denen sie, so zu sagen, nur vorübergegangen sind.

Unter tausend Thatsachen will ich nur Eine von der Unwissenheit und Ungerechtigkeit der ersten Europäer anführen, welche in Amerika eingedrungen sind. Sie kann dazu dienen, den Grad von Zutrauen zu bestimmen, welchen wir ihren Urtheilen über diese Völker schenken dürfen.

Atahualpa ließ sich den Nahmen Gottes auf den Nagel seines Daumens schreiben, und fragte den Franz Pizarro, was diese Karaktere bedeuteten.

Pizarro, der nicht lesen konnte, fand sich gedemüthigt, auf solche Weise ertappt worden zu seyn, und sah sich genöthigt, seine Unwissenheit zu gestehen. Der Inca verbarg die Verachtung nicht, welche ihm dieses Bekenntniß einflößte; da beschloß der tiefgekränkte Spanier den Tod

mit dem Gefühl der Unsterblichkeit der Seele selbst zusammenhängen; so muß man doch gestehen, daß jeder Vorwurf der Art mehr, als streng, vor demjenigen seyn würde, der, obgleich erleuchtet durch das Licht, vor dem alle Idole des Heidenthums eingestürzt sind, das alle Orakel zum Schweigen gebracht und alle Wunder geendiget hat, doch vor nicht ganz einem halben Jahrhundert noch seine Hexenmeister, seine Gespenster, seine Zauberer, seine Convulsionnäre hatte, und noch heutzutag seine Cagliostro's, seine Saint-Germain's, seine Mesmeristen, und seine Charlatane aller Farben und Masse hat; so daß die Bewohner der neuen Welt mit allem Fug und Recht sagen könnten: „unser Irrthum hat über eure Thorheit dasselbe Übergewicht, das unsre Jongleurs über die eurigen haben. Diese geben euch nichts, als Worte; die unsrigen müssen wenigstens ihre Körper daran wenden.“

Nachdem ich die Wilden vor dem, offenbar ungerechten, Vorwurf des Atheismus gerettet habe, will ich in meinem nächsten Briefe einige Thatsachen anführen, die unsern Begriff von der Meinung bestimmen können, welche diese Völker aus dem Benehmen der Europäer fassen muß

„muß man selbst glauben, und dem zu folge handeln; wie will man sonst von dem überzeugen, was man unaufhörlich durch die eigene Aufführung verläugnet? Gewiß, dieß ist ein sonderbares Paradox, mit dem sich der gesunde Verstand des Wilden nicht zurecht finden kann!" *)

Hören wir denn vorerst, was Reisende, die dabey kein andres Interesse hatten, von diesen Menschen sagen, die man uns darstellt, als ob sie eben so unfähig wären, sich zur Kenntniß des wahren Gottes zu erheben, als eine der Tugenden zu üben, welche die Religion uns lehrt. Ich werde nacheinander alle diejenigen anführen, deren Zeugniß unser Urtheil über die religiösen Ideen der meisten Wilden leiten darf.

„Alle behaupten, daß es einen Gott gibt, weil unter allen materiellen Dingen nichts ist, was nothwendig existirt;" **) und ich muß diesem Zeugniß die Bemerkung beysetzen, daß dieß der Schluß aller deistischen Philosophen der alten und neuen Zeit, der sämtlichen Kirchenväter,

*) Voyages, Tom. I.

**) Voyages du Baron de la Hontan. Tom. II. Chap. 13.

und der Doctoren aller theologischen Facultäten in der Welt ist.

„Die Natchez-Wilden haben denselben Begriff von Gott, wie wir. Sie definiren ihn vorzugsweise als den Geist; den Schöpfer aller Dinge, den unendlich Großen, den unendlich Gütigen. Auch erkennen sie eine gewisse Anzahl von Geistern niedrigerer Gattung an, die seinen Willen zu vollführen haben. Sie sagen, der Befehl des großen Geistes an die Menschen sey, seinen Nächsten nur in der Selbstvertheidigung zu tödten, das Eigenthum zu achten, Maß zu halten, und sich nur auf Eine Frau zu beschränken; die Unmässigkeit, die Lüge und den Geiz zu meiden, und Milde zu üben.“ *)

Dupont, ein vernünftiger und rechtschaffener Reisender, bestätigt, gegen das Urtheil einiger Geschichtschreiber, daß die Caraiben nur einen einzigen Gott anerkennen, und versichert, daß er in der ganzen Zeit, welche er unter ihnen verlebt, nichts von allem gesehen hat, was Dutertre, Rochefort und Laborde berichten. **)

*) Histoire de la Louisiana. Tom. 2.

**) Voyages, Tom. I., Seconde partie.

„Die Indianer sind keineswegs Götzendiener, wenn man anders nicht Götzendienst die Art von Verehrung nennen will, welche sie der Sonne und dem Mond erzeigen. Sie sind so weit entfernt von alle diesem, daß man bey ihnen kein Idol findet, und daß ich selbst nie eine Art von religiöser Ceremonie unter ihnen gesehen habe. Sie beten bloß den großen Geist an, als das Lebens-Prinzip. Sie glauben an eine Zukunft, in der die Existenz der Seele fortdauert; sie nennen sie das Land der Seelen, und die Beschreibung, welche sie davon machen, paßt auf jedes Paradies.“ *)

„Nach meinen eigenen Betrachtungen, die durch ehrwürdige Zeugnisse weitere Kraft haben, scheint es, daß die Wilden richtige und gesunde Vorstellungen von der Unsterblichkeit der Seele und von einem künftigen Leben haben, und daß sie folglich Alles zu schätzen und zu belohnen verstehen, was nicht nur die Grundsätze befördern kann, welche für das Wohl des Menschen-Geschlechts, das Glück der Gesellschaft, und die

*) W. Bartrams Reisen durch Süd- und Nord-Carolina. Anhang II.

Kraft und Würde ihrer Nation, sondern auch für ihr künftiges Heil nothwendig sind." *)

Die Eingebornen der grossen Aldaman, eine der wildesten Menschen-Gattungen, erkennen Einen Gott an.

„Ihre Religion", sagt Herr Symes, „ist die einfache, aber keine Huldigung der Natur gegen das höchste Wesen, durch die Anbetung der Sonne, als erster Quelle alles Guten; **) des Monds, als Macht vom zweyten Range, der Genien der Wälder, der Gewässer, der Gebirge als untergeordneter Wirkungsmächte. Kurz, sie bestätigen die große und tröstliche Wahrheit, daß jedes vernünftige Wesen Einen Gott anerkennt...."; ***) während so viele vernunftlose Schwätzer ihn läugnen ****)!

*) W. Bartrams Reisen durch Süd- und Nord-Carolina. Anhang VI.

**) An Account of an Ambassy to the kingdom of Ava. Vol. I. Cap. 1.

***) Voyage à la Louisiana, par B... D....

****) Da die Sonne das Prinzip der Wärme, und die Wärme das Prinzip des Lebens ist, so ist ganz natürlich, daß viele Völker sie als die Er-

Und warum dieß, mein Herr? Warum kann der Mensch, der für sich ein Atheist seyn mag, es nie politisch seyn? — Weil er fühlt, daß keine Gesellschaft bestehen kann, ohne den Glauben an eine unendliche, höhere Gewalt, die über die Erhaltung eines Guts wacht, dessen Dauer kein menschliches Gesetz verburgen kann. Daraus dürfen wir schliessen, erstlich: daß das erste Prinzip jeder Gesellschaft, welche Verfassung sie immer haben mag, den Glauben an Gott nothwendig macht; und zweytens; daß, wenn man auch annimmt, daß es keinen Gott gibt, der Glaube an das Gegentheil nie Folgen haben kann, die der Ruhe und dem Glück des Gerechten nachtheilig werden können. Und daraus ergibt sich, daß sich nur der Böse den Glauben an Gott versagen kann.

Gehen wir aber weiter!

„Die Frömmigkeit dieser Wilden, die man uns mit so nachtheiligen Farben schildert, daß man sie für unfähig halten sollte, irgend eine Art von Unterricht in diesem Punkt zu erhalten; ihre

halterin der Welt und des Menschen-Geschlechts angebetet haben.

vertrauungsvolle, sanfte Frömmigkeit machte auf mich den tiefsten Eindruck," sagt ein englischer Reisender. *)

„Alles, was die Aleuten thun, übertrifft weit die Vorstellung, die ich mir von dem Geist und der Fassungskraft dieser Wilden gemacht hatte. Die, unter ihnen bestehende, Ordnung, und ihre Ehrfurcht gegen die Oberhäupter, welche sie gewählt haben, um ihnen zu befehlen, stammt gewiß aus ihren religiösen Grundsätzen und der Ehrfurcht her, die ihnen ein unsichtbares und höchstes Wesen einflößt. Sie streben unaufhörlich, den Schutz dieses Wesens zu verdienen, nicht nur in dieser Welt, sondern auch in der künftigen; und statt ungerecht und barbarisch zu seyn, sind sie mild, menschlich und gastfreundlich." **)

„Wissen Sie, Sire," sagte der tugendhafte Las Casas dem König von Spanien, daß die Eingebornen der neuen Welt für den Glau-

*) Travels in to the interior parts of America. Leur. VII.

**) Herr Sauer in der, auf Befehl der russischen Kaiserin gemachten Reise. B. 2. Kap. 19.

ben, für gute Sitten und die Uebung aller Tugenden empfänglich sind. Aber," setzte der ehrwürdige Apostel der West-Indier hinzu, „durch Vernunft und gute Beyspiele müssen sie dazu ermuntert werden."

Darf man nicht ohne Weiters schliessen, mein Herr, daß bis dahin wenigstens diejenigen, welche ihr Stand dazu verpflichtete, die Vernunft dieser Völker aufzuklären, ihnen mit der Lehre nicht auch das Beyspiel gegeben haben?

Es wäre verlorne Mühe, noch weitere Citationen zu machen, um durch mehr Zeugnisse die Meinung zu unterstützen, daß es nicht nur wenige, sondern keine wilde Nation gibt, deren religiöser Glaube nicht auf dem Glauben an die Existenz des höchsten Wesens beruhte. Was nun auch die Unwissenheit, die Spitzbüberey, und der natürliche Hang zum Aberglauben, der allen schwachen, leichtgläubigen und furchtsamen Wesen eigen ist, zu diesem Prinzip hinzugethan haben mögen; so frag' ich Sie, seit wann und wie weit wir berechtigt sind, dieses den Wilden zum Vorwurf zu machen, und ob wir wohl unter allen Mummereyen, mit denen wir unsern Cultus ver-

wohlthätig, großmüthig, dienstfertig mitleidig, ehrlich, wahr und treu." *)

„Mein ganzes Leben hindurch werd' ich die Karaiben lieben," sagt Philipp Aubin, „und ich würd' es für den Ersten dieser guten Wilden aufopfern, welcher meiner Hülfe bedürfte. Während der drey und dreißig Jahren, die ich zur See war, schienen sie mir die glücklichsten Menschen die ich je gesehen habe." **)

O mein Herr! ich fürchte sehr, daß die Reste dieses guten Volkes, welche auf einigen Antillen übrig sind, kein andres Glück mehr kennen als was ihre Seelen-Güte ihnen verschafft!

Aber lassen sie uns fortfahren.

„Mehrere Niederlassungen, welche unter den Indianern des nördlichen Amerika's gemacht worden sind, beweisen, daß diese angeblichen Wilden nichts weniger, als der Civilisation so unfähig sind, wie man sie darstellt; nur muß man mit gehörigem Verstand und nöthiger Sanftmuth auf sie wirken. Aber man bestrebt sich, sie, in Ame-

*) Dupont, Voyages, etc. Tom. 1.

**) S. in der Histoire des Naufrages, B. 3. den Bericht dieses Reisenden.

gütige, schweigende heilige Jungfrau gebildet ist, zu wenden, als an den harten, canonischen Vermittler, welcher die Früchte ihres Fleißes in die immer leeren Cassen schüttet, unerachtet sie unaufhörlich sie zu füllen bemüht sind! Indem der arme Arbeiter, nach einem brünstigen Gebet, den Heiligen verläßt, den er auf seinen Knieen um Geduld gefleht hat, ohne Murren die Last zu ertragen, unter welcher er seit zwanzig Jahren erliegt, nachdem er gearbeitet und gebetet hat, geht er vertrauens- und hoffnungsvoll weg, um in der väterlichen Hütte die Ruhe zu suchen, welche der, den die Arbeit des Armen bereichert, nicht in seinem Pallaste findet.

Niemand läugnet, und ich möchte nicht der erste seyn, der es thut, daß man den Völkern der neuen Welt ein Uebermaß von Zutrauen und Leichtgläubigkeit vorwerfen kann, welches sie in Glaubens-Sachen zu Opfern einer Art von Spitzbuben machen würde, die sich für Hexenmeister ausgeben.

Allein, unabhängig davon, daß die Liebe zum Wunderbaren eine Krankheit ist, welche in dem menschlichen Geist um so tiefere Wurzeln hat, da sie mit der Basis aller Religionen, und mit dem Gefühl der Unsterblichkeit der Seele selbst zusammenhängen; so muß man doch gestehen, daß jeder Vorwurf der Art mehr, als streng, vor demjenigen seyn würde, der, obgleich erleuchtet durch das Licht, vor dem alle Idole des Heidenthums eingestürzt sind, das alle Orakel zum Schweigen gebracht und alle Wunder geendiget hat, doch vor nicht ganz einem halben Jahrhundert noch seine Hexenmeister, seine Gespenster, seine Zauberer, seine Convulsionnäre hatte, und noch heutzutag seine Caglıostro's, seine Saint-Germain's, seine Mesmeristen, und seine Charlatäne aller Farben und Masse hat; so daß die Bewohner der neuen Welt mit allem Fug und Recht sagen könnten: „unser Irrthum hat über eure Thorheit dasselbe Übergewicht, das unsre Jongleurs über die eurigen haben. Diese geben euch nichts, als Worte; die unsrigen müssen wenigstens ihre Körper daran wenden.“

Nachdem ich die Wilden vor dem, offenbar ungerechten, Vorwurf des Atheismus gerettet habe, will ich in meinem nächsten Briefe einige Thatsachen anführen, die unsern Begriff von der Meinung bestimmen können, welche diese Völker aus dem Benehmen der Europäer fassen muß ten. Dadurch wird denn auch der Grad von Zutrauen festgesetzt werden, den die Letztern für die Wahrheit verlangten, welche sie unter ihnen lehrten. Von da werd' ich zu den Beweisen übergehen, welche die verlaumderischen Beschuldigungen zerstören, die man gegen ihren Verstand, ihren moralischen Charakter, und sogar gegen ihre körperlichen Fähigkeiten erhoben hat.

Ein und dreyßigster Brief.

Auf der hohen See.

Coreal, mein Herr, hat uns zwey Anecdoten aufbewahrt, welche einen doppelten Beweis für die grobe, anmassende Unwissenheit der Eroberer der neuen Welt, im Gegensatz mit dem richtigen und gründlichen Urtheil ihrer ersten Bewohner, abgeben.

„Ich sah in Portobelo," sagt er, „einen Richter, der auf gleiche Weise, und beynah zur selben Stunde, für und gegen eine Sache entschied, ohne begreifen zu wollen, daß es zweyerley sey, was man ihm auch immer sagen mochte. Endlich erwacht' er aus seiner Unwissenheit, wie aus einem tiefen Traum, stand auf, strich seinen Knebelbart zurück, und schwur bey der heiligen Jungfrau und allen Heiligen, daß die lutherischen Hunde von Engländern ihm unter seinen Büchern das von Papst Justinian gestohlen, welches er sonst gebraucht habe, um in zweydeutigen Fällen zu entscheiden." *)

Wie dumm wir auch immer die Wilden glauben mögen, so wär' es zuverlässig unmöglich, unter ihnen, nicht einen Richter, einen Gesetzverständigen, sondern nur einen Schiedsrichter zu finden, der so große Unvernunft mit so viel schlimmem Willen vereinigte.

„Ein Spanier," sagt derselbe Reisende weiter, „sagte einem Eingebornen von Neu-Granada, der Papst hätte dem König von Spanien die neue Welt zum Ruhme Gottes gegeben.

*) Relation des Voyages, Tom. I. chap. 7.

„Was du vom Ruhm Gottes sagst,“ antwortete der Indianer, „mag wahr seyn; aber der Mensch, den du Papst nennst, ist sehr kühn, oder sehr albern, um zu verschenken, was nicht sein gehört.“ *)

Ein Umstand hat mich aber immer um so mehr in Verwunderung gesetzt, da er nie bey dem Urtheil der ersten Missionnäre, sowohl über den angeblichen Mangel der Wilden an Verstand, als über das Verdienst ihrer apostolischen Arbeiten zur Sprache kam; und dieser ist, daß sie ihnen, trotz der völligen Unmöglichkeit von Völkern, deren Sprache sie nicht kannten, verstanden zu werden, doch alle Dogmen und Mysterien unsrer Religion auf das Deutlichste erklärten; während sie, nach ihrem eigenen Geständniß, alle Mittel der mimischen Kunst und alle Grimassen der Pantomimik zu Hülfe rufen mußten, um sich nur die ersten Lebensbedürfnisse zu verschaffen. Voltaire sagt: „es ist gewiß schön, eindringend zu reden, und die Herzen zu rühren in einer Sprache, die man nur in vielen Jahren lernen, und nie anders, als lächerlich aussprechen kann. Allein mit den-

*) Relation des Voyages. Tom. I. chap. 19.

gleichen Wundern muß man sparsam umgehen; denn, wenn man das Wunderbare verschwendet, so findet man zuweilen Unglaubige." *)

Ich habe viele Reisebeschreibungen gelesen, und viele Reisende persönlich gekannt. Unter den Erstern, die Missionnare ausgenommen, sagen alle, daß die Fortschritte des Christenthums unter den Wilden ganz unbedeutend sind, und daß das Wenige, was sie aus demselben angenommen haben, auf eine, beynah' unkenntliche, Weise in ihre eigene Religions-Systeme verschmolzen ist. Gehen wir zu den Beweisen hievon.

„Ohnerachtet die meisten Lappländer das Christenthum angenommen, so üben sie es doch nicht öffentlich aus, und legen es nicht anders an den Tag, als durch den Nahmen, welchen sie in der Taufe empfangen." **)

„Die Missionnare von Mischillimakinac eröffneten sich mir über die harte Lage ihres Standes, über die vergebliche Mühe, welche sie hät-

*) Collection complette des Oeuvres. Tom. I.

**) Histoire des pêches, des découvertes, et des établissements des Hollandais dans les mers du Nord. Tom. II.

ten, die Wilden zum Glauben zu bringen, und daß sich, mit äusserst wenigen Ausnahmen von Bekehrungen, die ganze Frucht ihrer Arbeiten auf einige Taufen beschränkte, welche, in der Folge, wenig wirkten. Kurz, sie sagten mir die Wahrheit. Was hätt' es auch genützt, sie zu verbergen? Ich war an Ort und Stelle, und konnte folglich selbst urtheilen." *)

Abgesehen von der Eigenliebe, welche immer schnell den zweydeutigsten Anschein für Beweise nimmt, und von dem allgemeinen Hang der Menschen, ihre Bemühungen in jeder Unternehmung bey der ihr Verstand interessirt ist, als mit dem vollständigsten Erfolg gekrönt anzusehen; so liessen sich beynah' alle katholischen Missionnare, durch den geringen Widerstand und Widerspruch, welchen sie bey den Wilden fanden, irre fuhren. Daß diese keine Schwierigkeit machten, sich der Taufe oder einigen Religions-Uebungen zu unterziehen, von denen man ihnen große Vortheile in dieser und in jener Welt versprach; daraus schlossen die Missionnäre ohne Weiteres, daß sie die Wilden zu vollkommenen Christen gemacht

*) Dupont, Voyages etc. Tom. I.

Es ist also nur zu wahr, mein Herr, daß die Europäer, welche die Wilden als Handelsleute oder als bloße Reisende besuchten, nicht das Geringste dazu beygetragen haben, durch ihr Betragen die schwachen Versuche der Geistlichkeit zu unterstützen.

„Wenn man,“ sagen dieselben englischen Missionnäre, „in gewisser Rücksicht der Klugheit und Menschlichkeit unsrer Seemänner Gerechtigkeit widerfahren lassen kann; wie sehr ist es doch zu beklagen, daß ihnen ihr Christenthum in manchem Bezug so wenig Vortheil über die abgöttischen Völker gibt! Gewiß ist mehr Schlimmes, als Gutes aus ihrem gegenseitigen Verkehr entstanden. Die Sitten der Eingebornen sind durch die häufigen Besuche der Europäer während der ersten zehen Jahre verdorben worden; haben sich aber auch eben so gewiß in den zehn letzten Jahren, da kein Europäer zu ihnen kam, offenbar verbessert. Vor dieser Zeit wohnten angebliche Christen immer auf dieser Insel *), und wir sehen das Resultat davon in dem Zustande, in welchem der Kapitain Wilson die Ein-

*) Otahiti.

unter ihnen gewöhnlichen, Zeichen der Billigung. Man glaubt sie überzeugt; aber es ist ein Irrthum. Alles war bloße Höflichkeit." *)

Ich begreife wohl, daß Sie, trotz allem, was ich Ihnen bis jetzt gesagt habe, noch im Zweifel sind, ob man den geringen Erfolg der Bemühungen und Arbeiten der Missionnare dem Benehmen der Letztern, ihrer Unwissenheit und ihrer üblen Aufführung, oder dem, von Natur aus verkehrten, Karakter, der Verstandesschwäche und der Wirkung einer unvollkommenen physischen Organisation der Wilden auf ihre moralischen Fähigkeiten beymessen soll.

Ich will daher, nach meiner Gewohnheit, diesen Zweifel durch Zeugnisse beantworten, welche um so ehrwürdiger sind, da sie die blosse unpartheyische Huldigung gegen die Wahrheit enthalten.

Beginnen wir bey dem, am längsten und besten gekannten, wilden Volke.

„Die Karaiben sind von Natur aus sanft,

*) Dr. B. Franklin's Works. Vol. I.

wohlthätig, großmüthig, dienstfertig mitleidig, ehrlich, wahr und treu." *)

„Mein ganzes Leben hindurch werd' ich die Karaiben lieben," sagt Philipp Aubin, „und ich würd' es für den Ersten dieser guten Wilden aufopfern, welcher meiner Hülfe bedürfte. Während der drey und dreißig Jahren, die ich zur See war, schienen sie mir die glücklichsten Menschen die ich je gesehen habe." **)

O mein Herr! ich fürchte sehr, daß die Reste dieses guten Volkes, welche auf einigen Antillen übrig sind, kein andres Glück mehr kennen als was ihre Seelen-Güte ihnen verschafft!

Aber lassen sie uns fortfahren.

„Mehrere Niederlassungen, welche unter den Indianern des nördlichen Amerika's gemacht worden sind, beweisen, daß diese angeblichen Wilden nichts weniger, als der Civilisation so unfähig sind, wie man sie darstellt; nur muß man mit gehörigem Verstand und nöthiger Sanftmuth auf sie wirken. Aber man bestrebt sich, sie, in Ame-

*) Dupont, Voyages, etc. Tom. 1.

**) S. in der Histoire des Naufrages, B. 3. den Bericht dieses Reisenden.

rika mehr noch als in andern Welttheilen, nach Möglichkeit zu verläumden; indem man damit die Ungerechtigkeiten und Grausamkeiten, welche man gegen sie verübt hat, um so leichter zu rechtfertigen hofft. *)

„Die Wilden von Nordamerika haben eine gesunde Urtheilskraft, einen lebhaften Geist und viel Fassungs-Vermögen. Sie wären für Belehrung empfänglich, wenn unsre Missionnäre größern Eifer hätten, und ihnen mehr Muster der Nachahmung, als Rath ertheilten, aus dem sie sich nichts machen, wenn er nicht durch das Beyspiel unterstützt wird. Indeß wärs um so leichter, sie zum wahren Glauben zu bringen, da sie von Natur aus tugendhaft sind. Ja, ich kann sogar versichern, daß es auf der ganzen Erde keine Christen giebt, die das von der Schrift am meisten empfohlene Gebot der christlichen Liebe, so sehr in seinem ganzen Umfang ausüben, wie sie.“

Sie sind keusch, tapfer, klug, höflich und von friedlichem Karakter. Sie haben keinen

*) Herr Schöpf in seiner Reise nach Nordamerika. Band 1.

Ehrgeiz; beleidigen und verläumden niemand. Das Stehlen ist ihnen ein Abscheu; sie helfen einander gegenseitig. Sehen sie ihren Nächsten in der Noth, so kommen sie ihm entgegen, und ersparen ihm sogar die Demüthigung selbst fodern zu müssen. Sie hegen eine grenzenlose Achtung und eine blinde Ergebung gegen ihre Eltern, und haben eine solche Ehrfurcht und so große Nachsicht gegen das Alter, daß man dieses unter ihnen recht eigentlich wünschenswerth findet. *)

Sind wir so gerecht, zu gestehen, mein Herr, daß, wenn es gut ist, daß wir ihnen Mönche schicken, um sie in unserer Religion zu unterrichten, es nicht so übel von ihnen wäre, wenn sie uns Leute aus ihrer Mitte sendeten, um uns ihre Tugenden zu lehren.

Die brittischen Missionnäre, welche sich kürzlich auf den Südsee-Inseln niedergelassen haben, sagen von ihnen: „daß sie gut und großmüthig sind bis zur Uebertreibung; daß die Armuth bei ihnen kein Grund zur Verachtung, aber in ihren

*) Dupont, Voyage, Tom. 2.

Meinung die höchste Schande ist, reich und dabei noch habsüchtig zu seyn." *)

Wagte unter ihnen, wie so oft unter uns geschieht, ein Einzelner einen gewissen Grad von Geitz zu zeigen, so möchte er ihn immer unter dem Wort von Oekonomie, von Ordnungsgeist und Vorsorge verbergen, wie wir thun: seine Nachbarn würden in die Wette sein Eigenthum zerstören, und ihm die beste Lehre in der christlichen Liebe dadurch geben, daß sie ihn mit dem ärmsten seiner Mitbürger auf gleiche Linie stellten.

Zwey und dreyßigster Brief.

Auf der hohen See.

Die Missionnäre, von welchen ich Ihnen in meinem letzten Brief geredet habe, mein Herr,

*) A Missionary Voyage to the southeren pacific Ocean. App. sect. 2.

führen mit rühmlicher Freymüthigkeit einen Zug von ehlicher Zärtlichkeit an, wie man wenige Beyspiele derselben unter uns finden durfte. Er scheint mir zu karakteristisch, um ihn nicht hier beyzubringen.

Peggy Stewart, die Tochter eines otahitischen Oberhaupts, hatte sich mit einem englischen Matrosen dieses Nahmens verbunden, der von seinem Schiff entwischt war. Sie lebten in einer Vereinigung, welche durch die Geburt einer Tochter noch viel zärtlicher geworden war. Diese lag noch an der Brust ihrer Mutter, als das Schiff, Pandora, ankam, den Flüchtling ergriff, und in Fesseln warf.

Auf diese Nachricht setzt sich die unglückliche Peggy in ein Boot, und stößt sofort vom Lande, um sich ihrem Gatten in die Arme zu werfen.

Beyder Wiedersehen war so rührend, daß die Engländer es nicht ohne Thränen ansehen konnten. Stewart ward von seinem und seiner Gattin Schmerz so ergriffen, daß er selbst darum bat, man solle sie nicht mehr an Bord lassen. Mit Gewalt mußte man sie von ihm losreissen; so sehr hatte sie sich an seine Fesseln angeklammert.

Bluts entging, welchen man ihnen noch ausdrücken konnte." *) (18.)

Sie haben mit mir, mein Herr, in allen Pariser Gesellschaften die Erzählung von der Grausamkeit der Wilden von Neu-Seeland wiederhohlen gehört, als man die Nachricht von der Ermordung des merkwürdigen Seemanns Marion vernahm.

Allein man sagte nicht, was wenige wußten, und die Uebrigen sich nicht erinnern wollten, daß vor Marion, im Jahre 1769 auf Neu-Seeland Herr von Surville gewesen war; daß dieser umsonst und um nichts die Wohnungen des Volks verbrannt und geplündert hatte, und daß die Feindseligkeiten, welche seinem Nachfolger das Leben gekostet, bloße Repressalien wären, von denen unsre eigene Geschichte zu viele Beyspiele hat, um sie nicht einem Volke zu verzeihen; das weder einen grossen Pu-

*) Monsieur des Pages, Voyage autour du monde. Tome II. Nachdem der Verfasser unter den Wilden gelebt hatte, brachte er zehen Jahre während der Revolution unter dem civilisirtesten Volk von Europa zu. Er muß im Stande seyn, hievon urtheilen zu können.

Es ist also nur zu wahr, mein Herr, daß die Europäer, welche die Wilden als Handelsleute oder als bloße Reisende besuchten, nicht das Geringste dazu beygetragen haben, durch ihr Betragen die schwachen Versuche der Geistlichkeit zu unterstützen.

„Wenn man," sagen dieselben englischen Missionnäre, „in gewisser Rücksicht der Klugheit und Menschlichkeit unsrer Seemänner Gerechtigkeit widerfahren lassen kann; wie sehr ist es doch zu beklagen, daß ihnen ihr Christenthum in manchem Bezug so wenig Vortheil über die abgöttischen Völker gibt! Gewiß ist mehr Schlimmes, als Gutes aus ihrem gegenseitigen Verkehr entstanden. Die Sitten der Eingebornen sind durch die häufigen Besuche der Europäer während der ersten zehen Jahre verdorben worden; haben sich aber auch eben so gewiß in den zehn letzten Jahren, da kein Europäer zu ihnen kam, offenbar verbessert. Vor dieser Zeit wohnten angebliche Christen immer auf dieser Insel *), und wir sehen das Resultat davon in dem Zustande, in welchem der Kapitain Wilson die Ein-

*) Otahiti.

gebornen gefunden hat." *) Dieser schlug die Bevölkerung, welche Cook zu über 200,000 Seelen geschätzt hätte, als unter 20,000 herabgesunken an!

„Da die Europäer," sagt ein anderer brittischer Reisender, „zum erstenmal unter den Völkern von Canada erschienen, wurden sie mit der größten Gastfreundschaft und mit allen möglichen Rücksichten aufgenommen. Allein ihr Betragen zwang die Amerikaner bald, sie nicht nur nicht mehr zu achten, sondern auch mit dem höchsten Unwillen zu behandeln." **)

Herr Bartram rühmt einen, von den Wilden gleich sehr geachteten und geliebten Europäer, und setzt hinzu: „aber um gerecht und wahr zu seyn, muß ich zur Schande meiner Landesleute bekennen, daß solche Leute eine wahre Seltenheit sind, und daß sich die Wilden nur zu sehr über den Mangel an Rechtschaffenheit und die

*) A Missionnary Voyage u. s. w.

**) Voyage from montreal to the river St. Laurence, Kap. 7.

Gewaltthätigkeit der europäischen Reisenden zu beklagen haben." *)

Es ist mit den Tugenden, wie mit den Lastern, die nur civilisirten Völkern anzugehören scheinen. Aber bey welcher unter den civilisirten Nationen Europa's finden wir ein, so tief in aller Herzen eingegrabenes, Gefühl für Freundschaft, um zu glauben, wovon alle Eingebornen von Nord-Amerika überzeugt sind, daß der Tod zween Freunde nur auf einen Augenblick trennt, und daß sie einander in einem andern Leben wieder finden werden, um sich nimmermehr zu verlassen! „Ihr seyd unsre Freunde, sagten die Wilden von Otahiti mit dem schmerzlichsteu Ausdruck zum Prinzen von Nassau, und dennoch mordet ihr uns!" .... **) O wir können noch manche Abhandlung über die Freundschaft schreiben, und es ist doch alles nichts in Vergleichung mit diesen wenigen Worten!

„Und dennoch scheinen die meisten Reisenden statt die Wilden zu beklagen, daß sie die Euro-

*) Voyage dans les Carolines, la Georgie, etc. Troisième partie. Chap 3.

**) Bougainville, Voyage autour du monde. Tom. 2.

päer kennen gelernt haben, Gefallen daran zu finden, sie mit Vorwürfen aller Art zu überhäufen. So haben sie sie immer für die Gastfreundschaft bezahlt, die sie ihnen so edelmüthig und uneigennützig erwiesen haben." *) Und welche Wohlthaten haben unsre europäischen Reisenden an diesen fernen Küsten verbreitet? Einige tyrannische Gewaltstreiche, welche immer wieder gerächt, aber auch immer wieder durch neue Verbrechen aufrecht gehalten wurden; denn kann man ernstlich denken, daß einige nützliche Thiere und einige Saat-Körner von Gemüßen wirklich die Grausamkeiten, welche sie verübt, und die Lustseuche, die sie verbreitet haben, gut machen können? **)

Viele Tausende von Menschen wurden in diesen Ländern hingemetzelt; dafür gab ihnen die Wohlthätigkeit und Gerechtigkeit der Europäer einige Schweine!

Sehen wir aber, mein Herr, ob die Europäer immer bloß geklagt haben gegen diejenigen, denen sie zuglei ch Rübsaamen und

*) Voyage à Madagascar, etc. Tom. 1.
** Ibid. Tom. 3.

wenigstens die Pocken brachten, und rufen wir, in dieser wichtigen Untersuchung, nur Männer von gemäßigtem, und mehr richtigem, als glänzendem Geiste zu Hülfe.

„Zwey europäische Schiffe, sagt der eben angeführte Reisende, verschafften sich auf Madagaskar mit Gewalt Erfrischungen, übten unerhörte Erpressungen, verbrannten die Dörfer, oder schossen sie mit schwerem Geschütz in den Grund, wenn man ihnen nicht so schnell, als sie erwarteten, Ochsen, Hühner und Reis lieferte." *)

„Die Bewohner von Foule-Pointe haben nicht vergessen, daß ein europäisches Schiff zu Anfang des achtzehenten Jahrhunderts eine Menge ihrer Leute unter einem großen Zelte versammelte. So wie dieses voll war, brach das Gebälke zusammen, und durch diese abscheuliche List bemächtigte man sich einer Menge Insulaner, welche man zu Sklaven machte." **)

*) Und dieß waren Christen, welche sich so unter Völkern betrugen, denen man Missionnäre sandte, um sie zum Christenthum zu bekehren!

**) Voyage à Madagascar. Tom. 1. Chap. 13.

„Die Niederlassung der Franzosen unter den Natchez *), geschah nicht nur ohne allen Widerstand, sondern sogar mit aller Unterstützung dieses Volks, und würde nie beunruhiget worden seyn, wenn nicht ein Soldat vom Rosalien-Fort gewesen wäre, der einem dieser guten Wilden mit Stockprügeln drohete, und ihn durch seinen Kameraden niederschießen ließ, weil der Natchez diese Beleidigung so hoch aufgenommen hatte, daß er ihn herausforderte, sich mit ihm zu schlagen. Durch diese Begebenheit entspann sich ein Krieg, welcher viel Menschenblut gekostet hat." **) (17.)

„Man muß den Wilden Gerechtigkeit widerfahren lassen. Der Plan, den sie machten, alle Franzosen umzubringen, ward ihnen durch keine Aufwallung von Unbeständigkeit oder Leichtsinn eingegeben. Die schlechte Aufführung eines Offiziers, des Herrn von Chepar, welcher Völker beleidigte, die er hätte schonen sollen, entzündete ihre Wuth. Denn als freye, und ruhig im Land ihrer Väter wohnende, Menschen, konn-

*) Ein wildes Volk in Nord-Amerika.

*) Histoire de la Louisiane. Tom. 1. Chap. 13.

ten sie sich nicht von fremden tyrannisiren lassen, welche sie unter sich aufgenommen hatten." *)

„Ein junger Edelmann war während unsres Aufenthalts auf Madagascar bey dem Oberhaupt gewesen, das man strafen wollte, und hatte einige Tage in größter Herzlichkeit mit ihm und seiner Familie gelebt. Er war mit Genüssen der Freundschaft und der Liebe überhäuft geworden, hatte sich ziemlich lang unter ihnen aufgehalten, und war seit zwey Tagen zurück. Er glaubte daher einen Beweis seiner Tapferkeit zu geben, indem er seine Orts-Kenntniß dazu benützte, die Truppen auf Wegen zu führen, auf welchen das Fort und das Haus seines Wirths am besten überfallen werden konnte, ohne daß jemand zu entrinnen im Stande war. Ein wilder, falscher Ehrgeitz hatte in ihm das gerechte Gefühl der Dankbarkeit und Liebe erstickt. Ja er empfand davon so wenig, daß er nicht nur die Brust derer, die er geliebt hatte, selbst durchbohrte, sondern aufmerksam bemuht war, daß ihm kein Tropfen

*) Bossu, nouveau Voyage. Tom. 1. Lettre 3.

„Die Niederlassung der Franzosen unter den Natchez *), geschah nicht nur ohne allen Widerstand, sondern sogar mit aller Unterstützung dieses Volks, und würde nie beunruhiget worden seyn, wenn nicht ein Soldat vom Rosalien-Fort gewesen wäre, der einem dieser guten Wilden mit Stockprügeln drohete, und ihn durch seinen Kameraden niederschießen ließ, weil der Natchez diese Beleidigung so hoch aufgenommen hatte, daß er ihn herausforderte, sich mit ihm zu schlagen. Durch diese Begebenheit entspann sich ein Krieg, welcher viel Menschenblut gekostet hat." **) (27.)

„Man muß den Wilden Gerechtigkeit widerfahren lassen. Der Plan, den sie machten, alle Franzosen umzubringen, ward ihnen durch keine Aufwallung von Unbeständigkeit oder Leichtsinn eingegeben. Die schlechte Aufführung eines Offiziers, des Herrn von Chepar, welcher Völker beleidigte, die er hätte schonen sollen, entzündete ihre Wuth. Denn als freye, und ruhig im Land ihrer Väter wohnende, Menschen, konn-

*) Ein wildes Volk in Nord-Amerika.

*) Histoire de la Louisiane. Tom. 1. Chap. 13.

ten sie sich nicht von fremden tyrannisiren lassen, welche sie unter sich aufgenommen hatten." *)

„Ein junger Edelmann war während unsres Aufenthalts auf Madagascar bey dem Oberhaupt gewesen, das man strafen wollte, und hatte einige Tage in größter Herzlichkeit mit ihm und seiner Familie gelebt. Er war mit Genüssen der Freundschaft und der Liebe überhäuft geworden, hatte sich ziemlich lang unter ihnen aufgehalten, und war seit zwey Tagen zurück. Er glaubte daher einen Beweis seiner Tapferkeit zu geben, indem er seine Orts-Kenntniß dazu benützte, die Truppen auf Wegen zu führen, auf welchen das Fort und das Haus seines Wirths am besten überfallen werden konnte, ohne daß jemand zu entrinnen im Stande war. Ein wilder, falscher Ehrgeitz hatte in ihm das gerechte Gefühl der Dankbarkeit und Liebe erstickt. Ja er empfand davon so wenig, daß er nicht nur die Brust derer, die er geliebt hatte, selbst durchbohrte, sondern aufmerksam bemuht war, daß ihm kein Tropfen

*) Bossu, nouveau Voyage. Tom. 1. Lettre 3.

Bluts entging, welchen man ihnen noch ausdrücken konnte." *) (18.)

Sie haben mit mir, mein Herr, in allen Pariser Gesellschaften die Erzählung von der Grausamkeit der Wilden von Neu-Seeland wiederhohlen gehört, als man die Nachricht von der Ermordung des merkwürdigen Seemanns Marion vernahm.

Allein man sagte nicht, was wenige wußten, und die Uebrigen sich nicht erinnern wollten, daß vor Marion, im Jahre 1769 auf Neu-Seeland Herr von Surville gewesen war; daß dieser umsonst und um nichts die Wohnungen des Volks verbrannt und geplündert hatte, und daß die Feindseligkeiten, welche seinem Nachfolger das Leben gekostet, bloße Repressalien wären, von denen unsre eigene Geschichte zu viele Beyspiele hat, um sie nicht einem Volke zu verzeihen; das weder einen grossen Pu-

*) Monsieur des Pages, Voyage autour du monde. Tome II. Nachdem der Verfasser unter den Wilden gelebt hatte, brachte er zehen Jahre während der Revolution unter dem civilisirtesten Volk von Europa zu. Er muß im Stande seyn, hievon urtheilen zu können.

blicisten, noch einen berühmten Philosophen hervorgebracht hat.

Dieß ist wohl hinlänglich, um unsre Meinung über einen wichtigen Satz zu bestimmen, nemlich: wen von beyden, den Europäer oder den Wilden, der Vorwurf treffen soll, ich will nicht sagen, Kriege, sondern Metzeleyen angefangen zu haben, durch welche die Inseln und der ganze Continent von Amerika beynah in völlige Wüsten verwandelt wurden, in denen man kaum noch die entstellten Nahmen der zahlreichen Völkerschaften findet, die sonst ihre Oberfläche bedeckt haben.

Und doch hab' ich nur Schriftsteller angeführt, deren Zeugnisse keiner Partheylichkeit für die Wilden beschuldigt werden können. Sie gehören alle zu der Classe ihrer Unterdrücker!.... Ach, wie würd' es erst lauten, wenn jedes Volk der neuen Welt seinen eigenen Geschichtschreiber gehabt hätte?

Drey und dreyßigster Brief.

Auf der hohen See.

Nachdem ich den moralischen Karakter der Wilden wegen der Verschlimmerung gerechtfertigt habe, mein Herr, welche ihnen Leute vorwerfen, die ein kurzer Blick auf ihren eigenen sittlichen Zustand weit nachsichtiger und bescheidener machen sollte; Leute, die man nur dadurch von dem Verbrechen zurückhält, daß man sie mit, den Wilden unbekannten, Gegenständen des Schreckens umgibt; als da sind in dieser Welt: Zuchtruthen, Ketten, Kerker, Schwerter, Galgen, Räder, Schaffotte, Scheiterhäufen; und in der andern: Teufel, Feuer-Essen, und Glut-Pfannen — nach allem diesem lassen Sie uns untersuchen, wie weit die Meinung von dem äusserst niedrigen

Stand der intellectuellen und physischen Fähigkeiten der Wilden auf Wahrheit gegründet seyn mag?

Meine Collegen, die Reisenden, sollen auch hier wieder die Autoritäten seyn, nach denen Sie über die zu lösende Frage entscheiden werden. Indem ich mich so auf Thatsachen stütze, welche durch Zeugnisse bestimmt sind, die keine Leidenschaft, kein sonstiges Interesse von der Wahrheit entfernen konnte, entgeh' ich dem Vorwurf, nur meine Ansicht herauszuheben, und der Gefahr, durch mehr verführerische, als gründliche, durch mehr scharfsinnige, als richtige Hypothesen der Meinung, welche ich festsetzen will, Kraft zu geben.

Wenden Sie mir dagegen ein, mein Beruf sey, eine Reise, und keine Betrachtungen über den moralischen Karakter oder die physischen Fähigkeiten der Wilden, und über die grössere oder geringere Tauglichkeit der Missionäre zu ihrem Bekehrungsgeschäft zu schreiben, und ich verletze damit die Regeln meines Berufes; so antwort' ich: daß ich Ihnen auf einer so sanften, so langwierigen, so einförmigen Fahrt wie die unsrige ist, nur völlig unbedeutende Details mittheilen könnte, und wir Beyde genöthigt seyn würden, ich, das monotone, nautische Tagebuch von Breitenbestimmungen, von dem Windwechsel u. dgl. zu schreiben, und Sie, es zu lesen.

Wir haben gesehen, daß dieselben Missionäre, welche entschieden: „daß man die Wilden ohne Zwangsmittel nie von der Wahrheit unsrer Religion überzeugen könne;" und ihnen dennoch „einen bewundernswürdig gesunden Menschenverstand, und eine gründliche und tiefe Urtheilskraft" zugestehen. — Ein, um nicht mehr zu sagen, sehr sonderbares Geständniß, das man gewiß schon lang eine unmittelbare Lästerung der Philosophie genannt hätte, wenn es von einem andern, als von einem Geistlichen, gemacht worden wäre.

Allein kommen wir zu den Thatsachen; denn diese müssen in der Moral, wie in allem andern Wissen, die Wahrheit und Gründlichkeit jeder Art von System begründen. Und zwar lassen Sie uns bey derjenigen guten Eigenschaft anfangen, welche den Stützpunkt aller übrigen ausmacht, nemlich mit dem Muthe.

Welchen Menschen-Stamm, mein Herr, haben wir ausgerottet, oder wenigstens verdorben! Bey diesen Völkern, und nur bey ihnen findet man, trotz dem Verfall, in welchen sie der Handel mit uns, und unser Feuer-Wasser gestürzt hat, wie sie den Branntwein nennen; der für viele Tausende dieser Unglücklichen ein wahres Gift geworden ist; bey ihnen allein findet man noch, neben einer physischen Constitution, welche die Gewandtheit mit der Stärke, und die Kraft mit der Geschwindigkeit vereinigt, nicht nur in den Organen des Gehörs, des Gesichts und des Geruchs einen Grad von Vollkommenheit, die bey uns ohne Beyspiel ist; sondern auch ein Maß von Ausdauer, alle ihre Unternehmungen zu beendigen, und von Standhaftigkeit, alles zu ertragen, die unsrer vervollkommneten Natur so fremd ist, daß uns die Geschichte und die Dichtkunst seit viertausend Jahren, als Wunder, ja als Ungeheuer von Tugend, kaum das Gedächtniß einiger Menschen aufbewahrt haben, welche, den Blick auf einen unsterblichen Ruhm geheftet, im Enthusiasmus für die Religion oder im Fanatismus für jenen, die Kraft gefunden haben, einen Moment Schmerz zu erdulden, oder der Gefahr eines Augenblicks zu trotzen.

Sie werden mir sagen: die ersten Christen drängten sich zum Märtyrerthum. — Allerdings! Aber das Folter-Werkzeug in der Hand des Henkers war in ihren Augen der Schlüssel zum Paradies; vom Scheiterhaufen oder dem Schaffot stiegen sie unmittelbar in den Himmel empor; ein Augenblick von Schwäche überlieferte sie ewigen Strafen, und eine Ewigkeit von Glückseligkeit war der Lohn für einen Moment von Qualen. Und wenn Curtius und Scaevola die Welt und die Nachwelt zu Zeugen ihrer Hingebung hatten; so hat der Wilde, allein in den Wäldern, blos die Feinde, denen er trotzt, und die Henker, welche er beleidiget, zu Bewunderern seiner Standhaftigkeit und Tugend. Nie wird der Ruf weder von seinem Leben, noch von seinem Tode sprechen, und weder ein Titus Livius, noch ein Tacitus stellen seinen Nahmen denen des Thraseas und Regulus zur Seite. Seine Zeitgenossen errichten ihm keine Altäre, die Nachwelt weiht ihm keine Statue; ja er sieht in dem offenen Himmel nicht einmal den Gott, für den er stirbt, umgeben von Licht und Ruhm, ihm von seinem Thron herab die väterliche und mächtige Hand reichen. Er ist gleich erhaben über die Besinnung des Stoikers, und die Verzuckung des Enthusiasten.

Ferdinand von Sotto nimmt dreissig Indianer gefangen, welche eines Plans zum Verderben der Spanier beschuldigt sind, und läßt ihnen sämmtlich die rechte Hand abhauen. „Diese Armen," sagt Garcilasso de la Vega, „ertrugen ihr Unglück mit so viel Geduld, daß kaum einem die Hand heruntergeschlagen war, so trat gleich ein andrer hervor, welcher die seinige auf den Block legte." *)

In diesem Zug liegt ein Karakter von Hingebung, eine Einfachheit des Muths, eine Kraft der Resignation, und eine Verachtung des Schmerzes, wie die heilige und die profane Geschichte kein Beyspiel enthält.

Ein hundertjähriger Onontake, der durch einen Haufen von Wilden unter Befehl des Grafen von Fontenac gefangen genommen war, ertrug die Qualen, welche man ihm anthat, mit so viel Muth, so viel Geistes-Gleichheit, und einer Standhaftigkeit, würdig .... eines Iroke-

*) Histoire de la conquête de la Floride. Livre III. Chap. 23.

sen. Einer seiner Henker versetzte ihm, aus Zorn über seine Reden, einige Messerstösse; da sprach der Onontake: „ich danke dir; du hättest mich aber wohl im Feuer sterben lassen sollen. Lernet dulden von mir, ihr Franzosen, und ihr Wilden erinnert euch, was ihr in meiner Lage thun müsset!“ *)

Hattucy, ein Cazique, der von St. Domingo nach Cuba geflohen war, stand an einem Pfahl gebunden, an welchem er verbrannt werden sollte. Ein französischer Mönch redete zu ihm mit aller Salbung von den Freuden des Paradieses und den Qualen der Hölle. „Giebt es in diesem Aufenthalt der Wonne, von dem du sprichst, Spanier?“ fragte der Cazique nach langem Schweigen. „Gewiß,“ antwortete der Mönch, „und sehr viele.“ — „In diesem Fall will ich nicht in denselben,“ sprach Hattucy.

Ein, nach Verdienst berühmter, Mann hat ganz Europa mit seinem Nahmen erfüllt, indem er über die Erziehung ein Buch geschrieben, dessen Zweck dahin geht, den Körper der Kinder gegen

*) Histoire de l'Amerique septentrionale. Tom. III. Lettr. 7.

alle Beschwerlichkeiten, und ihre Seele gegen den Schmerz abzuhärten. Das erste Studium und hauptsächlichste Geschäft im Leben der Wilden von Neu-Wallis ist die Standhaftigkeit, jede Art von Schmerz zu ertragen. *)

Mehrere Reisende haben in ihrem Leichtsinn, oder als schlechte Beobachter überhaupt, die Natur und die Menschen der neuen Welt nach einigen sandigten oder sumpfigten Küsten beurtheilt, wo sie die Bevölkerung und Vegetation schwach und verkrüppelt gefunden, und behaupteten ohne Weiters, was Schriftsteller von höherem Werth mit gleicher Unbesonnenheit auf ihr Wort hin entschieden: **) daß alle Producte des Thier- und des Pflanzen-Reichs, von dem Menschen an, in Amerika einen sehr auffallenden Karakter von Ausartung und Niedrigkeit haben. — Es läßt sich leicht denken: daß dieser Urtheilsspruch das Mo-

*) The constancy, with wich they endure pain, appearing to rank first among their concerus in life. — Acconnt of de english colony in new South-Wales.

**) Herr von Pauw, in seinen Recherches sur les Americains.

ralische nicht besser verschont hat, als das Physische.

Stellen wir, mein Herr, den Autoritäten und Thatsachen Autoritäten und Thatsachen entgegen.

Robertson liess sich durch denselben Irrthum, welcher den Verfasser der Untersuchungen über die Amerikaner verblendet hat, und den man letzterem Schriftsteller um so mehr zum Vorwurf machen darf, da er, obgleich in schlechtem Styl, zu Begründung einer falschen Meinung viel Geist und Talent angewendet hat; auch Robertson sagt, die amerikanischen Völker seyen unfähig, Beschwerden *) zu ertragen. Aber der Nahme von Robertson ist zu imposant, als daß es nicht nöthig wäre, einige falsche Ansichten, von denen er sich hinreissen ließ, herauszuheben.

Hätte Robertson also, statt dem Zeugniß von Europäern zu trauen, welche diese Völker zu Bergwerks-Arbeiten, für die sie zuverlässig sehr wenig Tauglichkeit hatten, oder zum Ackerbau bestimmen wollten, der mit ihrem Karakter und ihren Sitten völlig unverträglich ist; hätte Robert-

*) Histoire de l'Amérique, Tom. II. Livre IV.

fen, sag' ich, uneigennützige Reisende, welche mit den Wilden in den Krieg gezogen sind, und mit ihnen gejagt haben, zu Rathe gezogen, so würd' er gesehen haben, daß die angebliche Ausartung, von der man ihre angebliche Inferiorität ableitet, blos nothwendige Wirkung der Muthlosigkeit Einiger, des natürlichen Widerwillens Andrer gegen jede Art von Unterwürfigkeit, und der Unbekümmertheit Aller um Güter war; aus denen sie sich nichts machen, weil die Gattung von Bedürfnissen, welche durch dieselben befriediget werden, für sie nicht von erster Nothwendigkeit sind.

Um uns in Allem gleichzukommen, fehlt den Amerikanern nichts, als der Willen, sich, gleich uns, der Erziehung zu unterwerfen, welche einige von unsern Eigenschaften vervollkommnet. Sie besitzen den, für ihre Bedürfnisse nöthigen, Grad von Verstand und Kraft; warum dürfen wir ihnen daher vorwerfen, daß er nicht höher steht, als sie ihn brauchen? Vielmehr find' ich sie in dieser Rücksicht weit vernünftiger, als wir sind. Lassen wir die Natur und die Erfahrung wirken! Wachsen ihre Bedürfnisse, so wird auch ihr Verstand und ihre Kraft damit zunehmen. Um uns gleich zu seyn, uns, die wir, unter lauter Zeugen, welche die Unzulänglichkeit unsrer geistigen und körperlichen Ueberlegenheit bekräftigen, den Gebrauch Beyder beynah nur aus dem Mißbrauch, den wir damit treiben, kennen; ja, um uns sogar zu übertreffen, fehlt ihnen nur die Uebung derselben. Und dieß ist so wahr, daß Robertson selbst gestehen muß, „daß die Amerikaner überall, wo sie sich allmählig an eine beschwerliche Arbeit gewöhnen mußten, stark von Körper und fähig geworden sind, Dinge auszuführen, welche nicht nur über die Kräfte einer so schwachen Constitution, wie man sie ihrem Clima eigen glaubt, zu seyn scheinen, sondern die auch allem gleich kommen, was man von einem Afrikaner oder Europäer erwarten dürfte." *)

Nun glaub' ich, mein Herr, ist doch nicht zu leugnen, daß auch wir nur allmählig unsre künstliche Superiorität über die Wilden erworben haben. Und wenn dieses Geständniß des furchtbarsten Anhängers einer Meinung, die nach seinen eigenen Aussage nur auf einer Voraussetzung beruht, ihre offenbare Falschheit bezeugt; was

*) Ders. ebendas.

wird dann aus der ganzen Theorie des Herrn von Paw über die natürlichen Ursachen der moralischen und physischen Degradation der Menschengattung in Amerika?

Aber, sagt man, welch' ein ungeheures Uebergewicht geben uns unsre Kenntnisse, unsre Künste und besonders unsre Wissenschaften und unsre tiefe Metaphysik über die Wilden?

Ich will dieß nicht läugnen; indeß werden wir in meinem nächsten Briefe sehen, wie weit wir stolz seyn dürfen auf diese Superiorität; wenn es aber wahr ist, daß Wissenschaft und Unwissenheit in ihrem Einfluß auf das individuelle Glück des Menschen beynahe gleichen Schritt gehen, so folgt, daß, wie entschieden auch jenes Uebergewicht auf unsrer Seite seyn möge, es uns blos die frivole Ehre zumißt, gelehrter, aber nicht glücklicher, als die Wilden zu seyn.

Was waren wir vor zwey Tausend Jahren für die Griechen und Römer? — Wilde, die sie Barbaren nannten, und von denen sie sprachen, wie wir von den Amerikanern, und die ihnen am Ende in Civilisation gleichkamen, und sie im Wissen übertrafen.

Vier und dreyßigster Brief.

Auf der hohen See.

Ihr dünkt euch denn große Männer in Vergleich mit diesen armen Wilden, ihr Herren Mathematiker, Geometer, Natur-Historiker, Mechaniker, Geographen und Astronomen! Meinetwegen! Ich will euch zugeben, daß diese guten Menschen sehr unglücklich sind, weil sie nicht wissen, was sie nicht zu wissen brauchen! Wenn ich euch aber rathen darf, so lasset eure Erfahrungs-Wissenschaften, deren Resultate ihr für so unfehlbar haltet, nur mit größter Vorsicht unter ihnen sehen.

Hört einmal, was ein Reisender sagt, der in seinem Fach zum wenigsten eben so gelehrt war, als ihr! - - - -

Er begleitete durch die hintersten Theile von Georgien und Carolina die Commissäre der vereinigten Staaten, welche mit den Oberhäuptern der Wilden die Grenzen beyder Staaten bestimmen sollten.

„Der Vermesser," sagt er, „hatte sein Instrument bereits aufgestellt, um die Linie von dem Punct aus, von dem wir ausgegangen waren, so zu ziehen, um gerade den Zusammenfluß des Savanna mit dem sogenannten kleinen Fluß, in einer Entfernung von drey und zwanzig Meilen, zu bestimmen.

„Im Augenblick, da er den Punkt dieser Fluß-Verbindung gefunden, kömmt das Oberhaupt der Indianer an, prüft die Berechnung der Entfernungen, besinnt sich einen Augenblick, und behauptet sodann, daß sie falsch sey. Die Richtung unsrer Strasse, sagt er, sie mit der Hand angebend, muß die und die seyn."

„Der Vermesser besteht darauf, daß er sich nicht getäuscht, daß sein Instrument die rechte Linie bestimmt, und daß er sich völlig auf dasselbe verlassen könne. Das versteh' ich besser, als du, antwortet der Wilde. Deine kleine Maschine

„Wir sind daher überzeugt, daß euer Zweck ist, uns Gutes zu erweisen, und danken euch herzlich dafür.“

„Allein ihr seyd klug, und wisset, daß jedes Volk seine eigene Art hat, dieselbe Sache anzusehen und zu beurtheilen.“

„Ihr werdet es daher nicht übel nehmen, wenn unsre Ansichten der Erziehung nicht die eurigen sind, wie das die Erfahrung mehrerer jungen Wilden beweiset, die unter euch erzogen worden sind.“

„Sie waren geschickt in allen euren Wissenschaften; aber, als sie zu uns zurückkamen, waren sie nicht mehr so flink im Laufen; sie verstanden weder in den Wäldern zu leben, noch Hunger und Durst zu erdulden; weder eine Hütte zu bauen, noch einen Hirsch zu fangen, noch einen Feind zu tödten. Sie hatten entweder unsre Sprache vergessen, oder redeten sie schlecht. So waren sie denn weder als Jäger, noch als Krieger, noch als Redner zu gebrauchen; kurz sie taugten zu gar nichts.“

„Seyd indeß überzeugt, daß unsre Weigerung unsern Dank nicht schwächt, und um euch daß zu beweisen, machen wir euch auch einen Vorschlag."

„Wenn uns die Bewohner von Virginien zwölf ihrer Söhne schicken wollen, so werden wir sie auf das sorgfältigste erziehen. Wir werden sie Alles lehren, was wir wissen, und wenn wir sie nicht zu Gelehrten machen, so sollen doch Männer aus ihnen werden." *)

Sie begreifen wohl, daß die Herrn Deputirten von Virginien nach dieser Antwort nicht mehr auf ihrem Vorschlage beharrten.

Unter allen, den Wilden gemachten, Vorwürfen sind die beyden, daß sie sich ihrer Alten durch Ermordung derselben entledigen, und daß sie Menschenfleisch essen, offenbar die ernsthaftesten.

Letzteres ist aber von so vielen Reisenden geläugnet worden, daß die Anklage noch bey Weitem nicht erwiesen ist. Alles, was man gewiß weiß, ist, daß, wenn sie auch Menschenfleisch essen, dieß wenigstens nicht gewöhnlich geschieht; daß sie nur Kriegsgefangene, nie ihre eigenen

*) Dr. B. Francklins Works. Vol. 2.

Landsleute verzehren, und dieser zufällige Gebrauch ihrer Seits eine blosse Uebertreibung des, noch weit verdammlichern, Mißbrauchs ist, Krieg anzufangen, und einander hinzumetzeln. Zwingt uns überdieß die furchtbarste Nothwendigkeit zuweilen, unsern Nächsten aufzuzehren, so kann man doch einen Gebrauch, der, auch wenn er erwiesen ist, doch eine seltene Ausnahme in den Sitten des Volks bildet, unter dem man ihn findet, mit weniger Abscheu betrachten. Was würden die Spanier sagen, wenn ein mexikanischer Reisender, der ein Auto-da-fe mit angesehen hat, seinen Landsleuten schriebe, daß die Spanier täglich Menschen, welche Ketzer hiessen, verbrannten? Ganz gewiß aber ist, mein Herr, daß auch das Menschenfressendste amerikanische Volk nie einen Philosophen hervorbrachte, der, gleich Chrysipp, den Grundsatz aufgestellt hätte, statt die Todten zu begraben, oder zu verbrennen, wär's besser, sie aufzuzehren. Jeder Wilde hätte den Vorschlag, seinem Vater das Cloak zum Begräbniß zu geben, mit Entsetzen verworfen!

Sehr glaubwürdige Reisende haben uns versichert, daß nicht bey allen, aber doch bey einigen wilden Völkern die Alten umgebracht würden, welche durch ihre Schwäche und Hinfälligkeit für Nomaden-Völker lästig wären; und wir, die wir in der alten Geschichte lesen, daß Väter ihre Kinder dem Todt weihten, um einem Schiffbruch zu entrinnen, oder um günstigen Wind zu gewinnen; daß die Römer eine Vestalin um eines schwachen Augenblicks willen lebendig begraben haben; wir, denen Strabo und Eusebius erzählen, daß die Völker von Bactriana und Hircanien ihre Alten durch Hunde auffressen liessen; wir, die wir im Herodot lesen, daß die Messageten die Ihrigen schlachteten und aufzehrten; und wir, die wir die Unsrigen so oft einer Hülflosigkeit überlassen, welche schlimmer ist, als der Tod; wir, die wir in der Geschichte von China lesen, daß die Polizey in diesem Land alle, fehlerhaft gebornen Kinder ersäuft; die wir den armen Teufel aufhängen, welcher dem Reichen, der zu viel davon hat, oder es schlecht anwendet, ein Bischen gelbes oder weisses Metall nimmt; wir, unter denen Mütter ihre Kinder zerstören, so lang sie sie noch unter ihrem Herzen tragen, oder sie, wenn sie kaum geboren sind, in die Strasse aussetzen, um vor Hunger und Kälte zu Grunde zu gehen; wir, die wir uns noch darüber streiten, ob ein

Selbstmörder einen dummen oder klugen Streich gemacht, und einen Beweis von Schwäche, oder Stärke abgelegt hat; wir, die wir es für Pflicht der Ehre halten, den gesunden, jugendlichen Mann, den Familien-Vater, den nützlichen Bürger, und manchmal sogar den Freund umzubringen, der ein unüberlegtes Wort ausgesprochen, oder eine zweydeutige Miene gemacht hat; — wir rufen, Todtschlag, Barbarey, Vatermord, weil einige Wilden das Ende eines, nicht nur der Gesellschaft unnützlichen, sondern lästigen, Greisen um ein Paar Tage beschleuniget haben.

Allein, wie bereits bemerkt, bringen bey Weitem nicht alle Wilden ihre alten Leute um. Die meisten Reisenden versichern sogar das Gegentheil, daß kein civilisirtes Volk die Ehrfurcht vor dem hohen Alter so weit treibt, als die meisten dieser Nationen.

Folgende Thatsache, die ein gewichtiger Augenzeuge erzählt, beweiset, daß, wenn das Alter auch unter den Wilden zuweilen eine Last seyn kann, von welcher derjenige, den sie drückt, selbst befreyt zu werden verlangt, demungeachtet seine Landsleute nicht immer bereit sind, ihm mit aller

Gleichgültigkeit den letzten Dienst zu leisten, welchen er von ihrer Freundschaft fodert.

„Eh' ich mit den Indianern gelebt hatte, hatt' ich oft gehört, daß ein Gefühl von Mitleiden für das Elend und die Leiden eines hinfälligen Alters sie bestimmte, mit einem Keulschlag oder Flintenschuß Greise, welche in dieser Welt unnütz geworden waren, in die andere zu befördern. Dieser Grad von Barbarey war mir aber immer so unnatürlich vorgekommen, daß ich viele Mühe anwendete, die Wahrheit zu ergründen. Die Europäer indeß, welche mit diesen Völkern lebten, versicherten mir, daß ihnen gar kein Beyspiel davon bekannt sey; aber daß es wirklich möglich seyn könnte, daß eine Völkerschaft auf das wiederhohlte Verlangen eines einzelnen unter ihnen sich entschlossen habe, dasselbe zu erfüllen."

„Ich war einst in der Niederlassung von Mucilasse, und begab mich in Begleitung von einigen Europäern und mit Geschenken versehen an den Ort, wo die öffentliche Versammlung gehalten wurde."

„An demselben angekommen, setzten wir uns unter die ehrwürdigen Greise, rings um das Feuer herum. Nach und nach kamen noch mehrere Eingeborne dazu, und unter diesen befand sich ein alter Mann, dessen Anblick Staunen und Ehrfurcht zugleich in meiner Seele auftrieb. Er war blind, und das erste und älteste Oberhaupt der Nation. Drey junge Männer, von denen zwey ihn unter den Armen hielten, lenkten seine wankenden Schritte."

„Als er erschien, begrüßt' ihn der ganze Kreis mit einem Willkommen! Man machte ihm Platz, und Jeder beeiferte sich, ihm seine Verehrung zu bezeugen. Auf seinen Lippen lag das Lächeln der Güte, und auf seiner Stirne der Ernst der Tugend."

„So wie er sich gesetzt hatte, theilte ich meine Geschenke aus. Ihm gab ich ein Stück vorzüglichen Tabacks und ein seidenes Tuch. Beydes überreichte ihm ein anderes, auch sehr betagtes, Oberhaupt, welches ihm sagte: daß einer ihrer weissen Freunde, der seit Kurzem von Charlestown angekommen sey, ihm dieses Geschenk mitgebracht habe. Er empfieng Beydes mit einem anmuthigen Lächeln, dankte mir, und bat mich, dafür seine Pfeife, und seinen, aus einem wilden Katzenfell gemachten, Sack anzunehmen. Dann hielt er eine lange Rede an mich, in welcher er mir sagte, daß er immer auf die Freundschaft der Bewohner von Carolina den größten Werth gesetzt habe u. s. w."

„Der Kaufmann, welcher mich begleitete, zählte mir nun, was sich später mit diesem amerikanischen Patriarchen zugetragen hat."

„Einst brachten ihn seine Führer in die Versammlung. Bevor er Platz nahm, redete er folgendermassen zu seinen Zuhörern;"

„Ihr liebet mich; aber was vermag ich noch um eure Achtung zu verdienen? — Nichts; denn ich bin zu nichts mehr nütze. Der Verlust meines Gesichts erlaubt mir nicht, weder Kaninchen zu tödten, noch auf den Bären zu jagen. Ich bin darum nur eine Last für euch. Ich habe genug gelebt; lasset meinen Geist von dannen ziehen! Mein einzig Verlangen ist nur noch, in dem Lande der Seelen die Krieger wieder zu sehn, mit denen ich in meiner Jugend gekämpft habe. Hier ist das Beil; nehmet es, und hauet zu!"

„Alle riefen: nein! das wollen wir nicht, das können wir nicht! Wir brauchen dich noch!" *)

*) W. Bartrams Reisen u. s. w.

Gute Wilden! Ihr glaubet also, daß ein Mann, der nicht mehr den Bären jagen kann, doch noch durch Weisheit und Erfahrung seinem Vaterland nützlich zu seyn im Stand ist? — Ja, der ehrwürdige Pater Hennepin hat wohl recht, euch Barbaren zu nennen! Fragt nur unsre jungen Leute darnach!

Fünf und dreyßigster Brief.

Auf der hohen See.

Es ist in der Ordnung, mein Herr, daß Leute voll Ansprüchen, wie wir, Leute, welche Wissenschaften und Künste, die den wilden Völkern völlig unbekannt sind, treiben, und täglich mehr vervollkommnen; es ist ganz natürlich, sag' ich, daß Philosophen, die seit vier bis fünf tausend Jahren die moralische Natur des Menschen studiren, die Theorie dieser Moral sehr weit vorwärts gebracht haben. In dieser Rücksicht geb' ich unsre wunderbare Ueberlegenheit über die Wilden allerdings zu.

Indeß bietet sich hier eine Betrachtung an, die, um ihrer entschiedenen Richtigkeit willen, beynah läppisch zu seyn scheint.

Warum stehen wir aber, bey so vielen Mitteln, die Kraft und den Umfang unsrer physischen Fähigkeiten zu vermehren, gerade in diesen, und troz der Hülfskraft unsrer Künste und Wissenschaften, in vielen Rücksichten so tief unter den Wilden?

Was ist der Zweck aller unsrer Wissenschaften? — Genau betrachtet kein andrer, als die Unvollkommenheit, die Schwachheit und die Unzulänglichkeit unsrer natürlichen Fähigkeiten zu ergänzen. Im Grund ist die Wissenschaft für uns nur ein Bedürfniß weiter. Sie ist das indirecte und doppelte Geständniß der Ueberlegenheit der natürlichen Fähigkeiten des Wilden, und der Nothwendigkeit, in der wir uns befinden, um dem Untergang der unsrigen zu begegnen, zur Kunst unsre Zuflucht zu nehmen.

Die Chemie hat unsre Küche vervollkommnet, und wir vermögen nicht einmal vier und zwanzig Stunden den Hunger zu ertragen, welchen der Wilde mehrere Tage erduldet. Dafür haben wir Blähungen, von denen er sich gar keinen Begriff machen kann.

Wir haben Wagen, Pferde, Relais, und können doch in einer gegebenen Zeit mit der Post nicht denselben Weg zurücklegen, welchen ein Wilder zu Fuß macht!

Wir waffnen unsre Nasen mit Brillen und unsre Augen mit langen, kunstreichen Telescopen, um schlechter und nicht so weit zu sehen, als der Wilde mit blossem Auge.

Auf der Jagd brauchen wir Hunde, um das Wild aufzuspuren und zu treiben; im Krieg Wagehälse, um den Bewegungen des Feindes zu folgen; aber die Wilden wittern ihren Fang selbst, und folgen der Spur des Feindes, nach, für uns unbemerkbaren, Zeichen.

Um uns in unbekannten Ländern zu leiten, brauchen wir Führer, Karten, Kompasse; aber der Wilde, der in den ungeheuern amerikanischen Wäldern ohne Führer, ohne Karten, ohne Kompaß herumirrt, geht immer auf dem kürzesten Weg gerade zu seinem Ziele.

Sollen wir über einen Fluß; nun da brauchen wir Schiffe, Brücken, Flöße. Der Wilde passirt ihn, wenn es ihm einfällt, und lacht schwimmend über unsre kunstreichen Maschinen, über alle unsre Vorsichtsmaßregeln, unsre Arbeiten und unsre übrigen unbehulflichen Anstalten, zu denen uns ihr Bau, ihr Transport und ihr Gebrauch zwingt.

Bewunderung und Schrecken erfüllte den Wilden gewiß, als er zum erstenmal ein Linienschiff sah, das mit einer Bemannung, zahlreich wie sein ganzer Stamm, mit der Schnelligkeit eines Fisches auf den Ton einer Pfeife hin, Evolutionen machte, deren er diese ungeheure Masse für unfähig gehalten hätte, und Donner, Blitz und Tod aussprühte. Wie einen Gott betete er denjenigen an, dessen Verstand solche ambulirende Welt geschaffen hatte; aber als ein Schiffbruch dieses ungeheure Werk aller Künste zertrümmert hatte, wie staunte er, da er sah, daß dieses allmächtige Wesen, dieser schaffende Gott weder einen Krek durchschwimmen, noch sich seinen Unterhalt durch die Jagd verschaffen, weder Hunger ertragen, noch Mühseligkeiten erdulden, noch dem schlimmen Wetter trotzen konnte!

Nach dem Geschichtschreiber Adair legte ein Krieger von der Nation der Chikasah in anderthalb Tagen und zwey Nächten dreyhundert Meilen *) durch Wälder und über Berge zu Fuß zurück. **) Welcher Europäer wär' im Stand, in gleicher Zeit hundert Meilen zu Fuß zurück zu machen?

Unerachtet der Koloniste von Canada den Holländer im Schlittschuhlaufen übertrifft, so ist ihm, nach dem Zeugniß eines brittischen Reisenden, der Wilde in diesem Punkt doch noch weit überlegen.

„Vor einigen Jahren," sagt er, „verliessen drey Indianer, in Folge einer Wette, mit Tages-Anbruch Montreal, und langten bey einbrechender Nacht in Quebec an." ***) Die Entfernung beträgt sechszig Meilen, und da dieser Weg auf Schlittschuhen zurückgelegt wurde, und noch dazu im Winter, wann der Tag kaum zehn Stunden lang ist, so machten diese Wilden wenigstens sechs Meilen in einer Stunde.

*) Wohl englische Meilen?

**) History of the american Indians.

***) Anbury, Voyage dans l'intérieur de l'Amerique septentrionale.

Ein andrer entschiedener Vortheil, mein Herr, den die wilden Völker vor den civilisirten haben, und der nothwendig entweder von einer bessern physischen Constitution, oder einer bessern Erziehung, oder von besserer Diät, oder von einem vollkommnern Heilungssystem, oder von allem diesem zusammen herrührt, ein andrer solcher Vortheil besteht in der Seltenheit der Krankheiten unter ihnen, in ihren schnellen Kuren, und ihren einfachen Arzneymitteln. Mein aussätziger Neger von Annobon beweiset nichts gegen diese Wahrheit. Vielleicht hatte seine Krankheit denselben Ursprung, den Pangloß der seinigen zuschreibt.

Um nur ein Beyspiel der Art anzuführen, will ich von der Niederkunft der Frauen etwas sagen.

Abgesehen von der Gefahr, welche bey uns unter zehn Frauen wenigstens Einer droht, von den Vorsichtsmaßregeln und Vorbereitungen, die eben so viele Zeichen von Gefahr sind; abgesehen von den Folgen, die oft die glücklichste Niederkunft begleiten; wie viele Sorgfalt und wie manche Entbehrungen macht nicht die bloße Schwangerschaft unsrer gesundesten Weiber nöthig? Die wilden Mütter wissen von alle dem nichts. Schwanger laufen sie, wie zuvor, und versehen dieselben Arbeiten, wie sonst. Ihre Niederkunft ist jedesmal glücklich, immer auf die Zeit hin, immer von wenigen Schmerzen, und nie von schlimmen Folgen begleitet. Bringen sie auch weniger Kinder zur Welt, so halte man dieß ja nicht für Unfruchtbarkeit oder für Furcht, sich den Wuchs zu verderben. Sie haben nicht Zeit genug zu diesem Geschäfte.

Zu den entschiedenen natürlichen Vorzügen der Wilden vor uns gehört auch ein vortheilhafteres Aeussere, als das von allen europäischen Völkern ist, eine Mischung von Würde und ernster Freundlichkeit. *) Ihr Empfang ist einfach, und ihr Betragen freymüthig, ob sie gleich sehr schlau sind. Alle ihre Bewegungen sind flink und anmuthig. „Man muß erstaunen," sagt ein französischer Reisender, „über das gute Ansehn und die Grazie, mit der ein Wilder zu Pferde sitzt." **)

Man wirft ihnen, und zwar nicht mit Recht, aber mit Grund, ihre Unmäßigkeit im Genusse

*) Bartrams Reisen, 2r Thl. Kap. 6.

**) Voyage à la Louisiana, Tom. I.

des Branntweins vor, eines unglücklichen Geschenkes *), das sie, wie unsre Feuergewehre und unsere Pocken, unsrer thätigen Industrie verdanken. Es ist erwiesen, mein Herr, daß diese drey Wohlthaten unsers Verkehrs mit ihnen neun Zehentheile der alten Bevölkerung der Inseln und des Continents von Amerika zerstört haben. Wenn daher der sanfte, gutmüthige, nüchterne Grönländer, das einzige Volk, welches Verstand genug hatte, unsre Künste, unsre Wissenschaften, unser Feuer-Wasser, und unsre Feuer-Gewehre zu verschmähen; wenn der Grönländer die klugen, gewandten, gelehrten Europäer sich unter einander zanken, beschimpfen, und herumschlagen sieht, so sagt er: „sie haben den Verstand verloren! das böse Wasser hat sie toll gemacht."

Unter allen Vorwürfen, welche man den Wilden, und besonders ihren Frauen gemacht

*) Die furchtbaren Krankheiten, welche die Russen den Yugakirs-Tataren mitgetheilt, haben beynah ihren ganzen Stamm aufgerieben. Sauers, auf Befehl der Russ. Kaiserin gemachte, Reise, B. 1. Kap. 8.

hat, ist zuverlässig der der Schaamlosigkeit der ungerechteste — ein zweydeutiger Vorwurf schon überhaupt, wenn man in dergleichen Urtheilen nicht alles abrechnet, was Sitten, Gebräuche, Gesetze, religiöse Institutionen und das ganze System unsrer Civilisation in einer Regung hinzuthaten, modifizirten, oder hinwegnahmen; einer Regung, welche entweder ein blosser Natur-Instinkt, oder der Instinkt einer feinern Wollust, oder die Lockung des Vergnügens, das durch den Widerstand geschärft, und, so zu sagen, durch die Eigenliebe moralisirt wird; oder aber auch der verborgene Keim einer, aller Verbrechen und Tugenden fähigen, Leidenschaft, darum aber doch weder Verbrechen noch Tugend ist bey den Männern und besonders bey den Weibern: so ist es für Letztere am Ende vielleicht nur ein physisches Bedürfniß, oder ein Mittel des Erfolgs, dem sie keinen andern Werth, keinen andern Begriff von Opfer beymessen, als den, den Begierden eines andern nachzugeben, um ihre eigenen zu befriedigen. Ueberlässet diese wilden Weiber sich selbst, und die Schaam, deren ihr sie beraubt wähnt, wird sich in der freyen, uneigennützigen Wahl ihres Geliebten in all ihrem Reitze zeigen.

Ich kann der Versuchung nicht widerstehen, in dieser Beziehung anzuführen, was ein Gelehrter, der mir die Liebe des civilisirten Menschen und die Liebe des Wilden sehr scharfsinnig beurtheilt zu haben scheint, sagt:

„Nur für den müssigen und isolirten Menschen kann die Liebe ein Princip anhaltender Thätigkeit, und folglich Grund von Fortschritten aller Art werden.“

„Sie beschäftiget ihn das ganze Jahr fort, weil sich die convenzionellen Begriffe mit den natürlichen Empfindungen verbinden, ihm eine Kraft geben, zu der er allein sich nie erhoben haben würde, und sogar Hülfsmittel wecken, welche jener Kraft Dauer geben.“

„So entsteht durch die gegenseitige Anziehungskraft und die Wahl die Idee des Eigenthums; da findet sich dann die Eitelkeit als Helferin ein, und übertreibt den Werth dessen, was man für sein eigen hält.“

„Eine tiefe Achtung für den geliebten Gegenstand erhöht die Achtung gegen sich selbst. Sie verbreitet über diese Vereinigung von Ideen und Empfindungen einen Firniß von Vortrefflichkeit und Würde, der sie selbst in den Augen desjenigen, welcher in ihrem Besitz ist, erhebt. Daraus entstehen eine Menge von Bewegungen, deren Kraft und Dauer der Seele Energie einflössen, und sie den größten Anstrengungen fähig machen." *)

Sechs und dreyßigster Brief.

Auf der hohen See.

Indem ich auf die Bemerkungen zurückkomme, mein Herr, mit welchen ich meinen letzten Brief geschlossen habe, find' ich es doch sehr kühn, wenn wir entscheiden wollten, wie die Wilden vor der Ankunft der Europäer unter ihnen, und bevor sie

*) Lettres sur les animaux et sur l'homme. Lettre V.

durch uns Bedürfnisse, Begierden und Leidenschaften, von denen sie früher nichts wußten, kennen gelernt, von der Schaamhaftigkeit gedacht haben.

Erfahren wir nicht an uns selbst, welchen Einfluß eine plötzliche Veränderung in unsern gewöhnlichen Gedanken auf unsre Neigungen, auf unsre Grundsatze und die Moralität unsrer Handlungen haben kann? Warum soll der Wilde diesem Einfluß besser widerstehen als wir? Nehmen wir einmal an, daß einer derselben in der St. Bartholomäus-Nacht in Paris angekommen wäre, welchen Begriff würde er sich von den Europäern und ihren Sitten gemacht haben?

Verständige Leute, welche uns die Sitten der Wilden aus Eigenliebe oder aus Standes-Interessen für verdorbener schildern, als die unsrigen, kommen wenigstens darin überein, daß sie in unserem Verkehr mit ihnen den ersten Grund dieser Verderbniß finden.

„Es ist wahr," sagen die Brittischen Missionnäre, welche nach den Süd-See-Inseln gesandt wurden, „daß die Versuchung, die Geräthschäften unsrer Industrie zu erhalten, und unsern rohen Burschen zu gefallen, ihren Weibern zuweilen das Ansehen von Schaamlosigkeit gegeben hat. Indeß beschuldigen diese Weiber gerade uns selbst dieses Fehlers, und sagen: der Engländer erröthe über nichts, und wir haben sie zu unzüchtigen Handlungen gezwungen, von denen sie nie zuvor etwas gewußt hätten." *) Was ich mit eigenen Augen während unsres Anhaltens an der Insel Annobon gesehen habe, giebt auch mir das Recht zu sagen, daß unsre rohen Bursche von Franzosen den Engländern in diesem Puncte nicht nachstehen. Verlieren wir aber eine, in unsrer Untersuchung wirklich wichtige, Thatsache nicht aus dem Auge: daß dieselben Producte unsrer Künste, und dieselben Werkzeuge unsrer Industrie, welche die Wilden civilisirter und glücklicher machen sollten, am meisten dazu gewirkt haben, die Sitten derselben zu verderben, und die Entvölkerung ihrer Länder zu beschleunigen.

Diejenigen Reisenden, welche am freysten in ihren Erzählungen sind **), und am leichtsinnig-

*) A Missionary Voyage, u. s. w. Sect. 3.

**) Die Beyspiele von der unanständigen Freyheit, mit welcher gewisse Reisende von den Sitten des

sten über die Sitten der Wilden abgesprochen haben, kommen denn doch alle in der Behauptung überein, daß die schnelle Hingebung ihrer Weiber, sey sie nun durch Lust oder Eigennutzen bestimmt, nur von unverheyratheten zu verstehen ist. Ich muß aber leider gestehen, daß die Parallele zwischen den Wilden und den civilisirten Völkern auch in diesem Punct, wie in so vielen andern, nicht zu Gunsten der Letzten zu sprechen scheint.

Noch findet sich eine weitere, sehr auffallende, Verschiedenheit zwischen ihnen und uns, welche man in den Urtheilen über sie zu oft aus dem Auge verloren hat.

Die Bedürfnisse und die zuweilen aus ihnen entstehenden Leidenschaften, sind die ersten und großen Principe unsrer Thätigkeit. Da sich Beyde bey den Wilden auf das Nothwendigste beschränken, so folgt, daß sie im Durchschnitt unthätig *)

Völker reden, die sie besucht haben, sind nicht selten. Eines der Art findet sich über die Weiber von Brasilien im 2ten Band des Tagebuchs einer Reise nach Ost-Indien.

*) Hier ist nicht die Thätigkeit der Bewegung, die Thätigkeit der Beine, sondern diejenige gemeint,

und nüchtern sind; zwey Eigenschaften, vermöge deren sie bis dahin allen Versuchen, sie zu sitzenden Arbeiten und zum Ackerbau anzuhalten, widerstanden haben.

Warum sollten sie aber auch mehr säen und mehr ärndten, als sie verzehren können? — Das haben sie noch nicht begriffen, und würden wir auch nicht begreifen, wenn wir uns nicht Bedürfnisse gemacht hätten, welche uns zwingen, unsern Ueberfluß zu verkaufen und auszuführen, um andere überflüssige Dinge zu kaufen und einzuführen. Wir sind daher sehr thätig, und müssen es auch seyn, weil wir sehr viel brauchen. Wenn aber die Erfahrung aller Zeitalter die Kraft und die Weisheit in die Mässigung gesetzt hat, und wenn die Tugend immer genau in der richtigen Mittelstrase gefunden wurde; wer steht ihr alsdann am nächsten, die Wilden oder wir?

Unsre Leidenschaften, unsre Krankheiten, unsre Unmässigkeit in allen Dingen sind wechsels-

welche von einer, unter den civilisirten Völkern sehr gewöhnlichen, unter den Wilden aber äusserst seltenen, Unruhe des Geistes herrührt.

weise die Ursache und das Product unsrer Thätigkeit. Daß wir die letztere als einen Beweis unsrer Ueberlegenheit über den Wilden anführen, ist daher weiter nichts, als Stolz darauf, daß wir allen Unordnungen, den natürlichen Früchten der Leidenschaften, stärker ausgesetzt sind, als er; daß wir Sclaven von einer größern Anzahl von Bedürfnissen sind, und eine größere Menge von Uebeln zu heilen haben. Fühlen sie einer Seits weniger Bedürfnisse, so haben sie andrer Seits auch weniger Entbehrungen. Ich schliesse daher, daß die Wilden, da wir mehr durch das, was wir nicht haben, leiden, als wir durch das, was wir haben, geniessen, wohl nicht so glücklich seyn mögen, als wir, aber daß sie auch zuverlässig minder unglücklich sind.

Indeß ist es Zeit, mein Herr, mit dem letzten Wort dasjenige zu schliessen, was ich in meinen vorigen Briefen, sowohl über die christlichen Missionnäre, als über ihre Neophyten und die Wilden überhaupt, gesagt hatte.

Ich glaube nicht, daß man nach dem Vorigen noch zweifeln kann, daß, wenn die christliche Religion und die Civilisation von Europa so wenige Fortschritte unter den Wilden gemacht haben, der Fehler weder der Flüchtigkeit, noch der Unfähigkeit ihres Geistes, weder der Immoralität ihres Karakters, noch der Unmöglichkeit beyzumessen ist, ihnen die nothwendige Existenz eines höchsten Wesens und den Umfang der, seinen Anbetern obliegenden, Pflichten begreiflich zu machen. Gehören sie demnach als Kinder der Unwissenheit und der Natur, nicht zu der Klasse der Geistesarmen, welche Jesus Christus selbst wegen ihrer Ansprüche an das Himmelreich glücklich gepriesen hat?

Hüten wir uns unsrer Seits, den nichtswürdigen Urtheilen ihrer Verläumder die Lästerung beyzufügen, auf Rechnung der Religion zu setzen, was blos Fehler ihrer Eitelkeit ist, unerachtet sie den Verbrechen der Europäer nur zu oft zum Vorwand gedient hat, und sie in der alten wie in der neuen Welt, für den Soldaten, wie für den Priester, das Losungswort des Fanatismus, des Ehrgeitzes und der Habsucht gewesen ist, (23.) und war im Nahmen Gottes so gut, als im Nahmen ihrer katholischen und allergetreusten Majestäten, geraubt, erobert und gemordet hat.

Hätten sich die Spanier, als sie zum erstenmal nach Mexico kamen, mit dem Titel der Eroberer begnügt, so würden sie die Herrschaft desselben, oder wenigstens die Nutzniessung davon, ohne einen Tropfen Bluts zu vergiessen, von ihrem ersten Einzug in Mexico an, gehabt haben.

In Cortez damaliger Audienz, bey Montezuma, nahm dieser Fürst mit Vergnügen die Vorschläge auf, welche eine Allianz zwischen ihm und dem König von Spanien zum Zweck hatte, bey der er sich gerne mit der Rolle des tributären Alliirten begnügt haben würde. Unglück verkündigende Prophezeihungen hatten den mexikanischen Monarchen zu aller Nachgiebigkeit gestimmt. Er bezeugte daher erst Widerwillen, als Angriffe auf seine Götter geschahen, und man die Verbannung der Religion seines Volks zum sine qua non eines Vertrags machte, in welchem ein bisher unbekannter Abenteurer, ohne öffentlichen Karakter, im Nahmen eines Kaisers, der ihn aber für einen rebellischen Unterthan erklärt hatte, gegen einen Kaiser, den er gleich nachher mit eigenen Händen mitten in seinem Hof und seiner Hauptstadt in Fesseln warf, Bedingungen festsetzte. Auch mußte man das menschliche Herz sehr wenig kennen, um einem Mann, der schon unglücklich genug war, um alle seine Hoffnungen bey seinen Göttern zu suchen, noch einen Abfall von denselben zuzumuthen.

Wie vielen Jammer hat diese unglückliche Bekehrungswuth nicht schon angerichtet! Wie viel Gutes hat sie nicht zu einer Zeit verhindert, da die merkwürdigste aller Entdeckungen die glücklichste Revolution herbeyführen konnte, indem sie der Wißbegierde, der Industrie, den Künsten, dem Handel und der Thätigkeit der europäischen Völker überhaupt das ungeheure Feld einer neuen Welt eröffnete? Giebt es etwas abgeschmackteres und tolleres, als diese Manie, unsern Glauben Menschen aufzudringen, denen größtentheils unsre Gebräuche lächerlich, unser Gesicht widerhaarig, unsre Sitten bisarr, unser unaufhörliches Reden, unsre Meinungen, unser Benehmen gegen sie widerlich, verächtlich, spottswürdig und so auffallend war, daß unsre gedankenlose Eitelkeit ihr Staunen sogar für Bewunderung nahm.

Unter den Schriftstellern, welche zuerst den Muth gehabt, sich gegen diese Bekehrungswuth auszulassen, hat es keiner mit mehr Kraft und Verstand gethan, als der berühmte La Bruyère, und zwar zu der Zeit, da der König von Siam Gesandte an Ludwig XIV schickte.

„Wenn man uns versicherte," sagt er, „daß der geheime Beweggrund der siamesischen Gesandtschaft kein anderer gewesen sey, als den allerchristlichsten König aufzufordern, das Christenthum zu verlassen, und den Talapoinen den Eingang in sein Königreich zu erlauben; wenn diese in unsre Häuser eingedrungen wären, um unsre Weiber, unsre Kinder und uns selbst von ihrer Religion zu überzeugen; wenn sie mitten in unsern Städten Pagoden, oder metallene Figuren zur Anbetung aufgestellt hätten; mit welchem Spott und welcher Verachtung würden wir diese Narrheiten wohl aufnehmen?" *).

Indeß giebt es keine Regel, mein Herr, welche nicht ihre Ausnahme hätte, und Frankreich besonders verdient, daß zwey wesentliche bemerkbar gemacht werden, die eine zu Gunsten seiner Geistlichkeit überhaupt, und die andere in Rücksicht auf einige seiner Missionnäre, Männer, die wirklich würdig sind, das Band der Liebe zwi-

*) Caractère et moeurs de ce siècle, Tome 2, Chap. 13.

schen zwey Welten zu schliessen; würdig das Wort Gottes Menschen zu predigen, die würdiger sind, es zu hören, als wir; Männer, deren Eifer Bewunderung verdient, wenn man weiß, daß er keinen andern Zweck hat, als das ewige Heil einiger unbekannter Geschöpfe, und daß die Märtyrer-Palme für diese würdigen Apostel des Glaubens das letzte Ziel ihres Ehrgeitzes, und oft der einzige Lohn ihrer Arbeiten ist.

Ich vergleiche sie mit Polyeuct, im Augenblick, da ihn seine Garden zum Tode führen.

„Où le conduisez-vous?“

fragt die gefühlvolle Pauline entsetzt. „A la mort;“ antwortet man ihr: „A la gloire!“ ruft Polyeuct.

O nehmen wir dem, was wir Fanatismus nennen, seine Triumphe nicht zu leichtsinnig! Wenn wir gerne sterben für unser Vaterland, für unsre Kinder; warum sollten wir nicht für Gott sterben wollen, der für uns gestorben ist?

Indem ich aber der Gerechtigkeit, der Tugend und der Religion diese letzte Huldigung erweise, muß ich hier wiederhohlen, daß der übelverstandene Eifer, die Unwissenheit, das schlechte Betragen und die Habsucht der Meisten, welche sich, um dem Satan seinen Raub zu entreissen, wie die Harpyen auf Aeneas Mahl, gestürzt haben; ich wiederhohle, sag' ich, daß diese lasterhaften, unwissenden und fanatischen Missionnäre den gerechten Widerwillen, und die noch gerechtere Verachtung geweckt haben, welche diese Völker, unter die unsre stürmische Thätigkeit eingedrungen ist, nicht nur gegen uns, sondern auch gegen die heilsamsten Wahrheiten gefaßt, die wir ihnen verkündigen wollen. Ja, ich bin fest überzeugt, daß alle wilden Völker gerne das Christenthum angenommen hätten, wenn es von wahren Christen zu ihnen gebracht worden wäre. Zeit, Liebe und Unterricht, der immer so mächtig ist, wo er sich auf das Beyspiel stützt, hätten unsrer Religion gewiß ohne einen Schwertschlag den Triumph verschafft. Allein ein, der christlichen Demuth völlig fremder, Ehrgeitz wollte Bekehrung und Eroberung gleichen Schritt gehen machen; darum man sich denn nicht wundern darf, wenn die Bekehrer oft eben so wild und grausam sind, als die Eroberer.

Sieben und dreyßigster Brief.

Vorgebirg der guten Hoffnung.

Es ist lange, seit ich Ihnen zum letztenmale geschrieben habe; und in welchem Zustand ergreiff' ich heute die Feder! Kaum erlaubt mir mein, durch eine langwierige und grausame Krankheit geschwächtes, Gedächtniß, eine verworrene Erinnerung an alles, was von dem Tag an um mich vorgegangen ist, da ich plötzlich von einem heftigen Fieber ergriffen, eine Stunde darauf ohne Bewußtseyn und ohne ein anderes Gefühl, als das der unerträglichsten Schmerzen da lag, welche die Folge einer Anhäufung von Feuchtigkeit im Kopf waren, die, wie die Aerzte sagen, von dem Fall herrührt, den ich auf der Insel Oleron vom Pferde gethan hatte.

Erst nach dreywochenlangem Deliriren und nach unerhörten Schmerzen begann man wieder Hoffnung zu fassen, daß ich gerettet werden könnte. Ich selbst hatte kein andres Gefühl von meiner Existenz, als den Schmerz; aber nichts ist dem Eindruck zu vergleichen, den ich hatte, als man mich, nach vierzigtägigem Aufenthalt in dem dunkeln Raum unter dem Verdeck, zum erstenmal auf das Kastel brachte.

Ein Blinder, welchem plötzlich die Augen geöffnet werden, kann unmöglich eine süssere Empfindung haben, als die meine war, da ich den hellen, klaren Himmel wieder sah!

Mit diesem ersten, wonnevollen Eindruck vereinigte sich der, lauter Menschen um mich zu sehen, welche glücklich, das lang gewünschte Ziel endlich zu erreichen, mir mit dem herzlichsten Wohlwollen ihre Freude bezeugten, daß ich im Stande war, ihr Vergnügen zu theilen, wie ich ihre Leiden getheilt hatte. O welcher Schmerz war nicht durch das reine, tiefe Gefuhl von Glück aufgewogen, das mich in diesem Augenblick überströmte!

Die Soldaten, welche mich sechs Wochen lang nicht mehr gesehen, und hundertmal sagen gehört hatten, daß ich keine Stunde mehr leben würde, drängten sich mit einer Theilnahme, deren Ausdruck in ihren Blicken mir so verständlich war, um mich.....

O ihr, die ihr von den Sclaven, welche euch ihr Schicksal unterwürfig gemacht hat, blos die Haltung einer, auf Furcht gegründeten, Ehrfurcht verlangt, versucht es einmal mit der Ehrfurcht, die sich auf die Liebe gründet!

Seit einem Jahr, daß ich sie befehligte, hatt' ich immer alle Sorgfalt und Nachsicht, womit mich der Wunsch für ihr Bestes nur immer erfüllt hatte, mit der strengen Gerechtigkeit einer genauen Mannszucht zu vereinigen gesucht. Aber ich erfuhr erst in diesem Augenblick, daß die Opfer der Gutmüthigkeit, welche ich bald dieser, bald jener gebracht hatte, von Menschen, die wir zu leichtsinnig der Undankbarkeit und Ungerechtigkeit beschuldigen, gefühlt und anerkannt worden waren.

Meine Reisegefährten wollten meine Schwäche schonen, und die Ueberraschungen nicht zu schnell auf einander folgen lassen. Daher öffnete sich erst eine halbe Stunde nachher, als man sich überzeugt hatte, daß die freye Luft meine Organe wieder belebte und stärkte, der Kreis, welcher sich um mich gebildet hatte, plötzlich, um mir eins der schönsten, der imposantesten Schauspiele zu zeigen.

Auf einer Basis, deren Linie sich in die Wellen verlor, erhob sich majestätisch zu einer Höhe von mehr denn 3000 Fuß, der ungeheure Tafelberg.

Wie weit hinter der Natur ist Camöens Kunst zurückgeblieben, wie wenig reicht der ganze Schimmer seiner Einbildungskraft, der ganze Zauber der Poësie hin, wenn er beschreibt was Gama *) und seine Gefährten bey dem Anblick dieses Kolosses empfinden mußten, der weit poëtischer, als Herkules Säulen, am äussersten Ende der südlichen Welt steht! Nur der ungeheure, einsame, stürmische, wilde Continent von Afrika konnte einen solchen Scheidungspunkt zwischen Asien und Europa stellen. Die kühnste Einbildungskraft würde unter ihr erliegen; darum auch die Fantasie des Sängers der Lusiade hier, um die Na-

*) Vasco de Gama verließ den 9ten July 1497. den Hafen von Lissabon, und langte den 20ten November am Cap an.

tur zu erreichen, Anstrengungen macht, welche ein neuer Beweis für die Unvermögenheit des menschlichen Geistes sind, gewisse Grenzen zu überspringen.

Es ist bekannt, mein Herr, daß Ponce de Leon die Florida fand, indem er die Quelle der Juvenca suchte. So entdeckte Bartholomäus Diaz, als er den Priester Johannes suchte, das Vorgebirg der guten Hoffnung. *) Er verlor nichts bey seinem Wechsel; aber es wird wohl nicht das letztemal seyn, daß wir nach Schimären sagen, und Wahrheiten finden.

Indeß war der Geist der Europäer, welche zuerst dieses stürmische Vorgebirge entdekten und erreichten, dessen Namen Cabo tormentoso Johann II. von Portugal in den des Vorgebirgs der guten Hoffnung verwandelte, dieser Geist war zu beschränkt, um eine so wichtige Entdeckung richtig zu beurtheilen.

*) Diesen lächerlichen Uebernahmen gaben Marco Polo, Rubruquis und Andre, warum? ist unbekannt, dem Kaiser von Abessynien. Johann II. hatte ihn schon zu Lande durch Pedro de Covillam, und Alfonso de Payva aufsuchen lassen.

Es war einem Mann der niedrigern Classe, aber einem glücklichen Kopf, dem Wundarzt Ribeck, oder Risbeck, den die Histoire générale des Voyages bald Tikbeck, bald Rikbec *) nennt, und der 1650. hier ankam, vorbehalten, das Vorgebirg der guten Hoffnung für das zu beurtheilen, was es ist, und wie es die Holländer im Anfang wirklich angesehen zu haben scheinen. Indeß ist diese Ansicht, wenn man nach ihrer Verwaltung und der nachlässigen Bewachung dieses Landes schliessen darf, wieder von ihnen aufgegeben worden. **)

Wenn mich nicht alles täuscht, so werde ich während meines hiesigen Aufenthalts im Stande seyn, über diese merkwürdige Colonie Beobachtungen ***) zu machen, welche von den Grundsätzen, nach denen sie angelegt ist und verwaltet wird, eine ganz verschiedene Ansicht geben müs-

*) B. 3. B. 6. Kap. 5. Der Verfasser der Trois ages des Colonies nennt ihn Risbeck.

**) Es wurde ihnen daher so oft genommen, als man Lust dazu hatte.

***) Ich hatte sie wirklich gesammelt, verlor aber die Handschrift in der Revolution.

sen, als man sie haben kann, wenn man nicht an Ort und Stelle selbst urtheilen konnte.

Bevor ich mich aber an eine Arbeit mache, zu der mir meine schwache Gesundheit noch nicht Kräfte genug leiht, will ich noch das Nöthige über unsre Ankunft hier sagen.

Am 13ten November erblickten wir Land nach einer Fahrt von sechsthalb Monaten, zu der man gewöhnlich nur drey bis vier Monate braucht. Am 14ten gingen wir in der Tafel-Bai vor Anker, und am 15ten trat ich an's Land, wo ich bey Herrn Eckstein, Major der Bürger-Miliz, in dessen Haus man mir Quartier bereitet hatte abstieg.

Es muß einem Europäer auffallend seyn, daß ich, der ich in der Mitte Novembers hier ankam, mich sogleich genöthigt sah, meine Wohnung in der Stadt zu verlassen, und meine Zuflucht auf dem Lande zu suchen, indem ich die große Hitze nicht ertragen konnte, welche durch das Zurückprellen der Sonnenstrahlen von einer sehr breiten ungepflasterten, aber desto reichlicher mit Sand bestreuten Strasse noch vermehrt wurde. Bei Ihnen, mein Herr, sind die Felder nun mit Schnee bedeckt, während die unsrigen von der Glut der

Hundstage ausgebrannt werden. So gelang es mir denn, da ich Eurpa mitten im Sommer verließ, und ihn hier im Monat November wieder fand, der Zeit einen Winter abzustehlen. Der gefrässige Alte begeht Raub genug an uns, und soll sich über diesen nicht beklagen. Aber ach! Mit diesem Raub werd' ich aber leyder! nicht viel gewinnen! Was ich der Gegenwart genommen, muß ich der Zukunft wieder erstatten, und wie manchen Frühwinter wird dieser einzige geraubte Winter auf meinem Haupte versammeln, wenn ich je die gemässigte Zone wieder sehe!

„Ein Bach, der von dem Tafelberg herunterfällt, dreht am Fuße dieses Gebirgs eine Mühle, welche der holländischen Compagnie gehört." *)

Und in dieser Mühle wohn' ich gegenwärtig, und find' ich mich recht artig eingerichtet. Honni soit, qui mal y pense!

Thunberg gibt dem Tafelberg 3352 rhein. Fuß Höhe. Seine Breite ist bey den Reisenden von 33° 30' bis zu 34° 30' verschieden; so daß also weder seine Höhe, noch seine Breite

*) Histoire générale des Voyages, Tome III. lib. 6. chap. 3.

genau bestimmt sind. Die Verschiedenheit in ersterer Angabe rührt wahrscheinlich von der Basis her, von welcher aus jeder gerechnet hat. Der eigentlich sogenannte Tafelberg indeß kann etwa 550 Fuß hoch, 1340 lang, und 600 breit seyn. Unter mehreren Wohnungen, die man mir in der Nähe der Stadt vorgeschlagen hatte, zog ich diese vor, weil sie in der Nähe vom Lager unsrer Soldaten, und in einer hohen Lage ist, von der aus der Blick die blaue Gebirgskette zur Rechten, gerade vor sich die Bai, die Robben-Insel und die hohe See, und zur Linken den Löwenberg umfaßt, auf dessen östlicher Seite man die chinesischen Gräber von Mauerwerk, mit ihrem Eingang gegen Osten, erblickt, und auf dessen blos durch Hülfe von Strickleitern zugänglichem Kamme die Flagge weht, durch welche die Schiffe, die im indischen und atlantischen Ozean die Cap-Gewässer befahren, signalisirt werden.

Zu meinen Füßen liegt die Stadt, und unmittelbar zwischen ihr und meiner Wohnung der Garten der Compagnie, von welchem so viele

Reisende, wie Dampier *), Tachard und Andere **) so schöne Beschreibungen machen, dem aber Herr von Bougainville alle Gerechtigkeit widerfahren läßt, indem er ihn mit einem Kloster-Garten vergleicht ***). Sein Ruf ist dem von vielen Menschen ähnlich — nichts, als das Werk der Umstände und einer gewissen Geistesstimmung von denjenigen, die ihn ihm gemacht haben. Viele unsrer Städte vom zweyten Range haben schönere öffentliche Spaziergänge. Aber ein Reisender, der eben aus dem tännenen Sarge aufsteht, in welchem er vier bis fünf Monate zwischen Himmel und Meer herumgeworfen wurde, geht gewiß mit Vergnügen in einer schönen Eichen-Allee spazieren. Und diese Allee, welche sich an dem Pavillon endigt, den der Gouverneur bewohnt, und die den Garten in vier Quadrate theilt, macht dessen ganze Schönheit aus.

*) Voyage autour du monde. tom. 11. chap. 19.

**) Rélation de l'Ambassade de Mr. le Chevalie de Chaumont à la cour de Siam, und der Abbé Choisy in seinem Journal du voyage de Siam.

***) Voyage autour du monde. Tom. 11. Chap. 9.

Als dieß ist blosse Uebertreibung; allein folgende Thatsache glaub' ich als völlig falsch angeben zu müssen.

Der Verfasser des Tagebuchs einer Reise nach Ost-Indien sagt: die Einfahrt in den hiesigen Hafen ist besser vertheidigt, als die von Constantinopel durch die Dardanellen. *)

Welche Vorstellung muß man sich nach diesem von den Befestigungen und dem Hafen dieser Niederlassung machen!

Nun gab es zur Zeit, da dieser Reisende geschrieben hat, keine andere Befestigungen, als die elende Zitadelle, von der ich Ihnen reden werde; aber von einem Hafen hat nie jemand etwas hier gesehen.

*) Ebend. Tom. II.

Anmerkungen zum dritten Theile.

Sechster Brief. Anm. 1.

Deßen ohngeachtet hat ein sehr achtungswerther Mann durch die immerhin aus ihnen hergegangene verbreitetere Aufklärung, und durch die Wirkung derselben auf die Fortschritte der Civilisation, die Kreuzzüge zu rechtfertigen gesucht. —

Allein ohne den nach Frankreich zurückgekehrten Kreuzfahrern das Verdienst der in diesen Zügen, wo sie auf dem Meere oder im Lager ihr Leben zubrachten, erworbenen Kenntniße streitig machen zu wollen, möchte ich doch bemerken, daß wenn wir die classischen Alten mit Glück nachgebildet, und sie hie und da auch wohl übertroffen haben, wir nicht den Kreutzfahrern dafür verbunden sind, sondern es den in der Ursprache oder in Uebersetzungen gedrukten, geschichtlichen oder philosophischen Werken der Alten selber danken. Gewiß haben uns in Beziehung auf Staatskunst, Kriegskunst, Philosophie, Geschichte und Moral die Kreuzfahrer nichts gelehrt, was nicht, schon durch Plato,

Aristoteles, Thucidydes, Xenophon, Polybius, Epictet, Cäsar, Tacitus, Livius, Suetonius, Cicero, Seneka u. s. f. zu unsrer Kenntniß gelangt wäre.

Eilfter Brief. Anm. 2.

Plato spricht in seinem Tymäus von Zerstörungen, welche nahe bei den Canarischen Inseln auf dem festen Lande durch Erdbeben hervorgebracht wurden, als von Etwas, das zur Zeit, wo er schrieb, noch in frischem Andenken war. —

Ein sehr heftiges Erdbeben erlitten die Azoren am 9ten Julius 1757. Auf der Insel Fayal ist ein Vulkan, dessen letzter Ausbruch im Jahr 1672. Statt hatte. —

Den 9ten October 1803 sind Fonchal, die Hauptstadt von Madera, und die Städte St. Crux und Crux und Machico durch unterirdische, mit dem fürchterlichsten Sturm begleitete Erschütterungen, ganz oder zum Theil mit ihren Einwohnern verschlungen worden. —

Zwölfter Brief. Anm. 3.

Herr Pinkerton ist, meines Wissens, der erste Europäer, der es unternommen hat, die Spanier freizusprechen von allem dem in der neuen Welt vergossenen Blut, „das, wie er sich ausdrückt, ihr Ehrgeiz nie so sehr verschwendete, als der Fanatismus der Mexikaner.“ —

Anmerkungen.

Bemerkt man ihm, daß Einer den zwölf Aposteln zu Ehren, die Kaziken zu zwölf hängen ließ, was jenen habsüchtigen Fanatikern mit so vielem Recht vorgeworfen wird, so nennt er solche Vorwürfe „das Geschrei einer unwissenden Philosophie.“ — Also könnten nach Herrn Pinkerton dadurch, daß die Mexikaner einige Menschen ihren Göttern als Schlachtopfer darbrachten, die Spanier von den zwanzig Millionen freigesprochen werden, die sie ihrem sogenannten Ehrgeiz aufgeopfert haben! —

Wahrlich es gehört fast zu dem Unglaublichen, daß ein Engländer es vermochte, den Ruf der Menschheit, welcher dem Morden, das früher die Antillen, und jetzt Mexico und Peru entvölkerte, ein Ende gemacht hat, das Geschrei einer dem wahren Interesse der Menschheit entgegengesetzten, unwissenden Philosophie zu nennen.

Man begreift wohl, wie diese unwissende Philosophie der Habsucht entgegengesetzt werden kann, die heutzutag die Engländer treibt, in Ost-Indien dasselbe zu thun, was die Spanier ehemals in West-Indien thaten. Aber wie diese arme Unwissende mit dem wahren Interesse der Menschheit, in deren Namen sie sich vernehmen läßt, in einem Gegensatze stehen kann, das ist rein unbegreiflich. —

Fürchtet Herr Pinkerton etwa, daß durch diese Stimmen die Räuber Indiens und die Henker der Indianer in ihrer Thätigkeit im Plündern und Morden, lässig werden könnten? Oder will er Jenen den geringen Trost nicht einmal lassen, zu erfahren, daß es in Europa noch einige gerechte Menschen giebt, die den Muth haben sie zu beklagen? Dieses wäre in der That dem wahren Interesse der Indischen Compagnie, dem Interesse von 100 Pr. C. angemessener, als dem Interesse der Menschheit; und bekanntlich haben die Handelsgesellschaften mit dieser albernen Menschheit nichts gemein. Freilich mordet dieses wahre Interesse einige Millionen Menschen auf den Küsten von Coromandel und Malabar, um mit ihrem Blute einige Tausende auf den Küsten von Kent und Sussex zu ernähren. — und das begegnet jedem Einwurf.

Vierzehnter Brief. Anm. 4.

Man führt nur zwei Ausnahmen von dieser allgemeinen Regel an, nämlich die von der Stadt Leptis, welche ihrer Mutterstadt Carthago 1,679,256 Livres bezahlte, und die von Sardinien, wo man alle Fremdlinge, die dort Handel zu treiben wagten, ertränkte, und den Sardiniern verboth, ihr Land zu bauen. — Das nenn' ich mir die Theorie des ausschließenden Handelsverstehen! Es wundert mich nur, daß unsere heutigen Handelscompagnien sich dieses herrliche Mittel noch nicht haben einfallen lassen! —

Ausser in diesen zwei Fällen wünschten die Alten immer das Gedeihen ihrer Pflanzstädte, nicht um des ausschliessenden Vortheils ihrer eingennützigen Mutterstadt Willen, sondern für sie selbst; da hingegen die neuern Völker, sogar die Engländer nicht ausgenommen, in der ihrigen gewöhnlich nur ein Mittel zur Wohlfahrt des Mutterstaats sehen, und durch eine, ohne die vorhandenen zahlreichen Beweise kaum glaubliche Inconsequenz, ihr Möglichstes thun, um die Wohlfahrt der Pflanzstädte zu verhindern. —

Sechszehnter Brief. Anm. 5.

Der Haupteinwurf zu jener Zeit gegen die Entdekkungen im Süden war, daß die heiße Zone wegen der übermässigen Hitze unbewohnt, und nothwendig unbewohnbar seyn müsse. —

Allein mit ein wenig mehr Ueberlegung nur, wäre man leicht zu der vernünftgen Einsicht gelangt, daß so wie ein Norweger, wie es die tägliche Erfahrung beweiset, in Spanien oder zu Lissabon leben kann, ein Bewohner von Lissabon oder von Madrid eben sowohl unter der Breite von Senegal, oder von Mexico ausdauern würde. —

Andere ein wenig vernünftigere, aber nicht minder inconsequente Leute setzten den Entdeckungen im Süden den physischen Beweis entgegen, daß die Europäer in Afrika so schwarz werden müßten, als die Neger selbst. Glücklicherweise hat seit drei Jahrhunderten die Erfahrung diesen vortrefflichen Einwurf förmlich widerlegt. —

Anmerkungen.

Sechszehnter Brief. Anm. 6.

Ein Mann, der sich sowohl durch seinen moralischen Charakter und seine diplomatischen Talente, als durch seine Weisheit und Mässigkeit während der französischen Revolution ausgezeichnet hat, der Graf Otto, schrieb, als junger Mann, an den Dr. Franklin einen Brief, welcher in dem zweiten Band der Verhandlungen der philosophischen Gesellschaft von Amerika vom Jahr 1786. eingerückt wurde, und welchem ein Aufsatz über die Entdeckung von Amerika beigefügt war.

In diesem Aufsatze erklärt sich der Verfasser für die Meinung, daß die Entdeckung dieses Welttheils einem Behaim zugeschrieben werden müsse, der auch bald Behin, bald Behem, bald Beham, bald Bohenira genannt wird. Dieser allerdings verdienstvolle Geograph machte eine Reise von sechs und zwanzig Monaten, auf welcher er, wie er es in seinem Bericht erwähnt, „ohne sich von der Afrikanischen Küste weit zu entfernen, die Linie passirte, die Antillen wahrnahm, welche nicht jenseits der Linie liegen, und bis zur Meerenge von Magellan gelangte.“ Er übergab bei seiner Rückkehr im Jahre 1488, eine von ihm selbst verfertigte Carte von seinen Entdeckungen Johann II. der ihn am dreizehnten Januar 1485, bei der Rückkehr von seiner ersten Reise nach der Afrikanischen Küste, zum Ritter gemacht hatte. —

Anmerkungen.

Wie wäre es aber möglich, daß ein so bewährtes Denkmahl der Entdeckung einer neuen Welt, in die Hände eines durch seine Kenntnisse und seine Leidenschaft für Entdeckungen berühmten Fürsten niedergelegt, — wie könnte erstlich ein solches Denkmahl, und auf der andern Seite die durch Behaim verfertigte, und in die öffentliche Bibliothek einer Stadt, wie Nürnberg damals war, aufbewahrte Erdkugel, auf welcher er seine Entdeckungen von Brasilien bis zur Meerenge von Magellan unter den Namen: das Westliche Land gezeichnet haben soll; wie läßt sich, sage ich, diese auf offenkundige Beweise sich gründende Bewährtheit der Rechte Behaims an der Entdeckung von Amerika, mit dem Gefühl von Erstaunen und Bewunderung vereinigen, welches nicht ganz vier Jahre später, bei der Rückkehr Columbus von seiner ersten Reise, ganz Europa ergriff? —

Wie kommt's, daß Behaim, der vertraute Freund von Columbus, niemals über die Unverschämtheit seines Freundes sich beklagte, der sein ganzes Leben lang allein des Ruhms einer durch einen Anderen gemachten Entdeckung sich erfreuete? —

Wie kommt's, daß Behaim — der im Julius 1506. also vierzehn Jahre nach der Entdeckung von Columbus, zu Lissabon gestorben ist, weder schriftliche noch andere Beweise seiner Rechte an der Entdeckung der neuen Welt hinterlassen hat, als die Erdkugel in Nürnberg? —

Anmerkungen.

— Warum, als Columbus Johann seine Dienste anbot, schlug sie dieser Fürst aus, nicht etwa weil ein Anderer schon entdekt hatte, was er zu suchen vorschlug, sondern aus Mißtrauen und Unglauben, — und das Alles troz dem Besitze der Behaimschen Carte? —

Der Verfasser des Aufsatzes beantwortet diese gewichtigen Einwürfe auf eine Art, die mir für seine Meinung nichts zu beweisen scheint. —

Man findet übrigens in einem Werke von Biedermann, betitelt: Geschlechtsregister des Hochadelichen Patriciat zu Nürnberg, daß die Familie der Behaim, Freiherrn von Schwarzbach, die erste unter den Patriciern dieser Stadt war; daß der Behaim, von welchem hier die Rede ist, Martin der Zweite hieß, und daß in allen Denkmälern die Mitglieder dieser Familie immer nur Beheim genannt werden.

Sechszehnter Brief. Anm. 7.

Es ist schmerzhaft, Schriftsteller, deren Urtheil man sonst verehrt, falsche Ideen annehmen und fortpflanzen zu sehen. Eine solche hat Robertson vom Geschichtschreiber Herrera zu leichtsinnig entlehnt. —

„Hätte Columbus Scharfsinn“, — so spricht er über die Entdeckung von Brasilien durch Alvarez Cabral — „Amerika nicht entdeckt, so hätte uns einige Jahre später Cabral, durch einen glücklichen Zufall leitet, zuerst in dieses weite feste Land eingeführt." (Geschichte von Amerika Iter Theil, 2tes Buch.) — Hier scheint der gründliche Verfasser ganz zu vergessen, daß, wenn Columbus nicht die ausserordentliche Standhaftigkeit, durch die er alle Hindernisse besiegte, mit seinem Scharfsinn vereinigt hätte, wir jetzt noch glauben würden, wie man es damals glaubte, Amerika hätte nie anderswo existirt, als in der feurigen Einbildungskraft dieses tollen Schwärmers; und daß also Cabral, welcher erst zehn Jahre nach Columbus Rückkehr von seiner ersten Fahrt, im Jahr 1504. seine Reise unternahm, nachdem Amerika's Daseyn schon völlig erwiesen war, sich gewiß nie hätte einfallen lassen, bis nach Brasilien vorzudringen. —

Zwei und zwanzigster Brief. Anm. 8.

Angenommen das Günstigste für die Missionarien, daß sie die Grundsätze des weisesten und vernünftigsten der Theologen, die Grundsätze Fenelon's zu den ihrigen gemacht haben, wollen wir nach der Art und Weise, wie dieser dem gebildetesten aller Völker *von der Herrlichkeit Gottes* spricht, diejenige beurtheilen, wie ein Missionär sie den Wilden vortragen muß. — „Gott will zwar unsere Glückseligkeit, aber diese ist weder der Endzweck seines Werks, noch kann sie seiner Herrlichkeit gleich gesetzt werden. Unsere Glückseligkeit ist nur ein untergeordneter Zweck, den er auf seinen Haupt- und Endzweck beziehet, der da ist seine Herrlichkeit. Also müssen wir auch nur zu seiner Verherrlichung nach unserer Seligkeit trachten; denn nicht der eigene Nutzen soll den Wunsch nach Seligkeit begründen, sondern seine Herrlichkeit, in so fern jene zu dieser führt."

(Oeuvres spirituelles. Tom. I. Chap. 3.)

Vier und zwanzigster Brief. Anm. 9.

Herr Golbery hat uns eben den unzweideutigsten Beweis gegeben, daß die Europäer mit vollem Recht auf die Schande Anspruch machen können, Lehrer der übrigen Völker in den Handelsspizbübereien gewesen zu seyn. — „Diejenigen, sagt er, die den Mohren von Zarrha Gummi abkaufen, bedienen sich folgender Betrügerei: Die Kufe, Kantar genannt, die im Gummihandel von Senegal zum Maaße dient, hat zum Vortheil der Europäer nach und nach beinahe um das Vierfache zugenommen. „Der Cantar, der vor 60 Jahren, zur Zeit der Indischen Compagnie nur ein wenig mehr als fünf hundert Pfund Gummi enthielt, ist jezt bis auf zwei tausend Pfund gestiegen. —

(Fragments d'un voyage en Afrique. Tom. 2. Chap. 6.)

Sechs und zwanzigster Brief. Anm. 10.

Der Schwert- oder Sägefisch (l'Espadon, l'Epée l'Empereur, la Vivelle, le poisson à scie, le Xiphias) ist eine Art Wallfisch, neun bis zehn Fuß lang, mit einer schwertförmigen Säge versehen, die ohngefähr eine Elle lang, hart, stark, und mit einer Haut bedeckt ist. Sie hat auf beiden Seiten platte, scharfe und hornartig durchscheinende Zähne. Die Neger der Afrikanischen Küste haben die größte Ehrfurcht vor diesem Fische. Wenn sie Einen fangen können, so nehmen sie ihm die Säge ab, und setzen sie unter ihre Fetische oder Hausgötter.

Geschähe dieses allen bösartigen Thieren, welche Tempel auf der Erde haben, so würden ihre Verehrer nicht so oft selber ihre Schlachtopfer. —

Sieben und zwanzigster Brief. Anm. 11.

Die Mönche, die auf entfernte Missionen ausgesandt werden, haben die Freiheit, ihr Ordenskleid abzulegen, und das ist nicht recht; denn obgleich die Kutte den Mönch nicht macht, so führt doch dieser erste Schritt bald zu manchem Andern. —

Freilich sind diese Kleider meistens lächerlich, und und in warmen Ländern sehr unbequem. Man gebe daher den Missionarien weder Kutte noch Frak, sondern eine anständige und ihrem Amte sowohl als der Temperatur, in der sie leben sollen, angemessene charakteristische Kleidung, und zwinge sie, diese zu tragen. Ich habe Einige gesehen, die mehr das Aussehen eines Perrückenmachers oder eines Stuzers, als das eines heiligen Priesters hatten. —

Anmerkungen.

Sieben und zwanzigster Brief. Anm. 12.

Dieses rührt von einer fehlerhaften Erziehung her, bei der man sich blos des Befehlens oder Verbietens bedient. Wer kann eine Moral annehmen, die alle Genüsse untersagt, und alle Entbehrungen als Pflicht auflegt? — Das Menschengeschlecht gewiß nicht, das ohnehin schon genug entbehren muß, und daher auch nothwendig das Bedürfniß hat, in einigem Genuß Entschädigung zu suchen. Es ist recht sehr gut, dem Menschen zu predigen, er solle sein Glück in der Erfüllung seiner Pflichten finden; allein das Predigen genügt nicht, seine eigene Erfahrung muß es ihm bei jeder erfüllten Pflicht beweisen. —

Neun und zwanzigster Brief. Anm. 13.

Wenn das wahr ist, was die meisten statistischen und ökonomischen Schriftsteller behaupten, daß der wahre Reichthum eines Staates in seiner Bevölkerung bestehet; und wenn Rousseau mit Recht bemerkt, daß der Mangel an Menschen der schlimmste der Mängel ist; so ist es klar, daß Seehandel die Wohlfarth des Staates nothwendig beeinträchtigen muß, indem er eine so grosse Anzahl Menschen ihm entführt, 1. durch den verheerenden Scorbut und durch die Krankheiten, die man ausländische nennen könnte, und die viele Seeleute wegraffen; 2. durch Schiffbrüche und andere Unfälle der Seefahrt; 3. durch die Ansiedelungen und Auswanderungen jenseits des Meers, die der Handel veranläßt und nothwendig macht; 4. durch die täglich wachsende Zahl der Matrosen und Soldaten, die man beständig zum Seedienst braucht, deren größter Theil nicht heirathet, und die für die Fortpflanzung verloren gehen. —

Es folgt aus diesen Bemerkungen, daß, wenn die Natur die Zahl der Todten und Gebornen in einem vollkommenen Gleichgewicht erhält, man den Zeitpunkt berechnen könnte, wo wegen dieses ausserordentlichen Menschenbedarfs die Bevölkerung des am Meer liegenden Theils Europa's nicht mehr hinreichen wird, um den Ackerbau, und noch weniger den Handel und die Schiffahrt mit Menschen zu versehen. Und so wie die Negerhandeltreibenden Kaper jezt schon gezwungen sind, in's innere Afrika einzufallen, um dort Neger zu kaufen oder zu rauben, eben so wird man einst die Seevölker Europa's durch die verminderte Bevölkerung dahingebracht sehen, mit bewaffneter Macht im Innern des festen Landes die Matrosen aufzutreiben. Das Pressen in England und die Seelenverkäufer in Holland beweisen bereits jezt schon die Möglichkeit solcher Gewaltstreiche. —

Neun und zwanzigster Brief. Anm. 14.

Englische Freibeuter fanden auf der Spanischen Gallione, Le Marquis, fünfhundert Rieß von päpstlichen Bullen, mit welchen diese Ketzer ihre Suppe kochten, und ohngefähr dreissig Fässer voll Crucifixe, Bilder, Rosenkränze und heiliger Knochen mit Ueberschriften versehen. Der Englische Kapitain, Thomas White, eroberte im Jahre 1592, ein Spanisches Schiff, welches nach Mexiko fuhr, und fand es mit zehn Ballen von Meß- und Gebet-Büchern, zwei Millionen und siebenzigtausend Agnus Dei und Rosenkränze, und zwei tausend Ablaßbullen beladen, mit welcher Waare der König von Spanien für seine eigene Rechnung handelte. Der Verlust war für Sr. Katholische Majestät um so grösser, da man für die Ablaßbullen in Rom nur drei hundert tausend Gulden bezahlt hatte, und sie ohne Zweifel in Amerika für fünf Millionen verkauft worden wären. —

Neun und zwanzigster Brief. Anm. 15.

Die Spanier von allen Uebeln freizusprechen, die sie in der neuen Welt angerichtet, ist heut zu Tage Sitte, und zwar nicht etwa aus Gerechtigkeit, sondern aus Haß gegen diejenigen, die man Philosophen nennt, und die sie ihnen am stärksten vorgeworfen haben. Wenn man es den neueren Balverden glaubte, so wären die Greuelthaten der Sieger in der neuen Welt nur die gerechte Strafe der Verbrechen ihrer Einwohner gewesen. Und auf wessen Zeugniß ist dieser Vorwurf gegründet? — Auf dem zweier Spanier, Herrera und Antonio de Solis. Welchen Glauben verdient aber das Zeugniß zweier Männer, die, selbst Mithenker der Amerikaner, zugleich auch nur ihre einzigen Ankläger sind?

Zwei und dreissigster Brief. Anm. 16.

Nach dem Berichte von Hieronimus Benzoni, einem Reisenden aus Mailand, welcher so zusagen die Eroberung von Peru mit ansah, war es Atabaliba der dem Jakobinermönch Vinzent von Valverde antwortete: „Der Papst müßte wohl irgend ein eingebildeter Gek seyn, da er so freigebig verschenke, was ihm nicht gehöre.“ —

Es ist leicht möglich, daß zwei Menschen von gesundem Verstand auf dieselbe Albernheit dasselbe geantwortet haben. Muß denn einer nothwendig Europäer seyn, um ein gesundes und richtiges Urtheil zu fällen? Schon lange hätten uns die Wilden von diesem Vorurtheil heilen können. Wir haben mehr Geist, aber gewiß haben sie eben so viel gesunden Menschenverstand, als wir. —

Zwey und dreissigster Brief. Anm. 17.

„Wir waren“ sagt der reisende Bürger, „La Billarderie,“ als wir an's Meerufer in Neu-Kaledonien anlandeten, Zeugen von einer Handlung, die eine grosse Verdorbenheit der Sitten bei diesen Menschenfressern anzeigt. Zwei Mädchen, wovon die Aeltere ohngefähr achtzehn Jahre alt war, zeigten Einigen unserer Matrosen, was sie sonst mit dem erwähnten Fransengürtel zu bedecken pflegen. Zum Preis ihrer Gefälligkeit hatten sie einen Nagel oder sonst einen

Gegenstand von gleichem Werthe festgesetzt, und sie forderten, daß jeder Neugierige vorausbezahlte.“ (Voyage à la Recherche de La Peyrouse Tome 2. Chap. 13.)

Diese Erzählung beweiset, daß diesen Mädchen Schaamgefühl nicht abging, da sie ja bedeckten, was sie nicht zeigen sollten; daß sie für ein Stück Eisen thun, was die Unsrigen für Geld, und daß, da sie die Europäer als ausgemachte Spitzbuben kannten, sie recht gescheut waren, sich voraus bezahlen zu lassen. Mögen diese Unglücklichen ihren Nagel gewinnen, wie sie wollen! Sind sie denn strafbarer und verdorbener, als jene Jüdinn, die für ein Zikelein sich dem Willen ihres Schwiegervaters Juda hingab?

Zwei und dreissigster Brief. Anm. 18.

Diese zwey Menschen waren sehr strafbar, jedoch viel weniger, als ihr Anführer, welcher seiner Pflicht gemäß sie der gerechten Sache des beleidigten Volkes hätte übergeben sollen; er hätte dadurch das Unglück verhütet, welches aus dem bei dieser Gelegenheit entflammten Krieg hervorging. Aber wie hätte man auch nur erwarten können, daß der Herr Commandant eine so schöne Gelegenheit fahren lassen würde, seine Geschicklichkeit in der Kriegskunst an den Tag zu legen, und ein Volk zu vertilgen, dessen Nachbarschaft, Niederlassungen die man vergrössern wollte, erschwerte oder einschränkte? — ......

FSC
www.fsc.org
MIX
Papier aus verantwortungsvollen Quellen
Paper from responsible sources
FSC® C141904

Druck:
Customized Business Services GmbH
im Auftrag der KNV-Gruppe
Ferdinand-Jühlke-Str. 7
99095 Erfurt